GREE

NORMAN

GREEN

VOORTVLUCHTIG

ELMAR

VOORTVLUCHTIG
is een uitgave van Uitgeverij Elmar BV, Rijswijk, 2005
Oorspronkelijke titel: *Way Past Legal*
Oorspronkelijke uitgave: HarperCollins*Publishers*, New York

Nederlandse vertaling: Uta Anderson

Omslagontwerp: Wil Immink
ISBN 90 389 1581 0
NUR 330

Voor Nederland: Uitgeverij Elmar BV, Rijswijk
www.uitgeverijelmar.nl
Voor België: Uitgeverij Van Halewyck, Leuven
www.vanhalewyck.be

VOORWOORD

Het gebeurde vele eeuwen geleden, voordat ze hun namen kregen van de blanken. Aanvankelijk peddelde hij in z'n eentje de Saint Croix af, hoewel toen niemand die rivier zo noemde. Hij was op zoek naar een geschikte plek om zijn kinderen achter te laten. Bijna had hij de monding van de rivier bereikt, waar het water in de oceaan stroomde, toen hij besloot zijn kano de oever op te trekken en een kamp op te slaan voor de nacht. Daar was hij juist mee bezig, toen hij ze zag. De eland was drachtig, het hert niet, en beide zwommen door angst voortgedreven in het koude water, onbewust van de kracht van de stroming. De wolven dromden in een kring samen op de plek waar hun prooi het water was ingegaan. Ze aarzelden, maar sprongen toen als door één enkele wil gedreven de rivier in om de jacht te vervolgen. De man stond daar tot zijn enkels in het ijskoude water en keek met gemengde gevoelens toe. Het was goed dat het hert en de eland probeerden te vluchten en het was ook goed dat de wolven ze achtervolgden, maar het was verkeerd dat ze allemaal zouden omkomen in de riviermonding. Terwijl deze gedachten bij hem opkwamen, greep de rivier de groep zwemmende wolven en sleurde ze mee naar dieper water, waar de stroom nog meer kracht had. Zij waren al verloren.

Hij sloot zijn ogen en wuifde langzaam met zijn arm om ze allemaal stil te zetten op de plek waar ze waren en daarna opende hij zijn ogen weer om te zien wat hij tot stand had gebracht. De grote, lompe, gebochelde vorm die het dichtst bij de kust lag, was Moose Island. Midden in de stroom, laag en groen, lag Deer Island en verderop in de baai, waaiervormig verspreid ten opzichte van elkaar en van de grotere eilanden bevonden zich de Dog Islands. Hij wachtte op de oever tot de zon opkwam om er zeker van te zijn dat het goed was wat hij had gedaan. Daarna stapte hij weer in zijn kano en peddelde weg. Zijn kinderen liet hij achter op de oever, bijna alsof hij zich dat zojuist weer herinnerde. De baai, die de prooi was misgelopen, nam echter wraak. Door de ligging van de eilanden en de stromingen daartussen ontstond bij vloed een verschijnsel dat de naam Old Sow kreeg, een brullende, kwaadaardige draaikolk van zeewater, een genadeloze verslinder van kano's, schepen en mensen.

Maar tegen de tijd dat het vloed werd, was hij al ver, ver weg.

1

Tijd, zo zei iemand ooit eens tegen me, is niets anders dan de ene verrekte gebeurtenis na de andere. Ik ontmoette die man in Ossining, in de staat New York, toen ik daar de laatste keer was. Ik zat achter de tralies en hij ook. Vermoedelijk was hij net als ik een klein beetje slimmer dan goed voor hem was. Niet slim genoeg om dat soort leven achter zich te laten, maar ook niet dom genoeg om ervan te genieten. Later hoorde ik dat hij met een mes was neergestoken toen ik alweer op vrije voeten was. Ik ben er nooit achter gekomen waarom en eigenlijk doet het er ook niet toe. Die dingen gebeuren nu eenmaal. Toch?

De reden waarom ik aan hem dacht, was dat ik probeerde na te gaan hoe dit alles is begonnen. Op het moment dat iets gebeurt, besef je nooit dat het je leven zal veranderen, dat het je uit je vertrouwde baan zal slingeren, zodat je een hele andere richting uit vliegt. Misschien was het die man met zijn theorieën over tijd, misschien maakte ik me zorgen dat Nicky later net zo zou worden als zijn vader, misschien wilde ik Rosey niet vermoorden, omdat we al te lang min of meer bevriend waren, maar eigenlijk denk ik dat het door de Leoniden kwam.

Ik weet niet wie dat waren, dat stond er niet bij in de krant, maar er werd wel een meteorenregen naar hen genoemd. Dat las ik tenminste in het nieuwsblad. Het zou de laatste keer zijn dat iemand van ons dit verschijnsel zag, dat stond er ook bij, want de volgende keer dat het gebeurt, is in 2099 en dan ben ik dood, net als jij en iedereen die je ooit hebt gekend. Ik weet niet waarom dat zo'n indruk op me maakte. Ik bedoel, vallende sterren, nou en? Toch? Ik kon de gedachte eraan echter niet meer loslaten, het idee dat die avond dat verschijnsel langskwam, of het nu belangrijk was of niet, en dat jij en ik allang door de wormen zijn opgevreten voordat het opnieuw gebeurt. Misschien dat kleine Nicky het haalt, als hij honderdvijf wordt tenminste, maar wanneer je opgroeit in een pleeggezin in Bushwick maak je daar eerlijk gezegd niet veel kans op.

Rosario is die vent waar ik af en toe mee samenwerk. Voordat ik Rosey ontmoette, was ik een gewone inbreker, geen geweldig goede, maar ook geen slechte. Ik redde me best. Rosey was meer het type gewapende overval. De eerste klus die we samen deden, was een overval tijdens een kaartspel in Canarsie, hij en ik samen. Dat spel vond altijd plaats op vrijdagavond en we keken eerst vier vrijdagavonden achter elkaar toe tot we zeker wisten dat er geen al te zware jongens bij waren. Op de vijfde vrijdagavond sloegen we toe. We droegen skimaskers zodat niemand kon zien wie we waren en het ging van een leien dakje, ook al waren we maar met z'n tweeën. Dat was vooral te danken aan het feit dat Rosey een angstaanjagend postuur heeft, met of zonder masker. Hij is iets groter dan ik, ruim een meter negentig schat ik, en een paar pondjes zwaarder, zo'n honderd tot honderdtien kilo. Zijn lichaamsbouw heeft hij gratis gekregen – voor zover ik weet, heeft Rosey nooit gewichten hoeven heffen of een meter hoeven hardlopen. Alles waar ik hard voor moet werken, krijgt hij gratis en voor niets. Wat echter werkelijk in je geheugen blijft hangen, is niet zijn bouw. Ik denk dat je dat zijn aura zou moeten noemen. Men zegt dat God je het gezicht geeft waarmee je wordt geboren, maar dat je het gezicht waarmee je sterft zelf verdient. Rosey had ogen die veel pijn leken te hebben gezien, maar hoeveel daarvan de pijn was die hij anderen had aangedaan, vertelt het verhaal niet. Het zit hem echter niet alleen in zijn ogen, het zit ook in zijn houding, in zijn gezicht, in zijn botten. Zodra je hem ontmoet, weet je instinctief dat je op moet passen. Mensen schudden Rosario voorzichtig de hand en ik ken hem lang genoeg om te weten dat hij nog erger is dan hij eruit ziet. Rosey is een van die mensen die geloven dat het leven een en al narigheid is, dat we op de wereld zijn gezet om te lijden en te sterven. Het lijkt haast wel of hij weet dat hij is voorbestemd voor ellende, zodat hij nooit verbaasd is wanneer het hem treft en hij loopt er ook nooit voor weg. Rosey lijkt permanent op het randje te balanceren. Als hij denkt dat hij je moet neerschieten, dan doet hij dat, dat voel je gewoon. Daar hoeft hij niet lang over na te denken, niet totdat het voorbij is tenminste.

Hoe dan ook, wanneer je met kerels te maken hebt die weten hoe ze terug moeten slaan, moet je voorzichtig zijn, dan moet je heel zeker weten dat je niet wordt herkend. Je moet een goed plan maken, zodat er niets misgaat en achteraf mag je ook geen stomme dingen gaan doen, zoals sieraden kopen voor je favoriete hoer. De meeste mannen in de onderwereld vinden die regels te beperkend, geloof me of niet.

De laatste klus die ik samen met Rosey deed, was een effectenbank die werd gerund door een stel Russen. Ze deden in aandelenfraude, het was je reinste zwendel en ze stonden op het punt er met de buit vandoor te gaan. Het moeilijkste deel van dergelijke zwendelarij is de zaak om te zetten in contant geld, want iedereen is bang dat hij wordt belazerd of dat hij zal worden gepakt, dat is duidelijk. Het grootste gedeelte van het geld konden we niet bereiken, want dat stond al op een of andere bank op de Kaaimaneilanden of zoiets, maar er zijn altijd figuren die geen enkele bank vertrouwen en die contant willen worden betaald. Nu was die effectenbank in Manhattan, maar die Russen runden de zaak vanuit een of ander appartement in Vinegar Hill, een buurt in Brooklyn, aan het water, waar vroeger voornamelijk fabrieken stonden die nu zeker voor de helft zijn omgebouwd tot woningen. Het gebouw was te groot voor Rosey en mij samen en daarom nam Rosey drie andere kerels mee, een om te rijden en twee om de uitgangen voor hun rekening te nemen terwijl Rosey en ik naar binnen gingen. Ik was op dat moment pas achtentwintig, stel je voor, en ik begon al grijze haren te krijgen van al dat gelazer.

We gingen dus naar binnen en direct liep het al op twee punten fout. In de eerste plaats was er veel meer geld dan we hadden verwacht. Ik bedoel, echt veel meer, giga-bedragen die bij grote zaken horen. We waren de deur nog niet uit, of ik hoorde de raderen draaien in ieders hoofd. In de tweede plaats moet de conciërge de politie hebben gebeld, want we waren nog maar nauwelijks de straat uit, of de sirenes begonnen te loeien. We slaagden erin te ontsnappen, maar daarna hield de politie die Russen in de gaten en hielden de Russen de politie in de gaten en waren ze allemaal samen op zoek naar ons. Er hoefde maar één gefluisterd woord, één piepje naar buiten te komen en het zou gebeurd zijn met ons. We lieten de auto die we hadden gebruikt achter in Fort Greene, bij de nieuwbouw daar. We brachten het geld over naar een bestelauto die we daar al van tevoren hadden neergezet. Bij de drie kerels die Rosey had meegebracht om ons te helpen vielen de ogen haast uit hun hoofd van opwinding, zoveel geld hadden ze nog nooit bij elkaar gezien. Ze waren vooraf akkoord gegaan met een beloning van tienduizend dollar per man, maar dat konden we nu wel vergeten. Ze keken elkaar aan en daarna keken ze naar Rosey en mij – ik kon gewoon ruiken wat er zou gebeuren.

Nu is het een feit dat je beter een overval kunt plegen waarbij de buit te klein is dan een waarbij hij te groot is. Vijf kerels en een stapel kartonnen dozen vol met geld in één bestelauto, dat wordt een 'kritieke massa', zoals dat heet. Wanneer je te veel deelbare materie op een en dezelfde plek hebt, ontstaat vaak een kettingreactie die niet meer te stoppen is totdat er geen brandstof meer is. Rosey klom snel achter in de bestelauto. 'Mohammed,' zei hij tegen mij, 'jij rijdt.'

Ik kan er ook niets aan doen, schuilnamen zijn nu eenmaal vaak een beetje buitenissig.

Terwijl ik Flatbush Avenue afreed, hoorde ik hem een van de dozen openscheuren. De poen bestond uit allerlei verschillende coupures, maar alles was gebundeld in stapeltjes van tienduizend dollar. Ik sloeg hem gade in de spiegel. Hij hield de doos in zijn armen geklemd als een trotse vader, helemaal verliefd. Hij overhandigde die drie snuiters elk één stapeltje bijeengebonden honderdjes. Een paar centimeter hoog, tienduizend dollar, zoals het was afgesproken, maar nu waren ze teleurgesteld, en niet zo zuinig ook. We besodemieterden hen, vonden ze. Rosey had hun beter een van die dikkere stapels kunnen geven, een met biljetten van tien en twintig dollar in plaats van honderdjes, dan zouden ze misschien eerder tevreden zijn geweest. Nu leek het erop dat de hele zaak daar in die auto al mis zou gaan. Het wapen dat ik had gebruikt bij de overval had ik nog. Ik begon uit te kijken naar een plekje om de bestelauto achter te laten in het geval dat een van die kerels besloot opnieuw te gaan onderhandelen. Rosey wist hen echter te kalmeren. 'Luister,' zei hij, 'Mo en ik moeten dit geld op een veilige plek opbergen tot de druk van de ketel is. Wat ik jullie nu geef, is maar voorlopig, een voorschot zogezegd. Later, wanneer alles veilig is, gaan we de boel echt verdelen. Maak je geen zorgen, ik vergeet jullie heus niet.' Eigenlijk hadden we hen naar Red Hook moeten brengen, de buurt waar een van hen nog bij zijn moeder woonde, maar ik stopte op de hoek van Flatbush Avenue en Fulton Street.

'Oké, uitstappen!' riep ik.

'Waarom zet je ons helemaal hier af?' vroeg een van de twee

die met ons mee het gebouw in waren gegaan. 'Je zou ons toch thuisbrengen?'

'Je bent nu een rijk man, neem verdomme maar een taxi.' Ik zat half omgedraaid achter het stuur en ik hield het pistool in mijn hand, maar ik liet het niet zien.

'Hé, ga nu niet moeilijk doen, oké?' zei Rosey tegen die man. 'We wisten ook niet dat we zoveel geld zouden buitmaken. We moeten het ergens wegstoppen voordat de hel losbreekt. Elke schurk in Brooklyn gaat zich ermee bemoeien en het is niet handig om met zoveel poen te blijven rondrijden. We hebben gewoon niet veel tijd. Gesnapt?'

'Oké, oké.' Ze waren het er nog niet helemaal mee eens, maar ze stapten uit en smeten de zijdeur van de bestelauto achter zich dicht. Rosey ging weer voorin zitten. Hij draaide het raampje open en stak zijn hoofd naar buiten.

'Luister, stelletje klootzakken,' zei hij. 'Jullie houden je mond dicht, horen jullie me? Vertel het aan niemand, niet aan je moeder en niet aan de moeder van je kind, aan niemand! Ik bel jullie morgenochtend.' Ik reed weg en zag nog hoe ze daar op die hoek bleven staan en ons nakeken.

De bergplaats was een oude fabriek in de buurt van Coney Island. Daar hadden we al van tevoren een ruimte gehuurd. Het gebouw was een oude drukkerij, veertien etages hoog, massief beton, tralies voor de ramen en metalen deuren. Het stond op een plek waar alle andere gebouwen waren afgeboken. Overal stonden hekken van harmonicagaas, het onkruid tierde welig en het enige gebouw dat nog over was, was deze fabriek in art-decostijl met niets eromheen. Onze ruimte was op de twaalfde verdieping. Rosey greep nog enkele bundels geld uit de doos die hij al had opengebroken, stak mij er een paar toe en propte de rest in zijn zak. 'Het is ons gelukt, Mo.' Hij grijnsde van oor tot oor, de eerste keer dat ik hem dat ooit zag doen. 'Het is ons gelukt, klootzak. We zijn rijk.'

'Het gevaar is nog niet geweken.'

'Maak je geen zorgen,' zei Rosey. 'Het komt allemaal prima in orde.'

Rosey legitimeerde zich bij een beveiligingsagent achter een kogelvrij raampje. De man controleerde zijn naam op een papieren lijst, deed de deur open en liet ons binnen. We zetten de dozen op een houten pallet en ondertussen probeerde ik in mijn hoofd uit te rekenen hoeveel we hadden buitgemaakt. De dozen wogen zo'n vierhonderd pond bij elkaar, misschien iets meer of minder. Ik probeerde te schatten hoeveel geld er in elke doos zat en hoeveel dat allemaal bij elkaar werd, maar zonder ervoor te gaan zitten en het op te schrijven, kwam ik er niet uit. De man kwam met een vorkheftruck, tilde de pallet op en we gingen met z'n allen omhoog in de goederenlift. We zetten alles weg en sloten de deur af. Het zag er heel betrouwbaar uit, ik vermoed dat Rosey die plek daarom had uitgekozen. Toen we weer in de auto stapten, hield Rosey de sleutel van de opslagruimte omhoog. 'Luister,' zei hij. 'Ik heb een idee. Laten we deze sleutel ergens in de kluis van een hotel onderbrengen om te voorkomen dat een van ons zich rare dingen in zijn hoofd haalt. We zeggen dat ze ons twee ontvangstbewijzen voor die sleutel moeten geven en dat ze ze allebei terug moeten vragen voordat ze het ding weer afgeven. Dat betekent dat we er samen heen moeten wanneer we het geld gaan halen. Zo hoeven we ons allebei niet ongerust te maken. Is dat goed?'

'Ja, oké.' Ik voelde me als een man die een nieuwe auto koopt. Hij weet dat hij wordt bedonderd, maar hij snapt niet hoe. We deden het echter wel zo. We dumpten de bestelauto en we lieten de sleutel achter in de kluis van hotel Omni in de drieënvijftigste straat in Manhattan, precies zoals Rosey had voorgesteld. Op de stoep voor het hotel gingen we uit elkaar. Rosey liet me weer die brede grijns zien en liep triomfantelijk weg. Ik stopte het bonnetje van de hotelkluis in mijn zak en ging naar huis om wat slaap in te halen. Ik had zo'n gevoel dat ik dat wel eens nodig kon hebben. Plotseling kwam de gedachte bij me op dat ik genoegen had moeten nemen met één doos. Ik had één doos uit de auto moeten halen en Rosey laten wegrijden met de rest, maar daar had ik op dat moment niet aan gedacht.

Ik sliep het grootste deel van die dag en werd pas 's middags wakker. De twintigduizend dollar die Rosey me had gegeven haalde ik uit mijn zak en legde ze op het aanrecht in de keuken met het bonnetje van de kluis ernaast. Ik wilde er niet verder over nadenken, want ik wilde niet weten waar ik dan zou uitkomen. Ik wilde Rosey vertrouwen. Ik wilde geloven dat we elkaar over een week of zo zouden treffen om het geld te verdelen en vervolgens elk onze eigen weg zouden gaan. Het lukte me echter niet. Hoe luidt die oude regel ook weer? Behandel anderen...? Ik dacht aan een grote klapper die een paar kerels in de jaren zeventig hadden gemaakt. Er werd nog steeds over gepraat, alsof er ergens in Brooklyn een of andere piratenschat was begraven. Wat er was gebeurd, was dat een groepje van zo'n tien of twaalf man een geldtransport had buitgemaakt op het vliegveld JFK. De vangst bedroeg een kleine zes miljoen dollar. Dat was pas een kritieke massa – in het daaropvolgende jaar kwamen al die kerels stuk voor stuk om het leven op één na en hij stierf enkele jaren later aan kanker in de gevangenis. Als er iemand is die weet wat er met dat geld is gebeurd, dan houdt hij er zijn mond over. Hoe dan ook, zes miljoen was gewoon niet hanteerbaar. Ik weet niet of dat iets zegt over de mannen die erbij betrokken waren. Misschien niet. Misschien was er gewoon geen veilige manier om de boel te verdelen en uit elkaar te gaan. Het moest wel misgaan en dat gebeurde dan ook. Je kon erop wachten.

Aan dat kluisbonnetje dat op mijn aanrecht lag, zou ik nooit iets hebben, dat besefte ik wel. Terwijl ik daar in die keuken zat, drong het tot me door wat Rosey van plan was. Het is een oude truc, een ongeldig bonnetje. Rosey was zo handig geweest het echte bewijsje om te ruilen voor een ander dat hij al in zijn zak had. Zo kwam hij in het bezit van de twee bonnetjes die het hotel nodig had om hem de sleutel te geven. En ik had het bonnetje voor de poedelprijs. Daarom had hij hotel Omni gekozen, hij moest daar al van tevoren heen zijn gegaan om een derde kluisbonnetje te halen, dat hij later aan mij gaf. Op een bepaalde manier was het best aandoenlijk. Rosey bood me een uitweg. Zolang ik dat bonnetje had, hoefde hij me niet te vermoorden. Ik kon er blij en tevreden mee in mijn zak lopen en ondertussen kon hij zijn zaakjes regelen. Zo kon hij zich uit de voeten maken met het geld en kon ik het navertellen.

Ah, maar daar zit hem de kneep. Ik leef nog, en dus kan ik nog praten. Wanneer ze me komen ondervragen – en reken maar dat ze dat zullen doen – kan ik zeggen: 'De kerel die jullie moeten hebben heet Rosario Colón, hij is ongeveer zo lang en zo en zo ziet hij eruit.' Ik vermoedde dat Rosey hier nog niet over had nagedacht en dat ik veilig was totdat hij dat wel deed. Maar Rosey was niet dom. Lang zou het niet duren. Ik liep de badkamer in van het huis waar ik op dat moment woonde en keek in de spiegel. Had ik mezelf al overtuigd? Dat wilde ik graag weten. Stond ik er al achter? Eigenlijk zou het gewoon een kwestie van zelfverdediging zijn. Toch? Van het gezicht dat me aankeek in de spiegel werd ik echter niet veel wijzer.

Het is niet alleen je gezicht dat vergeet hoe het moet glimlachen. Toen ik opgroeide, was er lange tijd weinig te lachen geweest. En zo'n uitdrukking die je permanent op je postzegel draagt – zuur of vijandig of rancuneus of wat dan ook – dringt naar binnen, sijpelt je innerlijk in en drukt zijn stempel op wie je bent. Dan is het geen masker meer, want je kunt het niet afzetten. Je bent het zelf, zo ben je geworden. Ik beschik over alle excuses die je maar wilt, maar die betekenen niets.

De volgende ochtend, op dezelfde dag als die meteorenregen dus, stond het in de krant – de politie had ergens op een vuilnisbelt in Queens de lijken van drie mannen gevonden. Rosey had zijn belofte gehouden, hij was hen niet vergeten. Ik nam de trein naar Manhattan en vroeg me af of ik nog op tijd zou zijn. Misschien had Rosey het geld al verplaatst, maar aan de andere kant, als hij dacht dat ik zijn bedrog niet doorhad, kon hij het net zo goed laten waar het was. Ik ging een grote sportwinkel in de buurt van Union Square binnen, waar ze professionele bergbeklimmersuitrustingen verkochten. Ik spendeerde ongeveer twintig van die mooie schone honderd-dollarbiljetten aan touw, een klimharnas en een aantal klemkeilen voor spleten van 7,5 cm breed. Daarnaast kocht ik twee enorme plunjezakken, de grootste die ze hadden. Ze waren groen, zoals die dingen in het leger en als je je vuile kleren erin zou stoppen, hoefde je een maand niet te wassen.

Het was nog niet helemaal donker toen ik de mini-truck achter de oude drukkerij parkeerde. Het speet me dat ik het ding had moeten huren, maar het leek de verstandigste oplossing. De fabriek stamde uit de jaren twintig, schatte ik. Het was een industrieel gebouw, maar het straalde een zekere elegantie uit, een soort solide waardigheid. Het bleef een fabriek, maar het was gebouwd in een tijd dat daar nog aandacht aan werd besteed. Je kon er trots op zijn als je daar werkte. In de buitenmuur waren verticale groeven aangebracht in het beton die doorliepen tot de tiende verdieping. Daar bevond zich een platte, ongeveer anderhalve meter brede richel, waarna het gebouw nog eens vier verdiepingen omhoog ging tot het dak. Ik wachtte nog een half uur tot het donker genoeg was. Het klimmen zelf was gemakkelijk, eigenlijk. Je zet een klemkeil stevig vast in een verticale groef, je bevestigt jezelf aan het touw, je reikt zover mogelijk naar boven met de volgende keil en zet hem vast, dan trek je jezelf omhoog, en zo verder. Ik trok het klimharnas aan en ging recht omhoog als een spin. Het klinkt misschien eng, maar dat is het niet. Het is een heel stuk gemakkelijker – en verstandiger – dan een kamer vol gangsters binnenwandelen en hen hun geld afnemen. Het enige waar ik voor op moest passen, waren een paar plekken waar het beton wat brokkelig was geworden. Terwijl ik omhoog klom, bedacht ik dat ik me bij dit soort werk had moeten houden. Geen partners, geen bedriegerij, geen wapens. Ik sloeg een raam in op de tiende verdieping en nam de trap naar de twaalfde etage. Waarschijnlijk was ik meer tijd kwijt met het openen van de dozen en het wegstouwen van het geld in de plunjezakken, dan met het beklimmen van het gebouw. Ik was nog even van plan een paar dollar achter te laten, alleen maar om Rosey te pesten, maar dat deed ik toch maar niet. Toen ik klaar was, trok ik de deur dicht achter al die lege kartonnen dozen en sjouwde de zakken omlaag naar de richel op de tiende verdieping. Jammer dat die poen niet allemaal in honderdjes was, dat zou het een stuk lichter hebben gemaakt. Nu moest ik tweemaal heen en weer lopen. Terwijl ik het geld inpakte, telde ik de bundels en zo kwam ik tot een slordige twee miljoen dollar. Zo'n tweehonderd pond per plunjezak. Ik liet eerst de tassen naar beneden zakken en klom er toen achteraan. De klimspullen dumpte ik in een van die containers voor gebruikte kleren bij een winkelcentrum ergens in Brooklyn. Ik vond het wel jammer, maar als de politie me aantrof met dat spul, zouden ze me al na één blik in de gevangenis gooien. En het was maar goed ook dat ik het had gedaan, want net toen ik de George Washington Bridge overstak naar New Jersey, hield een agent me aan. Mijn hart stond bijna stil, maar hij wilde me alleen maar laten weten dat een van de achterlichten van de auto niet werkte. Ik liet hem de papieren zien van het verhuurbedrijf en zei dat ik het ding net had afgehaald, wat ook zo was. Hij bekeek mijn rijbewijs waarop de naam Emmanuel Williams stond. Manny is brandschoon, hij is nog nooit ergens voor veroordeeld, zijn rijbewijs is hem nooit afgenomen en hij heeft zelfs geld op de bank staan. Het heeft me een hoop tijd en geld gekost om hem te creëren. Noem het onofficiële amnestie. Ik ben altijd van plan geweest Manny te worden als ik lang genoeg in leven bleef om met pensioen te gaan. Het was mijn geluksavond – de agent had geen zin om een bekeuring uit te schrijven en dus liet hij me doorrijden.

Die avond logeerde ik in een goedkoop motel in Hackensack met de plunjezakken bij me op mijn kamer. De volgende dag huurde ik mijn eigen opslagruimte en zette de tassen erin. Ik betaalde de verhuurder zes maanden vooruit. Ik kon nog maar moeilijk geloven dat ik er echts iets aan zou overhouden – iets anders dan een kogel bedoel ik. De man op het kantoor van de opslagruimte gaf me een papieren boodschappentasje en daar stopte ik honderdduizend dollar in om mee te nemen. Ik weet niet waarom, ik had het niet echt nodig of zo, die twintigduizend die Rosey me had gegeven waren nog niet eens op. Misschien deed ik het om mezelf te bewijzen dat het allemaal echt waar was. Het was al laat in de middag toen ik de mini-truck terugbracht.

'Hé, joh,' zei ik, 'je moet eens naar dat achterlicht kijken. Ik heb er haast een bekeuring voor gehad.'

'Ja hoor,' riep die man. 'Laat je de sleutel in de auto zitten?'

Ik bracht de papieren zak naar het huis waar ik woonde, maar ik hield het er niet uit. Ik voelde me opgesloten en daarom besloot ik naar die Leoniden-toestand van die nacht te gaan kijken. In de krant stond dat je de stad uit moest gaan, ergens naartoe waar het echt donker was, en dus nam ik de metro naar Brooklyn Heights om een auto te stelen. Ik jatte een Volkswagen GTI, een van mijn favoriete wagens. Helaas had de eigenaar de vier- in plaats van de zescilinder gekocht, de goedkope versie, maar het ding had gelukkig wel vijf versnellingen. Ik schoot de snelweg tussen Brooklyn en Queens op en zette weer koers naar New Jersey.

Wanneer je de George Washington Bridge oversteekt en naar het noorden rijdt over Palisades Parkway, kom je op de grens van de staat bij een uitkijkpunt boven op de klippen. Het ligt zeker enkele honderden meters boven de rivier de Hudson, een schitterende plek om in het donker op de stad neer te kijken. Je kunt er ook fantastisch de langstrekkende adelaars, haviken en valken gadeslaan. Het was donker toen ik er aankwam, het was ongeveer een uur 's nachts, maar de parkeerplaats was vol, ik had er nog nooit zoveel auto's gezien. Ik stapte uit en ging op de motorkap liggen. Terwijl de motor afkoelde, begon ik het koud te krijgen. Het was die nacht kouder dan ik had verwacht en bovendien staat er meestal een stevige wind op die steile rotsen.

Ze verschenen in groepjes. Je zag twee of drie vallende sterren tegelijk en de mensenmassa in het donker riep oooh en aaah en dan was er weer enkele minuten niets. Tussen de mensen bevond zich zoals gewoonlijk ook een exemplaar van de alleswetende opschepper, een man deze keer, en hij loeide maar door op die doordringende toon die eigen is aan de soort: 'Daar heb je Orion, en dat daar is de Grote Beer, als je het handvat van de steelpan naar buiten toe volgt, zie je...' enzovoort, enzovoort. Ik luisterde een poosje naar hem, maar hij wauwelde maar door – dat doen ze altijd – zodat ik me ten slotte verplicht voelde hem uit te leggen dat hij zijn bek moest houden, voordat er iemand van Orion kwam om hem een schop te verkopen.

Ik vermoed dat ik verwend ben door videospelletjes en computergestuurde dinosaurusfilms. Eigenlijk waren het niet meer dan snelle flitsen aan de hemel, misschien waren er in de loop van anderhalf uur drie echt opvallend te noemen, groot genoeg om enigszins na te gloeien, om een neongroene streep achter te laten die na zo'n dertig seconden uitdoofde, maar toch is dat iets, als je erover nadenkt. Dat spul vliegt al zes of zeven biljoen jaar door de ruimte, als je tenminste wilt geloven wat ze zeggen, en vannacht sterft het, verbrandt het, en de enigen die het zien gebeuren, zijn een stel halve zolen uit New Jersey en een dief uit Brooklyn. Daar dacht ik op dat moment echter niet aan. Ik vroeg me af hoe kwaad Rosey zou zijn wanneer hij zijn gehuurde opslagruimte opende en of hij al op zoek naar me was, maar ook of die verrekte betweter uit New Jersey op de parkeerplaats zou blijven rondhangen om te kijken of er ook politie was. Op dat soort aandacht zat ik nu niet te wachten, ik had al tweemaal gezeten. De volgende keer dat het gebeurt, is het voor lange tijd. En dat zou pas stom zijn, twee miljoen buitmaken en dan gearresteerd worden voor een ruzie met een of andere schreeuwer op een parkeerplaats! Daarom ging ik weg toen het nog donker was.

Ik had geen zin om terug te gaan naar huis en terwijl ik langs de snelweg reed, peinsde ik erover wat die Leoniden nu werkelijk betekenden. In primitieve culturen zouden ze het waarschijnlijk wel weten, de oude wijze mannen zouden de hele nacht naar de hemel zitten staren en ze zouden er een of andere spirituele betekenis aan hechten. Ze zouden een paar dagen vasten en dan op zoek gaan naar een maagd om te offeren. Ik betaalde de tol bij de brug en vroeg de man of hij de Leoniden had gezien, maar hij snapte niet waar ik het over had.

Ik liet de auto achter op de plek waar ik hem had gestolen. Hé, ik probeer best fatsoenlijk te zijn wanneer ik dat kan. Daarna was ik echter helemaal in de war. Het laatste wat ik wilde, was op de metro stappen en naar huis gaan. Niet ver van waar ik de auto had achtergelaten, was een parkje. Het steekt boven de snelweg uit achter een aantal voorname huizen. Ik had een paar inbraken in die buurt gepleegd, maar dat was al een tijd geleden en dus ging ik op een bankje zitten in dat park. De zon kun je daar niet zien opkomen, want dat gebeurt achter je, maar ik bleef zitten terwijl het licht werd. Je kunt er uitkijken over heel Upper New York Bay. Ik vond het jammer dat ik mijn verrekijker niet had meegenomen, hoewel er niet veel bijzondere vogels te zien zijn, er komen vooral zilvermeeuwen, aalscholvers en de gewone eendensoorten. Er schijnt ook een paartje slechtvalken te nestelen dat elk jaar in januari terugkomt naar Brooklyn Bridge, maar ik heb ze nooit gezien. Als je vogels wilt kijken, is de beste plek Central Park, hoe raar dat ook klinkt. Denk maar eens na: New York ligt precies op de trekroute, zo'n vogel volgt zijn instinct, hij wordt moe, maar alles wat hij kilometers ver in de omtrek ziet, zijn gebouwen. Tot hij plotseling dat grote groene park in de gaten krijgt met massa's bomen en zelfs een eigen meer. Logisch, toch?

Het leven is veel minder kwaadaardig wanneer je afleiding vindt in dat soort dingen, maar die ochtend had ik daar weinig aan. Ik zat daar over mijn hele beroerde levensgeschiedenis na te denken en ik voelde me klote. Ik geloof niet dat ik naar excuses zocht, niet echt, ik denk dat ik gewoon helder probeerde te krijgen wat ik moest doen. De geschiedenis herhaalt zichzelf, zelfs wanneer je niet veel geschiedenis hebt. Mijn ouders heb ik nooit gekend, een paar mannen van de reinigingsdienst visten me uit het afval buiten een gebouw in Williamsburg. Natuurlijk weet ik daar niets meer van, maar ik heb het verhaal vaak genoeg gehoord.

Een van mijn vroegste herinneringen is dat ik werd afgetuigd door een troep kinderen in het souterrain van een of ander kindertehuis, een overheidsgebouw met geelgeverfde muren van betonblokken, fluorescerende lichten, grijze vloeren van asbesttegels en verlaagde witte plafonds. Tot op de dag van vandaag voel ik me ongemakkelijk in dergelijke gebouwen. Ik weet niet meer of ik toen huilde. Misschien wel, ik was nog zo klein. Daar schoot je echter weinig mee op. Je leerde al vroeg daar niet aan toe te geven. Hoe dan ook, wanneer kinderen aan zichzelf worden overgelaten, schijnen ze zich automatisch tot bendes te verenigen en rivaliserende bendes tuigen je om de beurt af tot je je ergens bij aansluit. Ik weet niet waar die neiging vandaan komt, misschien bevredigen die bendes de vage behoefte aan familie en acceptatie, maar dat zijn mijn eigen vermoedens, echte informatie heb ik er niet over. Ik heb me nooit graag ergens bij aangesloten en dus had ik geen andere optie dan het te slikken tot ik me kon ontwikkelen tot iemand voor wie ze wel uitkeken, zodat ze liever op zoek gingen naar een gemakkelijker prooi. Ik herinner me dat ik Jack LaLanne in een of andere talkshow op de televisie zag. Het kan niet lang na dat eerste pak slaag zijn geweest en ik zag hem maar één keer. Hij droeg een idiote blauwe overall en balletschoenen – balletschoenen verdorie – maar ik weet nog dat ik dacht: Ik durf te wedden dat niemand hem lastig valt. Vanaf dat moment deed ik er alles aan om groter, sterker en sneller te worden. Ik zocht de sportfanaten en de vechtjassen op, ik volgde de hogeschool van de straat en ik promoveerde aan de gevangenissen Rikers en Ossining. Mijn afkeer van bendes had niets te maken met deugdzaamheid of een mooi karakter. Ik wilde me gewoon niet onderwerpen aan weer een ander reglement, aan de grote bek van weer een of andere opgeblazen, zelfuitgeroepen gezagsdrager. Voor mij was het enige verschil tussen een bende en elke andere instelling de kleur van het uniform.

Bal je linkerhand tot een vuist. Steek hem naar voren, rol met je schouder en draai je lichaam vooruit vanuit je middel. Houd nu je rechtervuist omhoog naast je kaak, ergens tussen je kin en je rechteroor. Tot zover heb ik jullie allemaal tenminste op afstand gehouden. Dat is mijn lichaamsruimte. Als je te dicht bij me komt, zul je het bezuren. En mocht je langs mijn linkervuist komen, dan staat de rechter op je te wachten. Ik heb ooit op een video gezien hoe Teofilo Stevenson, de bekende Cubaanse bokser, tegen een reeks Roemenen en Bulgaren vocht tijdens de Olympische Spelen. Gevechten van drie rondes en ze dachten allemaal dat ze wel konden winnen. Ze dansten om hem heen en deelden tikjes uit waarmee ze punten verzamelden, terwijl ze die linkse directe van hem probeerden te mijden. Stevenson wachtte geduldig als een reusachtige bidsprinkhaan tot ze zichzelf vergaten en te dichtbij kwamen, dan liet hij die rechterhand vallen als de wraak van God en dat was het dan.

En nu ben ik achtentwintig, zo ongeveer. Een exacte verjaardag kan ik niet noemen, maar de dag waarop ze me tussen het afval hebben gevonden weet ik wel. Ik ben 1,85 meter lang en ik weeg een kleine honderd kilo. Dat is een beetje zwaar voor een inbreker, maar het is mijn beste gewicht. Mijn haar is gitzwart als ik het laat groeien en wanneer ik een poosje niet in de zon ben geweest, wordt mijn huid olijfkleurig. Ik heb tatoeages van mijn polsen tot mijn schouders, niet de slimste keuze die ik ooit heb gemaakt.

Ik heb veel tijd verknoeid door me af te vragen waar ik vandaan kom en dan bedoel ik niet die stoep in Williamsburg, maar mijn afkomst. Het kan van alles zijn, bijna elke ethnische achtergrond. Oké, ik bedoel, ik weet vrijwel zeker dat ik geen pygmee ben, maar ik heb kinderen uit zwarte families gezien van wie de huid zo licht was als de mijne en er wonen een hoop joden in Williamsburg en ook een hoop Spanjaarden. En wie zegt dat mijn moeder, wie ze ook was, niet de metro heeft genomen zodat ze me kon dumpen op veilige afstand van de plek waar ze woonde? Genetisch gezien kan ik tot elk van de genoemde groepen behoren, maar qua uiterlijk mis ik de typische kenmerken.

Toch is dat ethnische gedoe raar wanneer je er van een afstand naar kijkt. Al deze categorieën die zijn bedacht om mensen gemakkelijk in te kunnen delen – blank, zwart, Latino, Aziatisch – hebben alleen betekenis wanneer je er te ver vanaf staat om de details te zien. Zodra je dichterbij komt, worden al die termen waardeloos. Chinezen worden kwaad wanneer je hen voor Japanners aanziet, Japanners kijken neer op Koreanen en van Tibetanen snapt niemand iets. Zelfs aan de talen heb je niet veel. De Mexicanen verstaan de Cubanen niet, de Cubanen verstaan de Guatemalteken niet en niemand verstaat de Puertoricanen. Wanneer je nog dichterbij komt, vallen zelfs die onderverdelingen in kleinere brokjes uiteen. Neem twee Mexicanen, een uit Mexico City en een indiaan uit Oaxaca, zet ze in dezelfde kamer en je hebt kans dat ze elkaar vermoorden. Hetzelfde geldt voor blanken, zwarten en welke andere groep dan ook. Ik kende ooit een vent uit Alabama die in Engeland werd gestationeerd toen hij in het leger zat. Hij kon het niet uitstaan dat iedereen hem daar een Yankee noemde.

Ik geloof dat ik inmiddels het idee wel heb opgegeven dat ik op de een of andere manier kan uitzoeken tot welke soort van het menselijk ras ik behoor – door de vorm van mijn vingers te vergelijken bijvoorbeeld, of van mijn oren, of omdat er een aanwijzing over mijn afkomst begraven ligt in de onbewuste patronen van mijn spraak. En als ik het wist, als ik erachter kon komen, zou ik me dan anders voelen? Wanneer ik ergens het woord 'wij' hoor, ben ik me ervan bewust dat ik daar altijd buiten val, tenzij het binnen een beperkt en op roof gericht kader wordt gebruikt door iemand als Rosey, met wie ik een tijdelijk verbond heb gesloten om een of andere sufferd succesvol van zijn geld af te helpen. Ik heb geen eigen identiteit. Ik vermoed dat ik al blij moet zijn dat ik niet in die vuilniswagen werd gegooid. Afijn, de rest kun je waarschijnlijk wel raden, behalve het gedeelte over mijn zoon.

Kleine Nicky, zoals ik hem noem, is vijf jaar oud en het mooiste knulletje dat je ooit hebt gezien. Dat zegt iedereen van zijn eigen kinderen, dat weet ik wel, maar in mijn geval zou het best waar kunnen zijn. Kleine Nicky ziet eruit als een kind van Elvis en Sophia Loren. Hij heeft bruine krulletjes en zijn glimlach, Jezus, die zou je hart kunnen breken. Zelf maak ik in eerste instantie meestal geen diepe indruk op vrouwen, maar wanneer ik Nicky bij me heb, raken ze helemaal in vervoering, jong, oud en alles daar tussenin, ze smelten compleet. Iedereen blijft staan om hallo te zeggen en Nicky praat met iedereen. De enige vrouw die niet van Nicky houdt, is het Kreng bij wie hij als pleegkind in huis is. Ik denk dat ze meer houdt van het geld dat de overheid haar betaalt om voor hem te zorgen. 'Pappie!' zo noemt hij me en dat roept hij ook elke keer wanneer hij me ziet, wat niet al te vaak gebeurt. 'Pappie!' en dan rent hij me tegemoet en klemt zich vast aan mijn been. Ik mag niet rondhangen in de omgeving waar hij woont. Het Kreng wil niet dat ik op bezoek kom en daarom heeft ze een straatverbod geregeld om me uit de buurt te houden.

Nicky's moeder en ik zijn nooit getrouwd. We hebben het er wel over gehad en we zijn naar een ouderschapscursus en zo geweest, maar toen werd ik voor de tweede keer opgepakt en naar de gevangenis gestuurd. Terwijl ik weg was, raakte ze aan de crack en toen ik weer vrijkwam, was ze dood en had de overheid Nicky in zijn klauwen en dat was dat.

Ik zal je vertellen wat zo'n bezoek onder toezicht inhoudt. Je zit in iemands kantoor, weer zo'n overheidsgebouw met muren van betonblokken, fluorescerende lichten en de rest. Ik voel me daar niet op m'n gemak, ze brengen Nicky binnen en hij voelt zich ook niet op z'n gemak, want er zit een vrouw bij die ons voortdurend in de gaten houdt en we mogen nergens heengaan of samen iets gaan doen. Ik mag hem geen geld geven, maar ik mag wel speelgoed voor hem meebengen, of een T-shirt of zoiets. Nicky is niet echt geïnteresseerd in cadeautjes, hij gaat zo dicht als hij kan tegen me aan zitten en hij praat zo zachtjes dat ik naar hem toe moet leunen om hem te kunnen verstaan. Het is een ware kwelling, ik bedoel, ik ben gek op dat kind, maar ik word woedend wanneer ik hem zo zie. Ik zou het Kreng wel kunnen vermoorden omdat ze me dit aandoet en ik weet dat Nicky dat voelt. Dat halfuurtje vliegt om en dan is het alweer voorbij. Nicky doet zijn best niet te huilen wanneer ze hem weer meenemen en dat geldt ook voor mij. Terwijl ik naar buiten loop, vervloek ik het Kreng, God, Nicky's moeder en iedereen die hier de hand in heeft gehad, maar ik kijk nooit naar mezelf. Ik zou het liefst deze bezoeken overslaan, maar dat kan ik niet. Ik wil doen wat goed is, maar ik weet niet wat dat is.

Af en toe heb je wel eens zo'n moment waarop je de toekomst voor je ziet, als een cadeautje van God. 'Hier, klootzak, zo gaat het worden en wat ga je daaraan doen?' Die ochtend op dat bankje in het park zag ik het allemaal voor me. Als Rosey me niet te pakken kreeg, zouden de Russen het wel doen, of anders zou ik wel weer eens tegen de lamp lopen en terug worden gestuurd naar Ossining en deze keer zouden ze me pas loslaten wanneer ik oud en grijs was. En het ergste was nog dat kleine Nicky net zo liefdeloos zou opgroeien als ik en dat hij uiteindelijk misschien nog wel erger zou worden dan ik. Ik wilde niet in een of andere cel zitten en daar voortdurend over piekeren.

Op dat moment besloot ik hem te ontvoeren en me met hem uit de voeten te maken.

* * *

Ik had geen vast adres. Eigenlijk had ik alleen twee gemiddeld grote plunjezakken en een laptop. Ik betaalde mijn rekeningen via internet, ik had een mobiele telefoon en ik woonde altijd in huizen die werden onderverhuurd. Er bestaan websites voor mensen die hun woning willen verhuren wanneer ze een poosje weg zijn en daar logde ik in tot ik iets vond dat me aansprak, meestal voor een maand of twee. Soms kon je de hele zaak zelfs regelen zonder de verhuurder persoonlijk te ontmoeten – het vertrouwen dat mensen hebben in hun medemensen is soms verbijsterend. Ik gebruikte verschillende identiteiten. Meestal gaf ik me uit voor een kunstenaar of een musicus, of voor een student en als ik iemand moest ontmoeten om een sleutel te halen of een cheque af te geven, trok ik een overhemd met lange mouwen aan om de tatoeages te verbergen en soms droeg ik een baret of liet ik een sikje staan. Als ik er maar bohémienachtig genoeg uitzag, vertrouwden ze me bijna altijd. Je snapt het gewoon niet. Ik stal ook nooit iets uit de huizen waar ik woonde, maar soms sloeg ik wel toe in een ander appartement in hetzelfde gebouw. Mijn eigen adressen liet ik echter altijd schoon en netjes achter, met alles intact.

Het appartement waar ik op dat moment verbleef, was toevallig in een prachtig gebouw in Cobble Hill. Ik had mijn oog al laten vallen op een oud dametje dat een paar deuren verder woonde. Ze was dol op juwelen en ze bezat wel tien verschillende horloges die ze graag droeg, Cartier, Patek Philippe en Rolex, en ook diamanten oorbellen en armbanden, heel oud en heel begerenswaardig. Het probleem was alleen dat het zo'n lief mens was. Af en toe droeg ik haar boodschappen voor haar naar boven en dan probeerde ze me altijd iets lekkers te geven. Ze had een verrekijker bij de hand, maar de enige vogels die haar interesseerden, waren degenen die in het gebouw aan de overkant van de binnenplaats woonden. Ze had een hondje waar ze elke dag mee ging wandelen. Het was bijna misdadig mijn kans niet te grijpen, maar ik kon het niet, ze was te aardig. Ik had besloten haar nog een tijdje in de gaten te houden, misschien ging ze wel dood.

Die ochtend, de ochtend na de Leoniden dus, liep ik terug naar huis en voelde me helemaal zenuwachtig. Ik dacht aan kleine Nicky, ik maakte me zorgen over de deal met Rosey en ik wilde zo snel mogelijk verdwijnen met mijn kind en met het geld, allebei. Plotseling vielen me een paar bestelauto's op die ik daar nog niet eerder had gezien. Twee grote Ford bestelwagens, het type dat leveranciers gebruiken. De ramen waren geblindeerd, bij beide liep de motor en een van de auto's bewoog licht op en neer, alsof er mensen in rondliepen. Toen ik dat zag, ging ik weer weg om erover na te denken.

Ik had natuurlijk gewoon niet meer terug kunnen komen. Dat had ik al tegen mezelf gezegd, het was immers een van de redenen waarom ik dat nomadenbestaan leidde, maar in dit geval was het niet zo simpel. Op de keukentafel stond dat papieren tasje met de biljetten van honderd dollar, maar dat was het niet waard om voor te worden vermoord of gearresteerd. Ik bedoel maar, ik had meer dan genoeg. Verder waren er alleen persoonlijke bezittingen in mijn appartement. Maar het waren wel mijn bezittingen, als je begrijpt wat ik bedoel. Ik vond het geen prettig idee dat iemand die ik niet kende door mijn rommel snuffelde, of het nu de politie was of de Russen, of zelfs de mensen van wie ik onderhuurde. Plotseling besefte ik in een flits hoe al die mensen die ik ooit had bestolen zich hadden gevoeld, maar dat zette ik snel uit mijn gedachten. Ik wist dat ik dat vroeg of laat onder ogen zou moeten zien – wanneer zoiets eenmaal bij je opkomt, moet je beslissen wat je eraan gaat doen – maar op dat moment maakte ik me te veel zorgen over hoe ik weer in dat appartement moest komen. Er waren daar namelijk twee dingen die ik terug wilde hebben. Ik weet dat het stom klinkt, maar ik wilde per se mijn laptop. Het ging niemand wat aan hoeveel ik uitgaf aan eten, de stomerij of vrouwen en dat stond er allemaal in. Ik had het bestand niet eens beveiligd met een wachtwoord. Het tweede was mijn vogellijst, die opgevouwen voorin in mijn vogelgids lag, mijn *Sibley Guide to Birds*.

Op een vogellijst noteer je elke vogelsoort die je persoonlijk hebt waargenomen en geïdentificeerd en de mijne is niet eens officieel, want je hoort iemand bij je te hebben die je waarnemingen moet bevestigen. Is dat een cederpestvogel, ja mijn God, schrijf op. Dat zou het voor mij verpest hebben, dit was iets wat ik in m'n eentje moest doen, vraag me niet waarom. Ik had er nooit iemand iets over verteld. Maar die lijst lag boven en er stonden een hoop vogels op, alles van gewone mussen tot een schitterende grote kerkuil. Wat dat beest in Brooklyn uitvoerde, zal ik nooit weten, maar ik wilde die lijst hebben. Ik begon niet weer overnieuw, vergeet het maar.

Op een schoolplein niet ver weg was een stel jongens aan het basketballen. Ik bleef staan en sloeg hen een poosje gade. Ik zocht er twee uit. Ze waren allebei lang en zagen eruit alsof ze hard konden rennen. Ik gaf hun elk twintig dollar om een paar klinkers door de achterruiten van een van die twee bestelauto's te smijten. Het was leuk om te zien wat er gebeurde. Die jongens komen aanlopen over de stoep, een hoop gerinkel en daar gaan de ramen, die jongens ervandoor, de deuren van de bestelauto vliegen open en die kerels daarbinnen blijken agenten te zijn. Ze kunnen hun aard niet verloochenen, ze springen naar buiten en gaan die jongens achterna. De kerel die voorin zit vliegt met een rode kop uit de auto en schreeuwt dat ze terug moeten komen en op dat moment komt een auto die ik nog niet had gezien omdat hij een stuk verderop was geparkeerd tevoorschijn en giert ervandoor. Dat moet Rosario zijn die me stond op te wachten. De tweede Ford gaat hem onmiddellijk achterna. Enkele minuten later komen al die agenten terug en kruipen weer in de auto met de kapotte achterruiten, die vervolgens ook wegrijdt.

Zoiets roept vragen op. Misschien wilde Rosey alleen maar met me praten, misschien zou de politie hem niet te pakken krijgen, misschien zou hij me niet verlinken als dat wel gebeurde, misschien hadden de Russen het te druk met zich uit de voeten maken om zelf iemand te achtervolgen. Zou kunnen, toch?

Vast niet. Ik stond binnen een kwartier weer buiten. In de garage onder het gebouw stal ik een oude Toyota. Nou ja, het was een noodgeval. Ik liet hem weer achter buiten een of ander hotel in Queens, pakte mijn tassen mee en sprong in een taxi. Zo krijgt die vent zijn auto terug, want nadat het ding is weggesleept, zullen ze er op het opslagterrein nauwelijks naar omkijken omdat het toch maar een oude roestbak is. Ze zullen niet eens de moeite nemen de kofferbak open te breken.

Het moeilijkste gedeelte van vluchten is het denkwerk dat je eerst moet doen. Tijdens die rit naar Manhattan bleef ik piekeren over Rosey die daar op me had zitten wachten en niet eens in de gaten had dat de politie op hém wachtte. Zo was hij soms, zo gefixeerd op waar hij mee bezig was, dat hij niet meer merkte wat er om hem heen gebeurde en ik vroeg me af of ik soms leed aan dezelfde soort blindheid. Dat ik het zo druk had met wegrennen, dat ik niet oppaste voor valkuilen. Rosario moest witheet zijn, stel je voor, hij had al dat geld in handen gehad en nu was het verdwenen. Hij zou er niet eens bij stilstaan dat hij van plan was geweest mij m'n deel afhandig te maken en me om zeep te brengen zodra ik hem doorhad. Hij was nu de verongelijkte partij. Als hij me meenam naar het dak en me naar beneden smeet, zou niemand het hem kwalijk nemen. Misschien zou hij er achteraf spijt van hebben en mijn dood op zijn lijst met betreurenswaardige voorvallen zetten, maar daar had ik weinig aan.

Ik pleegde een paar telefoontjes met mijn gsm terwijl de taxi vastzat in het verkeer. Ze hadden een kamer vrij in hotel Halloran House bij Lexington, en dus kwam ik daar terecht. Dat hotel heet nu anders, maar Halloran House klinkt veel chiquer dan

Sheraton of Joost mag weten hoe ze het nu noemen en daarom blijf ik aan die oude naam vasthouden. Zo moet het zijn om oud te worden, je blijft de dingen zien zoals ze ooit waren in plaats van hoe ze nu zijn.

In mijn hotel liet ik de room service een maaltijd brengen en keek ik televisie terwijl ik probeerde te bedenken wat ik moest doen. De film *The Fugitive* kwam voorbij. Tommy Lee Jones weet dat Harrison Ford de heuvel af zal rennnen en hij weet ook hoe snel hij kan rennen en hoe ver. Daar moest ik ook rekening mee houden. Mijn eerste impuls was geweest naar Miami te gaan – Miami is net zoiets als Brooklyn, maar dan met palmbomen, en een hoop kerels daar zien er net zo uit als ik. Ik zou daar helemaal niet opvallen. Als er echter iemand naar me op zoek was, ik bedoel iemand die me kende en die me werkelijk wilde vinden, zou Miami een goed beginpunt zijn. Ik hield van die stad en ik was er al een paar keer geweest. Zo sporen ze je op. Ze kijken naar wat je gewoontes zijn, ze zoeken uit wat je eerder hebt gedaan en ze gaan ervan uit dat je dat weer zult doen. Wat zou Tommy Lee Jones dus van mij verwachten? Dat ik in andermans auto naar het zuiden zou trekken, zeker weten!

Het duurde een paar dagen voordat ik het allemaal voor elkaar had. Ik ging terug naar New Jersey. Zo'n tien minuten van de George Washington Bridge ligt daar het centrum van de tweedehandsautohandel. Er is zelfs een zaak die gespecialiseerd is in exotische buitenlandse auto's, Maserati, Lotus, Vette, Ferrari, de verleiding was groot. Ik had er immers het geld voor. Uiteindelijk kocht ik echter in de zaak aan de overkant een Ford, een minibusje. Dat is zo'n beetje de laatste auto waarin mensen mij verwachten, maar ik ben op de vlucht voor Tommy Lee Jones, toch, en dus ga ik tegen de heuvel op. Ik betaalde de man contant en toen wilde hij maar al te graag de hele transactie regelen, nummerplaten, verzekeringen, de hele mikmak.

De volgende dag had ik een afspraak met een man met de naam Michael Timothy Buchanan. Officieel is hij notaris, dat staat tenminste op de deur van zijn kantoor. Je moet hem echter geen testament voor je laten opstellen, of iets met onroerend goed voor je laten regelen of wat dan ook. Hij was een oplichter en een hele goede ook. De politie had hem nog nooit te pakken gekregen. Ik geloof niet dat hij ooit op hun radarscherm is opgedoken. Ik had tweemaal eerder met hem te maken gehad en beide keren had ik me zorgen gemaakt of het de transactie zou worden waardoor we allemaal achter de tralies zouden belanden. Wat Buchanan deed, was problemen oplossen. Neem nou zo'n vent als ik, mijn probleem is dat ik contant geld bezit en dat ik al die poen het systeem binnen wil sluizen. Contant geld is gewoon één soort geld, maar het kan lastig zijn. De andere soort geld bestaat niet echt, behalve dan als een rij cijfers op een stuk papier, een cheque of een of andere verklaring. Het veranderen van contant geld in die andere soort is een veelvoorkomend probleem. Uncle Sam is driftig op zoek naar kerels die dat proberen te doen. Ze controleren banken, casino's en effectenbanken en zodra je met grote sommen geld begint te schuiven via zo'n instelling, kun je bezoek verwachten van een paar kerels die een hoop vragen stellen over hoe je eraan komt. Daar heb ik hard voor gewerkt, hufters, maar elke keer wanneer Uncle Sams wetsdienaars je pakken met een vette stapel poen, gaan ze er automatisch van uit dat je er oneerlijk aan bent gekomen en nemen ze het in beslag. Als je het terug wilt hebben, moet je tot hun tevredenheid aantonen dat je het op een maatschappelijk geaccepteerde manier hebt verdiend. Is dat soms wel eerlijk?

Wat Buchanan doet, is een deal sluiten met twee andere oplichters die een andersoortig probleem hebben. Neem bijvoorbeeld een vent die een zaak in tweedehands auto's bezit of een snoepwinkel met een waarde van laten we zeggen een half miljoen dollar en die vent wil zijn zaak graag verkopen. Als hij alles eerlijk verkoopt, eist de fiscus na afloop zo'n honderdvijftigduizend dollar van hem op. Daarom gaat zo iemand naar een man als Buchanan en zegt: 'Ik wil honderdvijftigduizend officieel en driehonderdvijftigduizend zwart in contanten.' Oké? Maar dat kost mij honderdvijftigduizend wettige en vierhonderdduizend zwarte dollars. Bovendien, wat moet ik in godsnaam met een snoepwinkel? Dan zoekt Buchanan een man die wel een snoepwinkel wil, misschien biedt hij de zaak voor iets minder dan de marktwaarde aan, bijvoorbeeld vierhonderdvijftigduizend dollar. Op papier heb ik dus iets gekocht voor honderdvijftigduizend en onmiddellijk weer doorverkocht aan iemand anders voor vierhonderdvijftigduizend dollar. Wat ik werkelijk heb gedaan, is mijn geld witwassen. Mijn oorspronkelijke honderdvijftigduizend heb ik terug, plus nog eens driehonderdduizend die ik op elke gewenste manier het systeem in kan sluizen. Ondertussen verander ik van een oplichter in een vermogend en onafhankelijk man. Ik moet wel wat belasting betalen over deze kapitaalsvermeerdering, maar ach, ik ben nu een eerzaam burger, toch? Buchanan krijgt een percentage en verder kun je ervan uitgaan dat hij alle betrokkenen onderweg een poot uitdraait, maar daar zit ik niet mee en het is een stuk beter dan de gevangenis. Het hoeft ook geen snoepwinkel te zijn, het kan van alles zijn, van Liberiaanse vrachtschepen tot kantoorgebouwen en soms is zo'n transactie verrekt ingewikkeld. De enige veilige manier om er doorheen te komen, is heel duidelijk weten wat je wilt. Zoveel geef ik jou in deze vorm en zoveel verwacht ik van je terug in die vorm. Als je je er dieper in laat meesleuren, met name wanneer het iets te maken heeft met onroerend goed, word je gevild en uitgebeend waar je bijstaat.

Buchanan had samen met een hoop andere notarissen een kantoor in een gebouw vlakbij Union Square. Ik weet niet of hij met die andere kerels was geassocieerd, of dat hij alleen maar een puist op hun kont was. Ik weet ook niet wat die andere notarissen deden. Hij was in zijn kantoor toen ik hem belde en we hadden afgesproken in een koffieshop om de hoek. Ik was te vroeg en daarom voegde ik me bij een groep Jamaicanen die aan de overkant van de straat rondhingen. Buchanan was ongeveer vijf minuten te laat en zag eruit als altijd. Hij was een bleke blanke man, altijd gekleed in een driedelig pak, een wit overhemd met dubbele manchetten, een stropdas en glimmend gepoetste schoenen. Zijn handen trilden permanent en zelfs hartje winter zweette hij als een koelie, zo erg dat de boord van zijn overhemd eeuwig nat was. Bovendien was hij serieus op weg zich dood te drinken. Jammer. Slimme vent als hij, je vraagt je af wat hij had kunnen worden als hij geen alcoholist was geweest. Het leek erop dat hij niet werd gevolgd en daarom stak ik enkele minuten later de straat over.

Ik ging tegenover hem zitten. Hij maakte geen aanstalten om handen te schudden. Ik trouwens ook niet. 'Hallo, Michael.'

'Mohammed. Ik had gehoord dat je dood was.'

'Meen je dat?'

'Nee. Ik heb gehoord dat er een huurmoordenaar naar je op zoek is. Naar jou en naar die Puertoricaanse gorilla waarmee je omgaat.'

'Wow.' Dat was snel. 'Werkelijk? Hoeveel?'

Buchanan lachte en schudde zijn hoofd. 'Moet ik het voor je uitzoeken?'

'Nee. Ik wil net zo'n transactie als de vorige keer, maar dan groter. Twee miljoen deze keer.' Buchanan was niet onder de indruk van het bedrag.

'Hoeveel tijd hebben we?'

'Weet ik niet. Ik woon niet meer in de stad. Ik ben vandaag speciaal gekomen. Hoeveel tijd heb je nodig, denk je?'

Hij haalde zijn schouders op. 'Minstens een paar weken, misschien langer. Over een paar dagen kan ik je misschien meer details geven. Kan ik je ergens bereiken?'

'Nee, ik bel jou wel.'

'Oké,' antwoordde hij. Geen man die je de oren van je hoofd kletste, bepaald niet. 'Probeer me over ongeveer een week te bellen. Bel me op kantoor, rond een uur of tien. Als je eerder belt, ben ik er niet. En na het middaguur ben ik er ook niet altijd.' Hij glimlachte even, een snelle, mechanische grimas en daarop draaide hij zich om en liep naar buiten. Het moest slechter met hem gaan. De laatste keer dat ik zaken met hem deed, begon hij pas na vijf uur 's middags te drinken. Maar zo gaat het met alcoholverslaving. Er worden steeds meer stukjes uit je weggevreten, zoals een bever aan de onderkant van een boom knaagt, totdat je erdoor wordt geveld.

Twee dagen later zat ik in de minibus die geparkeerd stond op Flushing Avenue voor Bushwick Houses – dat is het wooncomplex waar het Kreng woont. Die dag kwam Nicky niet naar buiten, maar ik maakte me geen zorgen. Een kind als kleine Nicky kun je niet al te lang binnenhouden, dan maakt hij je knettergek. En ja hoor, de volgende dag kwam hij naar buiten. Hij begon bladeren achterna te jagen over het met hondenpoep bezaaide grasveldje tussen de gebouwen. Ik schoof de zijdeur van de auto open en ging in de deuropening zitten om naar hem te kijken. Toen hij me in de gaten kreeg, stormde hij op me af en schreeuwde: 'Pappie!' Niemand merkte het, niemand lette op ons, het kon niemand iets schelen. Na een paar minuten liet hij mijn been los en keek me aan. 'Pappie,' zei hij, 'je haar is geknipt.'

Ik had een tijdje dreadlocks gehad, maar na die klus met Rosey had ik ze af laten knippen en nu was mijn haar nauwelijks meer dan een schaduw op mijn hoofd. 'Ja, dat klopt. Hoe gaat het met jou? Oké?'

Hij keek omlaag en haalde zijn schouders op. Hij wilde er niet over praten.

'Wil je met mij mee?'

Hij keek met grote ogen op. 'Om bij je te blijven?'

'Ja.'

Hij keek om zich heen. 'Dan wordt mevrouw Hicks heel kwaad.'

'Dat gaat wel over. Kom, dan gaan we.'

Die avond kwamen we tot Haverhill in Massachusetts. Ik weet nog steeds niets over Haverhill, het was gewoon een plek waar ik onderweg langskwam. We reden op de brede, vlakke, eindeloze Amerikaanse snelweg, het werd donker en ik werd moe. Toen zag ik een bordje Haverhill en dus ging ik van de weg af. Die nacht sliepen Nicky en ik samen in hetzelfde motelbed. Hij was bang en hij huilde en ik probeerde hem zo goed mogelijk te troosten. Het was moeilijk voor me zijn tranen te begrijpen. Om zijn moeder kon hij geen verdriet hebben, hij herinnerde zich haar nauwelijks en ik kon me niet voorstellen dat het om mevrouw Hicks was. Zelf had ik heel wat redenen om te huilen en dat deed ik dan ook. Naar New York kon ik nu niet meer terug. De stad had me uitgestoten en me verbannen naar de onbekende binnenlanden. Ik bedacht dat de stad voor altijd voor me gesloten zou zijn, die prachtige, afschuwelijke, goddelijke, hoerige teef van een stad die me haar rug had toegekeerd en me tussen de boerenpummels had achtergelaten. Jezus, wie zou daar niet om huilen?

Kleine Nicky viel uiteindelijk dicht naast me in slaap, met zijn uitgestrekte arm op mijn buik. Elke keer wanneer ik me bewoog, greep hij me stevig vast en dat zei eigenlijk alles.

Dat opgejaagde gevoel ging in de loop van de nacht over en de volgende ochtend bleven we in bed liggen terwijl Nicky naar een kinderprogramma op de televisie keek. Ik vroeg me wel even af wat voor invloed dat programma op mijn zoon had, maar hij kende het. Hij keek en rapte en zong met zijn kinderstemmetje mee met de idiote liedjes. Hij probeerde me zelfs op een verstrooide manier uit te leggen waar ze over zongen. Dit had ik al lang geleden moeten doen, dacht ik, ik had hem moeten ophalen zodra ik weer vrij was. Toen het programma was afgelopen, zetten we de televisie uit en ging Nicky op een stoel in de badkamer staan om zijn tanden te poetsen met mijn tandenborstel en zijn gezicht te wassen. Ik keek naar hem en vroeg me af hoe ik mijn plannen in vredesnaam moest waarmaken. Wat kon ik hem leren? Ik wist zelf niets. Niets goeds in elk geval.

Tegenover het motel, aan de andere kant van de snelweg, lag een enorm winkelcentrum en op de hoek van het parkeerterrein was een pannenkoekenhuis. Ik ben zelf geen ontbijter, de enige fatsoenlijke tijd voor een ontbijt is ongeveer twee uur 's middags, heb ik altijd geroepen. Liefst voorafgegaan door een paar Bloody Mary's. Nicky zat voorin de auto te wippen op de stoel naast me. Hij zei niets, maar kleine kinderen moeten eten, dat wist ik zelfs. Ik stopte op de parkeerplaats naast het pannenkoekenhuis en zette de motor af. Hij werd zenuwachtig toen ik de deur aan mijn kant opendeed.

'Waar ga je heen, pappie?'

Ik wees naar de pannenkoekentent. 'Daar gaan jij en ik samen ontbijten.'

'Ontbijten?' Hij keek met open mond door zijn raampje, zijn gezicht een en al verbazing.

'Ja, ontbijten. Doe je deur op slot, gewoon dat knopje indrukken. Mooi zo, kom nu maar mee.'

Waarschijnlijk had ik hem naast me moeten zetten in het hokje zodat ik hem kon helpen, maar het was voor mij ook allemaal nieuw. Nu ging hij op zijn knieën op de bank tegenover me zitten, zodat hij net als ik met zijn ellebogen op de tafel kon leunen. Toen de serveerster kwam, gaf ze het menu aan mij, maar ze keek naar Nicky.

'Wil je een extra kussen, lieverd?'

'Nee, hoeft niet,' antwoordde hij. 'Werk jij hier?'

'Ja, schat.' Ze glimlachte en richtte haar blik op mij. 'Koffie?'

'Ja.'

Nicky wist haar aandacht moeiteloos terug te krijgen. 'Zijn ze hier aardig voor je? Behandelen ze je goed?'

Ze glimlachte weer en keek over haar schouder naar de keuken. 'Ach,' zei ze, 'soms wel, soms niet. Wil jij ook wat drinken?'

Ze draaiden zich allebei in mijn richting alsof ik het verlossende woord moest spreken. Ik moest er even over nadenken. 'Wil je een glas melk?'

'Melk?'

'Dat is dat witte spul.'

Hij gaf me een blik van: leuk hoor, en wendde zich weer tot het meisje. 'Heb je chocolademelk?'

'Weet ik niet, lieverd. Ik zal het even vragen.' Ze liep grinnikend en hoofdschuddend weg. Ik moet leren hoe hij dat doet, dacht ik. Ik wist dat het voor een deel aan zijn uiterlijk lag, maar daarnaast verstond hij gewoon de kunst om contact met mensen te maken, zodat ze loskwamen en graag met hem wilden praten. Dat kon hij al vanaf het moment dat hij begon te praten en ik had geen idee hoe hij het flikte. Zet mij in een kamer vol onbekenden en ik ben op mijn hoede en defensief totdat ik op een rijtje heb wie wie is en hoe sterk ik moet compenseren wat ik ben – ik bedoel, een vent zonder enige opleiding, maar wel met een gevangenisverleden. Zet Nicky in dezelfde kamer en binnen een half uur is hij met iedereen bevriend, kent hij alle namen en weet hij precies wat ze hebben gezegd. Hemel, hij zou mij moeten helpen met mijn ontbijt in plaats van andersom.

Ze hadden geen chocolademelk en dus koos hij het witte spul. Ik geloof niet dat hij ooit eerder pannenkoeken had gegeten, maar hij liet niets merken. Hij keek goed wat ik deed en aapte het na. Het kostte hem wel wat moeite de pannenkoek in hapklare stukjes te snijden en na een poosje drong dat tot me door en hielp ik hem, daarna redde hij zich prima, behalve dan dat hij zijn gezicht, zijn handen en zijn shirtje vol met stroop smeerde. Ik geloof dat hij zich zorgen maakte hoe ik daarop zou reageren. Toen we klaar waren, gingen we naar het herentoilet en daar spoelde ik hem af. Toen ik hem min of meer schoon had gekregen, stond hij met zijn gezicht omhoog en zijn ogen dichtgeknepen onder het heteluchtapparaat. Jezus, God, dacht ik, ik weet dat het mijn taak is, maar ik heb geen idee waar ik mee bezig ben. U moet me hierbij helpen. Op dat moment drong het tot me door dat hij geen andere kleren bezat, hij had helemaal niets, behalve wat hij aanhad.

Tegen de tijd dat we het pannenkoekenhuis uitkwamen, was het winkelcentrum open. Nicky en ik liepen naar binnen en zwierven er een paar uur rond. Ik kocht een plunjezak voor hem die bijna zo groot was als hijzelf en daarna gingen we een winkel met kinderkleding binnen om het ding te vullen. Ik keek toe hoe hij de verkoopsters om zijn vinger wond en vervolgens nam ik een van hen terzijde en vertelde dat ik voor de eerste keer met hem ging kamperen, maar dat ik zijn spullen was vergeten. Ik kon de vakantie niet voor hem verpesten, dus wilde ze wel zo vriendelijk zijn hem te voorzien van alles wat een normaal kind nodig had?

Ze legde haar hand op mijn schouder. 'Het zal me een genoegen zijn,' antwoordde ze terwijl ze nauwelijks naar me keek. Samen met de andere vrouwen leek ze wel een eeuwigheid met hem bezig te zijn. Hij zoog alle aandacht op als een kameel die water drinkt na een lange, droge reis. Ik keek toe en voelde me overbodig. Waarom had ik gedacht dat ik in staat was iemands vader te zijn? Het antwoord daarop wist ik echter wel. Wanneer het om seks gaat, stroomt je bloed van je hersenen naar je penis en kun je helemaal niet meer denken. Anders was het menselijk ras al lang geleden uitgestorven, want wie zou zo egoïstisch zijn dit met opzet te doen? 'Ja hoor, dit kan ik wel.' Dat dacht je.

Toen we het winkelcentrum uitliepen, zag kleine Nicky eruit als al die andere yuppiekinderen uit de gegoede wijken. De Kleine Lord, klaar om de wereld te erven. Jij moet je stijl ook gaan aanpassen, zei ik tegen mezelf. Met die onderwereld-chic kom je er niet. Zodra we de snelweg weer opreden, viel Nicky in slaap met zijn plunjezak tegen zich aangeklemd. Kijk eens aan, dacht ik, je leert het al. Maak hem eerst moe voordat je de weg weer opgaat.

Toen we de staatsgrens van Maine bereikten, ging ik van de snelweg af. Ik had er schoon genoeg van en al dat gehaast leek zo onzinnig, vooral omdat ik geen flauw idee had waar we heen zouden gaan. Ik zag een groot bord met Toeristische Route U.S. 1, dus die kant gingen we op. Een tijdlang leek 'toeristisch' voornamelijk 'toeristenlokkertjes' te betekenen, zoals enorme slijterijen, souvenirwinkels en outletzaken, maar langzaam maar zeker werd dat minder en kregen we de kust van Maine te zien met rotsen en dennenbomen en uitgestrekte natte modderbanken die bij eb sterk naar zout en schaaldieren roken. We reden onderweg door verschillende kleine stadjes en ik keek aandachtig naar de inwoners en vroeg me af hoe opvallend ik zou zijn tussen deze mensen. Ik wist niets van mijn afkomst, maar ik durfde er heel wat onder te verwedden dat mijn voorouders niet uit Maine kwamen. Deze mensen zagen er ruig en verweerd uit, maar ze waren blank, uitgesproken blank, met rode gezichten, geel haar en blauwe ogen.

Ik belde Buchanan de volgende ochtend rond tienen vanuit een telefooncel buiten een wegrestaurant in Gardiner. 'Wat heb je voor me?'

'Ik heb iets heel moois, ik heb een vent die op de hielen

wordt gezeten door de beurstoezichthouder van de overheid,' zei hij. 'Prima transactie, schoon en netjes.'

'Hoe kan die vent mij helpen wanneer hij door de toezichtcommissie op z'n hielen wordt gezeten?'

'Daar draait het juist om,' antwoordde Buchanan. 'Hij bezit aandelen in een klein farmaceutisch bedrijf. Dat bedrijf wil een nieuw medicijn tegen erectiestoornissen goedgekeurd zien te krijgen.'

'Wat zeg je?'

'Een nieuw medicijn tegen erectiestoornissen. Als je hem niet meer omhoog kunt krijgen, word je met dat middel weer zeventien.'

'Ik dacht dat zulke bedrijven probeerden kanker te genezen.'

'Er zit meer geld in erecties. Hoe dan ook, hij kan die aandelen niet vasthouden. Hij moet ze verkopen voordat die toestemming loskomt. De toezichtcommissie denkt dat hij handelt met voorkennis en dat is ook zo, maar wanneer hij vroegtijdig verkoopt, voordat de aandelen meer waard worden, kan hij roepen: "Hé, kijk eens hoe ik erbij in ben geschoten." En dan laten ze hem wel met rust.'

'Hoe werkt deze deal?'

'Hij verkoopt, jij koopt, ergens tussen nu en over drie weken, voor de marktprijs van het moment. Heb je de afgelopen twaalf maanden nog meer aandelen gekocht?'

'Ja.'

'Hoe is dat gelopen?'

'Dat wil je niet weten.'

'Des te beter. Wanneer ze je onderzoeken, moeten ze tot de conclusie komen dat je op goed geluk handelt en dat je eindelijk een keer raak hebt geschoten. Je koopt die aandelen dus van hem, snap je, en dan geef je je geld in onderpand bij mij. Nadat het medicijn officieel is goedgekeurd, zijn die aandelen een hoop meer waard en dan kun je ze gaan verkopen, zo houd je schoon wit geld over. De cash die je bij mij hebt ondergebracht, vormt zijn aandeel.'

'En hoe kom je aan jouw aandeel?'

'Deze keer is het gratis, Mo. Zodra ik de naam van het aandeel weet, spring ik erin op de open markt.'

'Meen je dat?'

'Deze spreekt me aan, Mo. Dit is een gouden vent. Luister, maak je gebruik van een effectenbank of handel je via internet?'

'Ik doe alles via internet.'

'Hoeveel is de totale waarde van je aandelen?' Ik vertelde het hem. 'Wow,' antwoordde hij. 'Je boert niet slecht.'

'Werkloosheidsverzekering,' zei ik.

'Tuurlijk. Luister, dit moet je doen. Verkoop alles wat je hebt en begin te rommelen met farmaceutische aandelen. Koop er een stel van Merck, houd die een week vast, verkoop ze dan weer en ga voor Abbott of zoiets. In de tijd die we nog hebben tot het moment waarop we op deze nieuwe aandelen moeten inspringen, moet je een bepaald transactiepatroon creëren. Kun je dat?'

'Ja, natuurlijk.'

'Hoe kan ik je bereiken? Het zal een paar dagen duren voordat ik alles met die vent heb geregeld, maar ik moet je kunnen bereiken voordat dat medicijn wordt goedgekeurd.'

'Je kunt een bericht achterlaten op mijn voicemail.' Ik gaf hem het nummer van mijn gsm.

'Oké, mooi,' zei hij. Hij begon zowaar een beetje enthousiast te klinken – meestal leek een gesprek met hem nog het meest op een gesprek met een begrafenisondernemer. Ik denk dat hij gewoon verzot was op dit soort transacties. 'Hoe wil je het met het geld aanpakken? Ik moet dat wel hebben wanneer hij akkoord gaat met deze zaak.'

Ik zag het geld voor me, daar in die twee enorme groene plunjezakken op een tafel in die opslagruimte in Hackensack. 'Het is in New Jersey,' vertelde ik hem. 'Noem de dag en de tijd, dan ontmoeten we elkaar daar. Je mag het tellen en daarna is het van jou.' En is het verder jouw probleem, dacht ik.

'Verdorie,' antwoordde Buchanan, 'ik heb de pest aan New Jersey. Kan het niet in Manhattan?'

'Ik wil het geld niet nog eens verplaatsen. Dat is te riskant. Er kunnen te veel dingen misgaan. Als je het mij vraagt, laat het dan waar het is. Ik geef je de sleutel en loop weg en wanneer de tijd komt dat je die vent moet betalen, geef je hem de sleutel en doe je hetzelfde.' Om samen te werken met Buchanan, moest je hem vertrouwen. Nu zou ik merken of hij erop vertrouwde dat ik hem niet zou belazeren.

'Oké,' gaf hij na enkele ogenblikken toe. 'Laten we het op die manier doen. Ik bel je wel als het zover is. Vergeet ondertussen niet te doen wat ik heb gezegd met die aandelen.'

Ik hing op en liep terug naar de plek waar mijn auto geparkeerd stond. Ik had hem neergezet op een betonnen brug over een vrij brede, snelstromende rivier. Nicky zat tegen zijn raampje gedrukt en keek hoe het water de heuvel af denderde en onder hem doorstroomde op weg naar de rivier de Kennebec. Het was een vreemd gevoel om de zaken met Buchanan los te laten en mijn gedachten weer terug te brengen naar Nicky en mij en naar het plaatsje Gardiner in Maine.

'Mooi, hè?'

Hij draaide zich naar me om en knikte, maar hij had er geen woorden voor en ik denk dat ik die ook niet had.

Eenmaal onderweg, verzonnen Nicky en ik een spelletje om de tijd te doden. We noemden het 'vogel'. Als Nicky een vogel zag die ik niet zag of waarvan ik de naam niet wist, kreeg hij een punt. Als ik de naam wel wist, kreeg ik een punt. Het spel werd op den duur steeds ingewikkelder. Hij geloofde me niet toen ik een meeuw een grote witte, ongediertevretende stinkvogel noemde en dus kreeg hij tien punten en ik honderd strafpunten omdat ik onzin vertelde. Niet dat dat iets uitmaakte, want Nicky hield de stand bij en zijn rekensysteem was, zacht uitgedrukt, wel erg merkwaardig. Na een poosje begon het spelletje hem te vervelen en dus bedachten we iets anders, het 'welke-kleur-heeft-de-lelijkste-auto-spel'. Hij had geen enkele moeite met het aanwijzen van lelijke auto's, maar de kleuren kende hij nog niet zo best. Dat spelletje hield hij veel langer vol dan het vogelspel. Af en toe verslapte zijn aandacht wel en begon hij me te vertellen over stripfiguren en over de mensen die in hetzelfde gebouw woonden als hij, maar hij keerde steeds weer terug naar het kleurenspel. Dat joch was pas vijf jaar oud en hij probeerde nu al zijn achterstand in te halen. Want zo gaat het. Wanneer je opgroeit zoals ik en zoals Nicky tot nu toe had gedaan, moet je een hoop dingen zelf uitzoeken en geen enkel kind is in staat het gebrek aan een geïnteresseerde volwassene goed te maken. Zo krijg je een achterstand en dat is geen waardeoordeel, maar gewoon een feit. Tegen de tijd dat je naar school gaat, is een van de eerste dingen die je leert dat je niet bent zoals de andere kinderen. Het spreekt vanzelf dat je achter bent en dat ga je al snel compenseren, je moet cooler zijn dan alle anderen, of stoerder, of wilder, kortom je doet alles wat je maar kunt bedenken om jezelf te maken tot wat je denkt dat je moet zijn. Ik had dat spelletje zolang als ik me kon herinneren gespeeld, maar natuurlijk win je dat nooit. Integendeel, het wordt op den duur steeds erger, want je raakt het spoor bijster en de kloof tussen hoe je had moeten worden en hoe je werkelijk bent wordt breder in plaats van smaller, totdat je er niet meer overheen kunt kijken. Ten slotte ben je er zelf van overtuigd dat je de eindstreep misschien wel zult halen wanneer je maar door blijft sjokken, maar dat er voor jou nooit een prijs in zal zitten. Ik hoopte van harte dat Nicky nog jong genoeg was, dat ik hem op tijd had weggehaald om hem dat te besparen, maar zoiets weet je niet en bovendien waren er nog meer dan genoeg dingen die mis konden gaan. Ik bedoel, ik deed ook maar wat en bovendien kon Tommy Lee Jones bij de volgende bocht op me staan te wachten.

2

De kust van Maine wordt ruiger en mooier naarmate je verder naar het noorden gaat. Ik was mijn leven lang een stadsrat geweest en ik had altijd gedacht dat er maar twee soorten bomen bestonden: kerstbomen en andere. Nu zagen Nicky en ik voortdurend prachtige plekken om te stoppen en rond te kijken en overal waren motels waar we konden overnachten. We kochten identieke geruite flanellen overhemden, we beklommen de heuvel boven Camden en keken neer op de boten in de haven, we namen de veerboot naar Vinalhaven Island en terug en we reden naar de top van Cadillac Mountain. Ik weet niet waar ik naar op zoek was en eigenlijk begon ik een beetje aan mezelf te twijfelen. Misschien had ik toch een of ander plan moeten maken voordat ik me hierin stortte, maar diep in mijn hart wist ik best dat ik er het lef niet voor had gehad als ik er te lang over had nagedacht. Tegen de tijd dat we Washington County in het uiterste noorden langs de kust van Maine bereikten, hadden we het toeristengebied ver achter ons gelaten en was er alleen nog hillbilly- en gospelmuziek op de radio. Verlaten huizen waarvan het asfaltpapier begon los te laten, stonden midden in velden met hoog gras en ik verwachtte elk moment Jed Clampett ergens te zien opduiken, hoewel het daar veel te koud was voor de kleren die hij draagt. Een paar uur rijden ten noorden van het stadje Machias begaf een van de homokinetische koppelingen voorin de auto het. Ik slaagde erin het busje op een stopplaats langs de weg te zetten – een hele prestatie, want plotseling had ik geen enkele controle meer over de richting die de auto uit ging. Ik stapte vloekend uit en gaf een schop tegen de bumper. Nergens een huis te bekennen. Natuurlijk kon ik me ook niet precies herinneren wanneer ik voor het laatst een woning had gezien. Ik keek in beide richtingen de weg af, maar er waren ook geen auto's. Nicky ging achter het stuur zitten en draaide het raampje omlaag.

'Pappie,' vroeg hij met een bezorgd stemmetje. 'Wat is er gebeurd?'

'Blijf zitten, Nicky. Het komt wel weer goed.'

Hij keek aarzelend om zich heen. 'Moeten we in het bos slapen?'

'Wow, dat zou leuk zijn, denk je niet?' Hij knipperde een paar keer met zijn ogen en daarom wreef ik hem geruststellend over zijn bol. 'Wees maar niet bang. We hoeven niet in het bos te slapen, dat beloof ik je. Blijf maar gewoon rustig zitten, goed?'

'Goed.' Hij klom weer naar zijn eigen stoel en ging zitten met zijn plunjezak in zijn armen geklemd.

Toen was het mijn beurt om om me heen te kijken en me zorgen te maken of we soms in het bos moesten slapen. Dat strekte zich uit zover het oog reikte, dalend en rijzend over de lage heuvels die doorliepen tot de horizon. Nergens een wegrestaurant, geen bezinestation, geen winkel, absoluut niets eetbaars, behalve de zeemeeuwen, maar probeer die maar eens te vangen. Ik had al een eeuwigheid door dit landschap gereden en het was geen moment bij me opgekomen hoe verlaten het er was. Ik bedoel, bomen kun je niet eten, gras kun je niet eten, rotsen kun je niet eten en wat was er verder nog?

Ik opende de motorkap van de auto en zette er iets tussen, zodat hij open bleef staan. Laat eventuele voorbijgangers maar zien dat we pech hadden.

Ik hoorde het voertuig voordat ik het zag. Vanuit de verte was het niet meer dan een laag gerommel, maar naarmate het ding dichterbij kwam, leek het meer op een trekker met een slechte knalpot. Ik zag het de heuvel afkomen, in zuidwaartse richting, en het leek wel erg langzaam te gaan voor een gemotoriseerd voertuig. Ik kon niet goed onderscheiden wat het was, een soort pick-up, dacht ik.

Het was een pick-up, een Jeep, groen, wit en roestkleurig. Uit het begin van de jaren vijftig, schatte ik. Ik leunde tegen mijn busje en keek hoe hij kalm en bedaard de weg af kwam. Hij stopte midden op de weg toen hij ons bereikte en een witharige man met een getaande bruine huid keek uit het raampje.

'Ooit gemerkt dat een auto nooit op een handige plek kapot schijnt te gaan?' zei hij.

'Deze keer heb ik dat zeker gemerkt.'

'Ja. Enig idee wat er mis is?'

'Ik denk dat het de homokinetische koppeling is.'

'Wat is in hemelsnaam een homokinetische koppeling'
'Die heeft deze auto in plaats van een vooras.'
De man schudde zijn hoofd. 'Ze maken auto's veel te ingewikkeld tegenwoordig. Veel te veel dingen die kapot kunnen gaan. Computers, plastic en metaal dat zo dun is dat je het met een nagelknipper open kunt maken. Willen jullie een lift?'
'Dat zou fijn zijn.'
'Wel, laat me even van de weg af gaan voordat ik word overreden door een vrachtauto met houtpulp.' Hij kreeg het ding weer aan de praat en zette het achter onze auto neer, zodat de achterkanten naar elkaar wezen. Daarna stapte hij uit en liep op ons af. Hij leek een jaar of zestig, niet al te groot en broodmager, alsof de wind en het koude weer alle overbodige delen van hem hadden weggevreten. Op zijn onderarm stonden in verbleekt blauw de letters USMC getatoeëerd.
Nicky stond rechtop op de bestuurdersplaats. 'Hoi knul,' zei de man en liep naar het raam. 'Hoe heet jij?'
'Nicky.'
'Wie is die man?' Hij knikte in mijn richting.
'Pappie,' antwoordde Nicky. 'Dat is mijn pappa.'
'Leuk je te ontmoeten, Nicky. Ik ben Louis.' Hij wendde zich tot mij.
'Mijn vrienden noemen me Manny.'
'Wel Manny, ik garandeer je dat je ten noorden van Ellsworth geen homokinetische koppeling zult vinden. Ik zal je naar Gevier brengen, dan kan hij je wegslepen.' Ik deed mijn auto op slot en we klommen in de pick-up.
Louis' auto was aan de binnenkant nog lawaaieriger dan hij aan de buitenkant klonk, maar ik wilde geen commentaar geven, want zijn pick-up reed tenminste en dat kon ik van mijn busje niet zeggen. Ik zat voorin met Nicky op mijn schoot. Er waren – uiteraard – geen autogordels, dergelijke frivoliteiten kwamen pas zo'n jaar of twintig na de bouw van de Jeep in zwang. De rit was meer dan ruig en door de gaten in de vloer kon je de weg onder je voeten voorbij zien vliegen. Af en toe raakte de auto een of andere hobbel en maakte dan een vreemd zijsprongetje.
'Een raar gevoel is dat,' schreeuwde ik naar Louis boven het gerammel van het antieke metaal uit. 'Dat doet hij af en toe wanneer je een hobbel raakt, nietwaar?'
'Ja,' zei Louis. 'Hij glijdt een beetje weg. Het oudje is niet meer zo best. De carrosserie zit op het chassis als een hoed op een

kaal hoofd, maar zo lang we niet te hard rijden en er niet te veel wind staat, komt het wel goed.'

'Hoe krijg je het voor elkaar dit ding door de keuring te slepen?'

'Keuring?' Louis keek me aan alsof ik niet goed wijs was. 'Dit is een landbouwvoertuig, zoiets als een trekker. Daar heb je geen sticker voor nodig.' Hij knipoogde naar Nicky. 'Hij heeft echter geen homokinetische koppeling.'

'Des te beter,' antwoordde ik.

Geviers garage lag een kilometer of vijftien ten zuiden van de plek waar mijn auto kapot was gegaan. Ik moest er langs zijn gereden op mijn weg naar het noorden, maar blijkbaar was hij me niet opgevallen, want ik kon me er niets van herinneren toen Louis met zijn wrakke pick-up van de weg afging en op het erf parkeerde. Het erf moest ooit geasfalteerd zijn geweest, want er waren nog sporen van zichtbaar en de gaten op de plekken waar het was weggesleten, waren opgevuld met gemalen puin. Het gebouw zelf was van betonblokken zonder enige afwerking met verf of pleisterwerk. Het dak was van verzinkt metaal en aan de kant van het erf bevond zich een enorme garagedeur met daarnaast een personeningang. Er stond een verbijsterende verzameling voertuigen geparkeerd langs de randen van het erf, langs de zijkanten van het gebouw en tussen de bomen in de verte. Sommige daarvan leken herstelbaar – oudere Amerikaanse sedans, stationcars en pick-ups – en er stond ook een groot groen amfibievoertuig op zwarte banden. Afgezien van de verbleekte verf leek het onaangetast door de tand des tijds. Veel van de andere dingen waren echter hopeloos verloren, maar nog altijd interessant, zoals een Nomad uit 1957 waarbij het onkruid uit de lege motorruimte omhoog groeide.

Toen ik de deur van Louis' pick-up opende om uit te stappen, greep Nicky mijn arm en hield me vast. Ik ben het enige in het hele universum van dit kind dat er bekend uitziet, bedacht ik me. Als ik in zijn schoenen stond, zou ik het in m'n broek doen. Ik nam hem bij de hand en hielp hem met uitstappen.

Gevier had zich al een poosje niet geschoren, zijn gezicht gewassen of schone kleren aangetrokken. Om van de kapper maar helemaal te zwijgen. Hij zat met zijn voeten op zijn bureau in een onvoorstelbaar volgepropt hol van een kantoortje en keek naar een soap op een zwart-wittelevisie met een lange draad bij wijze van antenne. Er brandde een vuur in een houtkachel die was gemaakt van twee olievaten.

'Wat is het hier smerig heet,' luidde het commentaar van Louis. 'Zo brand je al je hout op voordat het echt koud is. Wat moet je dan beginnen wanneer het winter wordt?'

Gevier bewoog zich niet. 'Maak je om mij maar geen zorgen,' antwoordde hij. 'Het is al eind september en jij hebt nog geen splinter brandhout gehakt. Ik wed dat je de hele winter vers hout gaat stoken, net als vorig jaar. En het jaar daarvoor.'

'Nee hoor,' antwoordde Louis. 'Deze keer ga ik het anders aanpakken. Dit jaar zorg ik dat het allemaal op tijd is gehakt. Bovendien heb ik nog haast een vadem over. Luister, ik heb een klant voor je. Dit is Manny en zijn auto is zo'n vijftien kilometer ten noorden van hier kapot gegaan.'

Gevier liet zijn voeten op de grond vallen en keek me aan. 'Wat mankeert eraan?'

'Homokinetische koppeling' vertelde ik.

'Heb je hem aan de kant kunnen zetten?'

'Ja, ik had geluk.'

'Plotseling wil hij niet meer sturen en wanneer je op het gaspedaal drukt, gaat hij harder lopen, maar je hebt er geen controle over?'

'Klopt.'

'Homokinetische koppeling,' zei hij en knikte. 'Lijkt me wel. Wat is het voor auto?'

Ik noemde hem het merk en het model en overhandigde hem het reservesleuteltje. 'Moet ik alvast iets vooruitbetalen?'

'Nee, dat hoeft niet,' antwoordde hij. 'Als ik je auto heb, zul je wel niet zo erg ver weggaan.' Hij keek naar Louis. 'Waar wil je hem onderbrengen?'

'Ik dacht dat hij wel in de stacaravan van Gerald kan logeren. Die gebruikt toch niemand tot het jachtseizoen begint.'

'Hoe is het tegenwoordig met Gerald? Ik heb hem al een tijd niet gezien.'

'Nee, hij komt hier niet meer zo vaak. Hij is ontslagen bij dat bedrijf voor luchtvrachtvervoer in Boston en nu is hij weer langeafstandschauffeur. Geen idee waar hij momenteel is.'

'Wel, dat is geen goed nieuws.' Hij keek naar mij. 'Oké, ik zal hem ophalen, hierheen slepen en uitzoeken wat we nodig hebben. Dan bel ik Ford, kijken wat ze zeggen. Ik laat je het slechte nieuws wel weten.'

We gingen terug naar Louis' pick-up en reden weer naar het noorden. Ik keek hem aan.

'Wie is Gerald?'

'Mijn zoon,' antwoordde hij. 'Er zijn hier geen banen, tenzij je in de fabriek wilt werken. Dat kan echter deprimerend zijn, want je weet precies wat je de rest van je leven gaat doen en hoeveel je zult verdienen en dat is niet genoeg. Gerald woont in Massachusetts. Ik heb hem het stuk grond naast mijn huis gegeven en we hebben er een kleine stacaravan opgezet. Op den duur willen we er een huisje bouwen, maar dat kan pas wanneer Gerald genoeg geld heeft opgespaard.' Louis schudde zijn hoofd. 'Over twintig jaar krijgt hij een pensioen van de vakbond en AOW, als zoiets dan nog bestaat. Mijn kleinzoon studeert, dus dat moet Gerald ook betalen. Het valt allemaal niet mee, weet je. Je hebt een droom en je denkt dat je er bijna bent, maar de hele tijd komt er iets tussen, zodat die droom steeds verder weg raakt.'

'En nu verhuur je die caravan dus?'

'Ja,' antwoordde hij. 'In het vis- en het jachtseizoen, Europese zalm en herten. Geviers dochter Edna zorgt voor de boel, zij houdt het ding schoon en wat er verder bijkomt. Het zal je er best bevallen.'

'Daar ben ik niet bang voor. Beter dan in het bos slapen, hè, Nicky?'

Nicky zat op mijn schoot en keek uit het raampje naar de voorbij vliegende bomen. Af en toe draaide hij zijn hoofd om om naar de zee te kunnen kijken wanneer die zichtbaar was vanaf de weg. Op ons lette hij niet. Hij keek naar me op zonder een spoor van wantrouwen, argwaan of angst in zijn ogen. Hij vertrouwde erop dat ik voor hem zou zorgen. 'Ja,' zei hij en knikte, terwijl hij geen idee had waar hij mee instemde. Hij was bij zijn pappie en dus kwam het goed. Ik voelde mijn maag samenknijpen van onzekerheid en ik vroeg me af of Louis' zoon Gerald zich net zo voelde wanneer hij aan het collegegeld dacht.

'Denk je dat Gevier zich kan redden met mijn auto? Ik weet niet hoeveel homokinetische koppelingen hij voorbij ziet komen.'

Louis grijnsde. 'Oké,' zei hij, 'hij is een beetje eigenaardig, dat geef ik toe. Hij was echter de slimste jongen hier uit de buurt. Na de middelbare school ging hij naar de universiteit, we dachten allemaal dat hij een ruimtevaartdeskundige of zoiets zou worden, maar na een jaar of twintig kwam hij ineens terug. Als je denkt dat die garage van hem een bende is, dan moet je zijn huis eens zien. Hij woont langs dezelfde weg als ik, samen met zijn dochter Edna. Maar hij is de beste automonteur die ik ken, en ik ken er heel wat. Het komt wel goed met die auto van jou.'

Nicky werd heel stil toen hij de politiewagen zag die met zijn zwaailicht aan achter mijn auto geparkeerd stond. Louis zette zijn pick-up in de berm en stopte achter de politiewagen. 'We hadden je bagage er direct uit moeten halen,' zei hij en staarde door de voorruit. 'Nu krijgen we met die klootzak daar te maken.'

'Ik praat wel met hem,' zei ik terwijl ik Nicky op mijn schoot voelde verstrakken.

'Hij heet Thomas Hopkins,' zei Louis. 'En hij is ongeveer zo prettig in de omgang als een beer met een ernstige aanval van aambeien.'

'Oké.' Ik gaf Nicky een geruststellend kneepje. 'Blijf jij maar bij Louis hier, goed?'

'Goed,' antwoordde hij met een klein stemmetje.

Hopkins stapte uit toen hij me aan zag komen. Zijn blonde haar was heel kort geknipt zoals rekruten het dragen en hij had lichtblauwe ogen in een vierkant gezicht. Hij was ongeveer een kop minder lang dan ik, maar zeker niet klein – zelfs zonder zijn kogelvrije vest was hij een forse vent. Sommige kerels blijven echter altijd geobsedeerd door lengte. Je kunt kracht ontwikkelen, je kunt snelheid ontwikkelen, je kunt aan vechtsporten doen, met een wapen op zak lopen, je kunt je volprikken met steroïden tot je er uitziet als een monster, maar als een ander groter is dan jij, moet je toch naar hem opkijken. Dat was wat Hopkins nu deed en het leek hem niet te bevallen. 'Is dit jouw auto?'

'Ja,' antwoordde ik. Hopkins staarde naar de tatoeages op mijn onderarmen. Ik droeg een sweater, maar ik had de mouwen opgestroopt tot mijn ellebogen. 'Ik heb pech, maar deze meneer was zo vriendelijk...'

'Kun je je legitimeren?'

'Jawel.' Ik hield hem in de gaten terwijl ik langzaam met mijn linkerhand mijn portefeuille pakte. Hoewel hij het niet duidelijk liet merken, was Hopkins klaar voor een of andere snelle actie van mijn kant. Hij kwam omhoog op de bal van zijn voeten en zag eruit of hij hoopte dat ik hem zou aanvallen. Ik kreeg het gevoel dat als Hopkins en ik elkaar in een kroeg waren tegengekomen, een van ons tweeën het onderspit had moeten delven. Misschien wel allebei. Ik haalde mijn portefeuille tevoorschijn, viste Emmanuel Williams' rijbewijs eruit en overhandigde het ding aan hem. Hij keek van de foto naar mijn gezicht.

'Wacht hier even, alsjeblieft.' Hij liet me staan, liep terug naar zijn auto en praatte enkele ogenblikken over zijn radio. Ik zag hoe Louis in zijn pick-up het woord 'hufter' vormde met zijn lippen. Nicky's ogen gingen van mij naar de agent en terug. Ik knipoogde tegen hem, maar hij zag het niet.

Hopkins vond niets tegen Manny, Manny was brandschoon. Hij kwam terug en overhandigde me mijn rijbewijs. 'Mag ik even in je auto kijken? Je mag weigeren en in dat geval blijven we hier met z'n allen wachten op een doorzoekingsbevel.'

Ik zag de spieren aan de zijkant van Hopkins' kaak bewegen. Ik stak mijn hand in mijn broekzak om de sleutels te pakken en gaf ze aan hem. 'Je gaat je gang maar.'

Hij keek naar me en greep achter zijn rug naar iets aan zijn riem. Toen was het mijn beurt om mijn nekharen overeind te voelen gaan. Ik liet me door die klootzak geen handboeien omdoen, dat nooit. Hij leek erover na te denken, maar zag er toch van af. 'Ga daar bij de patrouillewagen staan,' zei hij.

'Oké.'

Hij liep naar de deur aan de passagierskant, keek achterom naar mij en begon zijn zoektocht. In de pick-up schudde Louis vol afkeer zijn hoofd, maar mij brak het zweet uit. Stel je voor dat de vent die mijn auto voor mij had bezeten een stickie onder de bank had achtergelaten. Plotseling besefte ik nog iets anders. Er zat honderdtwintigduizend dollar, of om en nabij dat bedrag, in een papieren tasje in een van mijn plunjezakken. Dat was misschien niet tegen de wet, maar ik wist zeker dat deze klootzak me dan die armbandjes wel degelijk om zou doen en Nicky en mij mee zou slepen naar een of ander politiebureau tot hij er zeker van was dat ik gewoon een rijke vent was die graag veel contant geld bij de hand heeft en geen bankrover. Of een inbreker.

Ik kon niet geloven dat ik zo stom was geweest.

Ik had het geld niet eens nodig. Ik had niet slecht geboerd, voor een inbreker dan, en ik had nooit de neiging gehad het geld over de balk te smijten, zoals veel misdadigers wel doen. Ik had ruim vijfendertigduizend dollar op een bankrekening staan op de naam van Emmanuel en daar kon ik via elke pinautomaat bij. Ik had het geld in een opwelling meegenomen en nu moest ik daarvoor boeten. Misschien kostte het me wel alles. Ik zag al voor me hoe ze me in een cel zouden zetten en ik zag Nicky, verward en wanhopig, terug in de molens van de bureaucratie die hem langzaam zouden vermalen tot er weer een in de steek gelaten kind in iemand zoals ik zou veranderen.

Hoe had ik zo idioot kunnen zijn?

Hopkins doorzocht het handschoenvakje, de ruimte tussen de stoelen en onder de voorbanken en ging toen verder met het passagiersgedeelte. Oké, die vent is gewapend, hij is op z'n hoede en hij ziet er sterk uit, maar ik kan hem wel aan. Ik moet verdomme wel. Zodra hij bij de tas komt waarin het geld zit, spring ik bovenop hem. Ik doe hem de handboeien om en zet hem in z'n eigen patrouillewagen, ik neem Louis zijn sleutels af, ik grijp Nicky en we maken dat we wegkomen. Mijn auto laat ik achter in Machias, daar jat ik een andere...

Je auto is kapot, Einstein.

Goed, in Louis' pick-up kom ik niet ver. Ik doe Hopkins de handboeien om en laat hem achter bij Louis. De sleutels van de pick-up gooi ik het bos in en ik jat de patrouillewagen. Ik kan Hopkins ook niet achterlaten met een wapen. Ja, een geweldig plan. Verdomd briljant, hoor. Maar wat moet ik anders? Ik laat me Nicky niet afpakken, niet nu ik zover ben gekomen.

Oké dan, ik koop Hopkins om met het geld. Daarmee maak ik een kans. Wat verdient zo'n kerel, vijfendertig-, veertigduizend per jaar? Het is in cash en het zijn geen geregistreerde biljetten, pak aan en rijd weg, man... Misschien gaat hij ervoor. Als hij dat echter niet doet, heb ik de situatie er veel moeilijker op gemaakt. Dan verwacht hij dat ik iets zal proberen. Dan kan ik hem nog wel aan, ik zal wel moeten... Oké, ik grijp de politiewagen en laat hem achter in Machias in de hoop dat het niemand opvalt dat een onopvallende gozer zoals ik met een kind in een politieauto rijdt, deze achterlaat en een andere auto steelt. Hé, misschien lukt dat. En dan? Naar de Canadese grens? Als ik me de kaart goed herinner, zijn we ongeveer een uur verwijderd van Calais, de eerste plek waar je de grens kunt oversteken. Nou ja, misschien twee uur. Heb ik twee uur? In die tijd kan Louis of Hopkins naar een telefoon lopen. Mijn auto staat op naam van Emmanuel, dus als zij bij een telefoon weten te komen voordat ik de grens over ben, zit ik fout. En als ik richting Ellsworth ga? Daar zou ik de tweede auto kunnen dumpen, weer een andere jatten en naar het westen in plaats van naar het noorden gaan, maar ik heb dan geen bruikbaar identiteitsbewijs meer, dus Canada kan ik vergeten. Shit.

Er was niets in het passagiersgedeelte en dus opende Hopkins de achterklep. Drie plunjezakken, twee van mij en een van Nicky. In welke zat het geld? Ik wist het niet meer. Ik keek naar de pick-up en voelde Nicky's ogen op me gericht. Hopkins greep een van mijn tassen en ritste hem open. Mijn hart begon te bonzen en mijn mond werd droog. Ik zette me schrap. Hopkins draaide zich naar me om, een neerbuigende glimlach op zijn lippen. Hij had iets in zijn hand.

'Wat is dit in godsnaam?'

Ik kon nauwelijks praten. Als je bestaat, God, bedankt. Alweer. 'Dat is een telescoop,' kraste ik.

'Wat doe je daarmee?'

'Ik zal het je laten zien.' Hopkins stapte opzij. Ik veegde mijn handen af aan mijn spijkerbroek en hoopte dat ze niet te veel trilden. Ik viste mijn statief uit mijn tas, zette het op en bevestigde de kijker. Daarna ging ik op de achterbumper van mijn auto zitten en stelde de kijker in op de achterkant van het veld aan de overkant van de weg. 'Oké,' zei ik, 'kijk maar.'

Ik ging opzij en Hopkins tuurde door de kijker. 'Ja, en?'

'Een koperwiek.'

Hij ging rechtop staan en keek me ongelovig aan. 'Heb je dit ding om naar vogels te kijken?'

'Zeker, ik heb zelfs een digitale camera die ik erop kan bevestigen. Stel dat ik een vogel zie die ik niet kan thuisbrengen, nou, dan kan ik hem fotograferen, de foto downloaden op mijn laptop en de afbeelding vergelijken met *Sibley*. Zo...'

'*Sibley*? Wat is een *Sibley*?'

Ik greep in mijn tas en haalde de dikke vogelencyclopedie met harde kaft tevoorschijn.

'Oh,' zei hij. Ik zag hem voor mijn ogen veranderen. Ik was niet langer een bedreiging voor zijn mannelijkheid, ik was geen getatoeëerde, meedogenloze gek die popelde om hem aan te vallen, maar ik was een excentriekeling, een onschadelijke softie. Een vogelaar. 'Hoeveel heeft al die troep wel niet gekost?'

'De telescoop kostte zo'n achthonderd dollar en de camera ongeveer duizend. Ik weet niet meer wat ik voor het statief heb betaald. Maar daar komen dan nog de boeken, de verrekijker en de kosten van reisjes en dat soort dingen bij.'

Hij keek me enkele ogenblikken aan en daarop schudde hij

zijn hoofd. 'Mooi, je kunt je spullen weer opbergen, meneer Williams. Ik moet nog even met Louis Avery praten.' En hij liep naar de pick-up.

Ik haalde de telescoop en het statief weer uit elkaar en stopte alles in de plunjezak. Het papieren tasje met het geld lag onderin de tas met een paar overhemden erop. Mijn handen trilden weer toen ik bedacht hoe dicht we bij een rampzalige afloop waren geweest. Stom, stom, stom. Hoe voorzichtig ik ook probeerde te zijn, toch deed ik minstens eenmaal per dag wel iets oerstoms...

Ik pakte alles weer in, draaide me om en ging op de achterbumper van de auto zitten om Hopkins bij de pick-up in de gaten te houden. Louis had een uitdrukking van afkeer op zijn gezicht. Hopkins keek naar Nicky en stelde hem allerlei vragen, maar als waarachtig kind van Brooklyn keek Nicky naar de grond en haalde zijn schouders op, schudde zijn hoofd of gaf éénlettergrepige antwoorden. Prima, Nicky, maak hem niks wijzer. Na een poosje kreeg Hopkins er genoeg van en liep terug naar mij.

'Wel, meneer Williams,' zei hij zonder me aan te kijken, 'het spijt me voor de overlast. We hebben heel veel problemen gehad met de drugshandel hier in Washington County. Ik dacht dat ik misschien beet had.' Hopkins vermeed oogcontact, hij had er kennelijk de schurft aan zijn excuses aan te bieden, maar er was hem geleerd dat het moest.

'Drugshandel? Dat meen je niet.'

Hij schudde zijn hoofd. 'Toch wel. Ik ben meer tijd kwijt aan OxyContin dan aan wat dan ook.'

'Oh dat, boeren-heroïne, daar heb ik van gehoord.'

'Ik wou dat ik er niet van had gehoord,' antwoordde hij en er klonk weer een klein beetje van die ik-ben-kleiner-dan-jij-wrok door in zijn stem. 'Veel plezier in Maine,' voegde hij eraan toe en een van zijn mondhoeken trok omhoog tot wat ik een honende grijns zou noemen. Op een ander moment zou ik dit niet hebben laten passeren. Ik houd niet van onafgewerkte kwesties. Die houding had ik opgedaan in de gevangenis: oké, heb je iets tegen me, laten we dat dan nu oplossen. Ik hield echter mijn mond en slikte mijn ergernis in. Je hebt een stomme fout gemaakt en het is goed afgelopen, zei ik tegen mezelf. Maak er nu niet nog een. Hopkins stapte weer in zijn patrouillewagen, zette de motor aan, deed het zwaailicht uit, maakte een U-bocht en reed weg. Ik droeg onze tassen naar de pick-up.

'Wat een hufter,' zei Louis toen ik instapte. Nicky klom weer op mijn schoot.

'Zeg dat wel,' antwoordde ik. Ik werd overspoeld door opluchting. Ik kon me niet druk maken om Hopkins. Je moet beter opletten, drukte ik mezelf op het hart. Het scheelde niets of je was alles kwijt geweest.

Louis had niets in de gaten en praatte op schreeuwende toon verder om boven het lawaai van zijn auto uit te komen. 'Weet je wat het is met dat soort kerels? Als je ze ook maar een snippertje macht geeft, willen ze die direct misbruiken.' Hij zat te draaien in zijn stoel en draafde echt door over het onderwerp. 'Bookman zegt dat Hopkins de slimste agent is die hij heeft en misschien heeft hij daar wel gelijk in, maar Hop is een veel te grote klootzak om met een wapen rond te lopen, neem dat maar van mij aan.'

'Wie is Bookman?'

'De sheriff. Hoppie was getrouwd met een van de meisjes Pottle, maar hij kon te vaak zijn handen niet thuishouden en toen is ze weggelopen naar New Hampshire en heeft hem laten zitten. Nu is er hier in de buurt geen enkele vrouw met een greintje verstand die nog met hem uit wil gaan. Hij moet zijn was zelf met de hand doen, net goed.'

'Hij zei dat hij dat hele circus daar opvoerde omdat jullie moeilijkheden hebben gehad met drugs. Hij had het over Oxy-Contin.'

'Dat is zo,' antwoordde Louis, 'dat gedeelte klopt. Mijn vrouw Eleanor gebruikt dat spul. Het is het enige wat helpt tegen die pijnaanvallen die ze heeft. Het kost me bijna tweehonderd dollar per maand. Ik heb huizen gekocht met lagere maandlasten. En je hebt haast een escorte nodig wanneer je het gaat ophalen, zo wanhopig zitten de verslaafden er achteraan. En waarschijnlijk kost het de farmaceutische industrie niet veel om het te maken. Afijn, mocht je Hoppie weer tegen het lijf lopen, houd hem dan in de gaten, als je verstandig bent. En noem hem geen Hoppie, tenzij je bereid bent met hem op de vuist te gaan. Daar moet hij niets van hebben.'

* * *

Louis sloeg van Route 1 rechtsaf een kleine tweebaansweg op die min of meer in westelijke richting slingerde langs de oever van iets dat te groot was voor een beek en te klein voor een rivier.

Het oppervlak van het water was stil, met hier en daar een groepje groene waterlelies. Aan de overkant van het water strekte het bos, dat voornamelijk uit dennen en sparren bestond, zich tot dichtbij de oever uit. Aan onze kant stonden vooral loofbomen waarvan het blad allang was afgevallen, behalve de bruin geworden beukenbladeren, die bleven zich koppig vastklampen. Hier en daar tekende een groenblijvende boom zich opzichtig af tegen de kale takken van zijn buren. Zelfs de bomen doen aan apartheidspolitiek, dacht ik. Ze voelen zich het prettigst bij hun eigen soort, afgezien van een paar vreemde eenden die per se ver van hun familieleden willen wonen.

Louis remde, schakelde terug naar de tweede versnelling en sloeg een steile, met steenslag bestrooide oprit in. 'Ik waardeer het echt wat je allemaal voor me doet, Louis.'

'Kleine moeite,' antwoordde hij. 'Er was altijd een motel zo'n vijfentwintig kilometer naar het noorden, maar dat is een paar jaar geleden afgebrand. Ik vind het vervelend wanneer iemand vast komt te zitten, zover van huis en zonder een plek om te overnachten. Bovendien kun je me een paar dagen huur betalen voor de stacaravan.'

'Afgesproken.'

Op de heuvel aan het eind van de oprit stond een groot geel huis met smalle, hoge ramen, afbladderende verf en een verhoogd portiek zonder leuning. Tegen de achterkant van het huis waren twee schuren achter elkaar gebouwd, ze vormden de verbinding met een grotere schuur van verweerd grijs hout waarop nog enkele plekjes rode verf zichtbaar waren. Je kon dwars door de zijkant en de achterkant van die schuur heenkijken, want een gedeelte van de zijkant was verwijderd en er ontbraken enkele balken. Bovendien zag de achterkant eruit alsof hij elk moment kon instorten.

Louis deed zijn deur open en wachtte even. 'Mijn vrouw is al heel lang het huis niet meer uitgeweest,' zei hij. 'Ze is dol op gezelschap – ander gezelschap dan het mijne – dat vindt ze heerlijk. Je doet haar een groot plezier als ze eens tegen iemand anders kan aankletsen.' Hij knipoogde tegen Nicky. 'Bovendien moet je zoon eens het echte plattelandsleven meemaken terwijl jullie hier zijn. Dat zal hem goeddoen.'

Aan de zijkant van het huis stond een grote eikenboom. Twee Vlaamse gaaien vlogen erin en eruit en schreeuwden schor tegen elkaar. Ik liep er enkele passen dichter naartoe en keek. Ik zag geen andere vogels, alleen de Vlaamse gaaien die zo'n meter of zes boven de grond, op het punt waar de onderste takken van de boom uit de stam kwamen, rondfladderden en een geweldige herrie maakten. Rond de voet van de boom lag wat vogelpoep, evenals een donzig grijs balletje, ongeveer half zo groot als een golfbal. Er is niets exotisch aan Vlaamse gaaien, maar omdat ze zo gewoon zijn, vind ik ze nog niet minder mooi. Ze zijn helder gekleurd, opportunistisch, onbevreesd en slim. Louis zag me kijken.

'Is hij te zien?'

'Is wie te zien?'

'Een dwergooruil,' zei hij. 'Woont in een gat boven in die eik. De Vlaamse gaaien worden helemaal onrustig wanneer hij zich overdag laat zien.' Hij kwam naar me toe met zijn hand boven zijn ogen en tuurde de boom in. 'Ik zie hem niet,' merkte hij op, 'maar hij is moeilijk te onderscheiden. Zijn veren hebben precies de kleur van de boomstam, hij gaat volkomen op in de achtergrond. Dit zegt genoeg over waar hij van leeft.' Hij schopte tegen het grijze balletje. 'Hij heeft een hoop muizenharen en -botjes uitgespuwd.' Hij keek me aan en grijnsde. 'Zo zou het moeten,' zei hij. 'Je eten in één keer doorslikken en dan weer uitspuwen wat je niet wilt hebben, klaar is Kees.'

Huizen zeggen iets over de bewoners. Een huis dat altijd wordt verwarmd met een houtkachel heeft een speciale geur, zelfs eind september, wanneer de kachel al een half jaar niet meer heeft gebrand. Het is een comfortabele geur, misschien zelfs een oergeur, want ik had hem nooit eerder geroken voordat ik Louis' huis binnenstapte en toch wist ik direct wat het was. Ze bakte ook brood in dat huis en dat was een nog aangenamere geur. Natuurlijk ging ik ervan uit dat zij degene was die kookte en dat zij zijn vrouw was.

Er stond een gietijzeren fornuis midden in haar keuken, met daarachter een schoorsteen van baksteen. Aan drie kanten van de keuken stonden kasten die van de vloer tot het plafond reikten. Aan de vierde kant, de verbinding met de rest van het huis, bevond zich een zeepstenen aanrecht met kastjes eronder. Eleanor Avery was een kleine, stevige vrouw met grijs haar dat strak naar achteren was getrokken, een rond ziekenfondsbrilletje, een bleke huid zonder make-up, sterke handen en lichtblauwe ogen. Misschien was ze een jaar of zestig, maar dat was moeilijk te zeggen. Ze liet niet merken wat ze dacht toen ze mij ontmoette, maar haar ogen begonnen te stralen zodra ze Nicky zag. Louis stelde ons aan elkaar voor en legde uit dat mijn auto kapot was gegaan. 'Ik dacht dat ze vanavond de achterkamer wel konden krijgen,' zei hij tegen haar. 'Het is nu te laat om nog met die caravan te beginnen, maar ze blijven een paar dagen, tot Gevier zijn auto heeft gerepareerd. Anders zou hij een auto moeten huren en helemaal naar Calais rijden. Morgen kunnen ze dan in de caravan trekken.'

'Natuurlijk,' zei ze en keek naar mij. Tegen Nicky glimlachte ze. 'Die caravan staat al veel te lang leeg. Het is fijn als iemand hem af en toe gebruikt, maar vanavond slapen jullie hier. Ik zal even het bed opmaken.' Ze stak haar hand uit naar Nicky. 'Heb je zin om me te helpen?' Hij bleef me vasthouden en aarzelde. 'Dan laat ik je daarna de dieren zien. Als het mag van je vader.'

'Dieren?' Hij keek me met open mond aan en zijn greep werd losser.

'Wil je de dieren zien?' Hij liet me los en liep naar haar toe met een verwonderde uitdrukking op zijn gezicht.

'Zou je niet eerst water voor koffie opzetten, Eleanor?' vroeg Louis.

'Ik denk dat jij je daar wel mee kunt redden,' antwoordde ze met een stalen toon in haar stem. 'En zet het water aan voor de badkamer in het achterhuis.'

'Ja, mevrouw,' zei Louis met een knipoog naar mij. 'Meteen, mevrouw.'

'Houd me niet voor de gek,' zei ze en keek hem kwaad aan. Ik wist niet of ze het meende of niet.

Louis knipoogde opnieuw naar me. 'Als ik haar dertig jaar geleden had doodgeschoten, zou ik nu zo'n beetje vrijkomen.'

Nicky was zo opgewonden toen hij terugkwam, dat hij niet stil kon blijven staan. 'Een paad!' begon hij me luidkeels te vertellen. 'Ze hebben een paad! Een hele grote! Je moet komen kijken!'

'Niet zo schreeuwen in huis,' vermaande ik hem.

Hij probeerde te fluisteren. 'Ze hebben een paad en ze hebben ook kippen en een paar katten. Kom nou kijken! Je moet meegaan!'

'Hoe weet je dat het een paad is?' vroeg ik hem en deed zijn uitspraak na. 'Hoe weet je dat het geen eland is?'

Hij wees naar Eleanor. 'Zij zegt dat het een paad is. En elanden hebben horens.'

Hij was niet te houden. We gingen de achterdeur van de keuken uit en de schuur in. Door de achterdeur van de schuur kwamen we in de grote schuur van de Avery's. Ik zal niet zeggen dat ik echt bang ben voor paarden, maar ze zijn een stuk groter dan ik en je weet nooit wat ze van plan zijn. Ik keek van een veilige afstand toe hoe Eleanor, Nicky en het paard vriendschap sloten. Niet dat het iets uitmaakte, want Nicky was zo verrukt en zijn enthousiasme was zo aanstekelijk, dat Eleanor en hij totaal geen aandacht meer aan me besteedden. Louis had gelijk, dit was goed voor Nicky. Ik was haast blij dat die verrekte auto kapot was gegaan.

Er was ook iets bijzonders met Eleanor Avery's kookkunst. Dat vond ik tenminste wel. Misschien ligt het aan mij, maar inrichtingsvoer is inrichtingsvoer, als je begrijpt wat ik bedoel. Het vult je maag, je blijft in leven, maar eten is niet meer dan een taak die je moet verrichten voordat je naar bed mag gaan. Wanneer ik alleen ben, eet ik meestal in een restaurant, of ik ga iets afhalen, zoals Chinees of een pizza. Eleanor maakte een stoofschotel van hertenvlees. Ik keek toe terwijl ze aan het koken was. Ze gebruikte dingen uit glazen potjes en mengde ze door elkaar in een pan zonder ook maar iets van een recept te gebruiken. Ze strooide er verschillende kruiden in, maar ze keek niet eens naar wat ze deed. Ze kon onmogelijk weten hoe het zou gaan smaken, dacht ik. Ik had echter ongelijk. Zoals ik al zei, misschien lag het aan mij, maar het was de verrukkelijkste maaltijd die ik ooit had gegeten.

Ik deed de afwas. Ze wilde het niet en zei dat ik wel mocht afdrogen, maar ik wist niet waar ik alles moest opbergen en dus kreeg ik mijn zin. Louis vertelde Nicky dat een van de poezen volgens hem net kittens had gekregen. Als hij niet schreeuwde en rondstampte als een os, konden ze wel even gaan kijken. Toen ze weg waren, keek Eleanor naar de tatoeages op mijn onderarmen. Om af te wassen, moet je nu eenmaal je mouwen opstropen. Foutje.

'Wat een heerlijk kind,' zei ze. 'Lijkt hij op zijn vader?'

Netjes, dacht ik. Aardig om het zo in te kleden. 'Nee, hij lijkt niet op mij. Maar hij is wel heel bijzonder.'

'Lijkt hij dan op zijn moeder? Waar is zijn moeder?'

'Die is gestorven toen Nicky twee was. Ze reageerde helemaal verkeerd op een medicijn dat ze moest nemen.'

'Oh,' zei ze, 'wat akelig. Dus jij bent alles wat hij heeft?'

Ik grijnsde. 'Wat een idee, hè? Maar het klopt, ik ben alles wat hij heeft.'

Ze legde een hand op mijn arm. 'Je bent vast een geweldige vader. En wat doe jij, Manny? Als ik het vragen mag tenminste.'

'Dat mag best. Je moet toch een beetje weten wie je in je logeerkamer laat slapen. Ik werk met computersoftware.'

'Is dat zo? Ik zou graag willen dat Louis een computer kocht, maar hij zegt dat niemand hem ooit heeft kunnen uitleggen waarom hij zo'n ding nodig heeft.'

'Wel, strikt genomen heb je ook geen schoenen nodig, maar toch kun je ze slecht missen wanneer je er eenmaal aan gewend bent.'

Ze lachte. 'Daar heb je gelijk in. Ik denk dat Louis en ik een beetje achterlopen.' Ze klonk wat weemoedig. Tegen wil en dank begon ik haar sympathiek te vinden.

'Ik heb een laptop bij me,' vertelde ik. 'Zal ik je laten zien hoe het internet er uitziet?'

'Oh ja, dolgraag,' antwoordde ze. 'Maar kan dat vanaf hier? Moet je dan niet iets hebben geregeld met de telefoonmaatschappij?'

'Hebben jullie telefoon hier?'

'Ja.'

'Meer hebben we niet nodig. Ik weet alleen niet hoe ver de provider van hier verwijderd is. Dat wordt waarschijnlijk geen lokaal gesprek. Zou Louis daar bezwaar tegen hebben?'

'Oh, Louis hoeft niet alles precies te weten,' antwoordde ze.

Ik merkte al snel dat ze echt een intelligente vrouw was. Ze voelde de dingen goed aan en ze stelde de juiste vragen. Haar geest was geordend en ze was niet bang iets nieuws te proberen. Ze vertelde me dat ze geschiedenislerares was geweest en het duurde niet lang of ze deed het allemaal zelf en surfde met haar onderzoekende aard over het web. Na een poosje kwamen Louis en Nicky weer binnen en keken wat we deden, maar ze waren geen van beiden erg geïnteresseerd en liepen weer weg om iets anders te gaan doen. Na een paar uur keek Eleanor op haar horloge.

'Och hemel,' zei ze. 'Ik moet ermee ophouden. Mijn hoofd duizelt ervan.' Ze stond op. 'Kost dit veel geld?'

'Dat hoeft niet,' antwoordde ik. 'Als je het niet erg vindt om reclame op het scherm te krijgen, betaal je eigenlijk alleen voor de telefoonverbinding.'

'En de computer? Kost die geen duizenden dollars?'

'Een paar honderd.'

'Dit wil ik ook.' Ze keek me aan. 'Louis zal nog hevig de pest aan jou krijgen.'

Een paar dingen hielden me wakker die nacht. In de eerste plaats datgene wat ik had gezien nadat Eleanor me de laptop had teruggegeven. Ik logde in op een site in Denemarken waar je absoluut anoniem kunt surfen en toen zocht ik de website op van de *Daily News*. Het Kreng, Nicky's pleegmoeder, verbaasde me. Ze moet Nicky als vermist hebben opgegeven, want er stond een kort berichtje over hem in de krant met een fotootje dat ongeveer een jaar geleden was genomen. Zijn haar was korter toen, maar zijn gezicht was goed te herkennen. Er raken voortdurend kinderen vermist, hun gezichten verschijnen op posters en pamfletten en op melkpakken, maar wie let daar nu echt op? Nicky had echter een gezicht dat je bijblijft.

Er stond nog een ander, veel uitgebreider bericht in, namelijk over die Russen en hun aandelenfraude. Het kon me niet schelen wat er met die Russen gebeurde, maar aan het eind van het verhaal stond vermeld dat een bende hen had beroofd net voordat de toezichtcommissie een eind aan hun praktijken wilde maken. Klopt, dacht ik. Wat me ongerust maakte, was het feit dat er ook stond dat de politie op zoek was naar twee mannen die ze wilden ondervragen over die overval. Er stonden geen namen of foto's bij en dus nam ik aan dat Rosey hen nog steeds een stap voor was. Ik geloof dat je op je geluk moet vertrouwen, maar nu kreeg ik toch het gevoel dat ik op een smal randje balanceerde. En toen, net voordat ik in slaap viel, vroeg Nicky me ook nog wanneer we naar huis gingen. Ik voelde een koude rilling over mijn rug lopen toen hij dat zei. 'Naar huis' is een beladen begrip voor mij. Ik weet nooit wat ik moet denken wanneer ik het hoor. Net als wanneer mensen me vragen waar ik vandaan kom. Dan kom ik in de verleiding te zeggen dat ik van een trottoir in Williamsburg kom, niet ver van Broadway, een paar straten van de brug. En waarom niet, het ene antwoord is net zo goed als het andere. Naar huis, dat betekent: waar hoor je eigenlijk?

Nergens dus.

Nadat Nicky in slaap was gevallen, bleef ik een poosje liggen nadenken, maar ik voelde me gespannen en ongedurig en dus liet ik me voorzichtig uit het bed glijden en trok mijn broek weer aan. Nicky bewoog zich, draaide zich om en zuchtte. Ik legde de deken over hem heen en hij leek weer in slaap te vallen. Terwijl ik naar hem keek, vroeg ik me af wat er omging in dat hoofd van hem. Hij had zich zonder enige aarzeling aan mij overgegeven, hij vertrouwde me op een manier waarop ik mijn leven lang nog nooit iemand had vertrouwd.

Ik greep mijn kijker, sloop door de keuken en stapte het erf van de Avery's op. De deur deed ik zo zachtjes mogelijk achter me dicht. Toen ik mijn kijker op de eikenboom richtte, zag ik hem. Ik kon zijn silhouet onderscheiden tussen de takken, precies op de plek waar de twee Vlaamse gaaien zich een paar uur eerder zo druk om hem hadden gemaakt. Hij wist dat ik naar hem keek, ik durf te zweren dat hij zijn kop in mijn richting draaide zodra ik hem in beeld had. Een roofdier dat jaagt op basis van zijn gehoor kun je niet besluipen.

Hij vloog weg, een vreemde gedaante in het donker, een grote kop met oorpluimen, een gedrongen lijf en korte, puntige vleugels. Ik betwijfel of hij bang voor me was. Ik betwijfel of welk roofdier dan ook echt bang is voor een mens. Wanneer een dier dat aan de top van zijn voedselketen staat naar je kijkt, wat ziet hij dan? Je bent of te groot om op te eten, of hij lust je niet, of je bent een maaltijd, meer niet. Ik denk dat de uil wegvloog omdat ik te veel lawaai maakte en zijn jacht verstoorde. Ik volgde het wagenspoor de heuvel achter het huis op, langs de schuur en langs de omheinde tuin, ruwweg in de richting die de uil was gegaan. Ik wilde hem op mijn lijst noteren, maar dat kon ik nog niet doen, want ik had hem niet echt gezien, alleen zijn silhouet, zijn schaduw. Ik mocht ook niet op Louis' woord afgaan over wat hij was, zo werkt het niet. Niet dat ik hem niet geloofde, maar als je hiermee eenmaal gaat smokkelen, waar ben je dan nog mee bezig?

De wind werd sterker toen ik de heuvel opging. Ik draaide me om en keek achterom. De vorm van de gebouwen was soms niet te zien omdat de maan verstoppertje speelde tussen de wolken. Plotseling voelde ik grote druppels. Het begon nog harder te waaien en ik kon de grote bomen langs de rand van het veld bijna zien zwiepen en dansen. Ik wist dat de uil zich niet meer zou laten zien die avond. Soms gaat het zo. Je krijgt heel even de kans en als je die niet benut, is het moment voorbij en kun je het vergeten. Verdorie, denk je dan, verdorie, ik had hem, ik had die hufter, maar hij is me ontglipt en het heeft geen zin om 'dwergooruil' op je lijst te schrijven terwijl je in je hart weet dat het ook een half dozijn andere vogels kan zijn geweest.

Ik draaide me weer om en bleef tegen de heuvel op lopen. Louis' huis en schuur verdwenen nu snel uit het zicht. De wind rukte aan mijn jasje en bespatte me weer met regendruppels alsof hij iets tegen mij persoonlijk had. 'Wie ben je, klootzak, en wat doe je hier? Ik zou maar uitkijken...'

Het pad bereikte de bomen en de diepe duisternis van het nachtelijke bos weerhield me ervan om verder te gaan. Waar denk je dat je heengaat, Manny? Wat wil je nu eigenlijk echt? Ik weet niet waarom, maar op dat moment leek het de eerste keer dat ik me dat ooit had afgevraagd. Wanneer je het grootste deel van je leven doorbrengt met wegrennen, denk je er niet zo vaak aan waar je heengaat, vermoed ik. Je wordt achtervolgd of iets dat je dringend nodig hebt verdwijnt in de verte en je moet er achteraan, nu meteen, geen tijd om rond te hangen.

Nicky had dat allemaal veranderd.

Wat wilde ik echt? Ik had geen idee. Het leek haast of die vraag niet paste in mijn manier van denken, zodat ik niet in staat was hem te beantwoorden. Ik kende het onderliggende principe niet. Kan dat werkelijk, kun je ervoor gaan zitten en beslissen: hé, ik wil kernfysicus worden en het vervolgens ook gaan worden? En hoe kun je dat doen wanneer je op een dun koord balanceert, zonder vangnet voor het geval dat je een fout maakt? Als je honger hebt omdat je geen maaltijd kunt opscharrelen, wordt de huur van volgende maand een probleem dat je later wel eens zult oplossen.

Ik was echter al heel lang op die manier bezig, misschien werd het werkelijk tijd dat ik er eens mee ophield, dat ik mezelf niet langer als slachtoffer beschouwde. De huur bij elkaar krijgen was nu geen punt meer. Het geld dat ik in die opslagruimte in New Jersey had verstopt, had financiële onzekerheid van mijn lijst van excuses geduwd. Denk niet langer als een loser, zei ik tegen mezelf. Je moet nu beginnen een vader te zijn, niet alleen maar een verwekker. Als je wilt dat Nicky een kans heeft, kun je maar beter beginnen zelf volwassen te worden.

Je kon de regen aan voelen komen, de lucht was zwaar van het vocht en de wind spande zijn spieren. Ik liep de heuvel weer af en voelde me een buitenlander, alsof de overlevingsstrategieën die ik in Brooklyn had geleerd niet van toepassing waren op deze vreemde plek.

3

De kleine lastpak maakte me de volgende ochtend al om vijf uur wakker.

'Pappie!' brulde hij. Ik schrok onmiddellijk wakker en schoot overeind in het bed. Mijn hart klopte wild terwijl mijn hersenen worstelden met de vraag waar we waren. 'Pappie, het paad!' Ik had het kunnen weten. 'Hij loopt weg!'

'Jezus Christus.'

'Pappieeee...'

'Niet zo schreeuwen in huis. Dat heb ik je toch al gezegd. Je hebt waarschijnlijk de hele buurt wakker gemaakt, verdorie.' Ik kon Louis Avery ergens in een andere kamer horen grinniken. 'Laat me eens kijken,' zei ik en ik rolde het bed uit en knielde naast Nicky voor het raam. Het paard stond in de wei achter de schuur. In het vroege ochtendlicht leek het koud buiten. De storm of het noodweer, of wat er die nacht ook was gepasseerd, was voorbij. Achter het weiland, dicht naast het pad dat ik de vorige avond had gevolgd, had de storm een enorme boom met wortel en al uit de grond gerukt, zodat er nu een grote zwarte bult kale grond zichtbaar was achter de plek waar de boom op het gras lag. 'Het paard loopt niet weg, hij eet zijn ontbijt. Heb je je tanden gepoetst en je gezicht en je handen gewassen en dat soort dingen?'

'Nee.' Hij bleef tegen het raam gekleefd staan alsof hij er doorheen wilde vliegen, regelrecht naar het weiland om dat stomme paard een bezoek te brengen.

'Wel, ga dat dan doen. Dan kunnen we daarna naar het paard gaan.'

Ik kan me er maar beter bij neerleggen, dacht ik, want hij laat me nu toch niet meer slapen.

Louis kwam ons tegemoet in de keuken. 'Je bent een boom kwijt,' zei ik.

'Amerikaanse eik,' antwoordde hij. 'Zag ik toen ik het paard naar buiten liet. Ik zal er brandhout van moeten hakken. Ik had hem laten staan omdat hij zo mooi was, te mooi om hem om te hakken.' Hij schudde zijn hoofd, alsof hij een goede oude vriend had verloren.

'Zal ik je helpen met het hakken?'

'Dank je voor het aanbod,' zei hij. 'Laten we maar eens gaan kijken.' Nicky stond alweer bij het raam en keek naar buiten. 'Kom op, Nicholas,' brulde hij net zo hard als Nicky had geschreeuwd. 'Kom op, we gaan naar buiten.'

Ik bedacht dat Eleanor Avery wel een heel tolerant mens moest zijn; al die herrie in haar huis zo vroeg op de ochtend. Ik bleef even staan toen ik de deur door liep en keek van de bovenkant van de trap naar het erf van de Avery's. Er had zich rond het slapende huis kennelijk een nachtelijk drama afgespeeld, want er stonden drie bloederige pootafdrukjes op het hout van de onderste treden. Louis besteedde er geen aandacht aan toen hij erlangs liep. Misschien had hij zoiets al veel te vaak gezien om er nog iets over te zeggen, of misschien is iemand die op het platteland woont beter vertrouwd met de naakte feiten van het bestaan en vindt hij dingen normaal die voor mij opmerkelijk zijn, afgeschermd van het echte leven als ik altijd ben geweest door de verbijsterende constructie van staal, glas, beton en creativiteit die New York City heet. Tot op dat moment had ik levende schepsels in mijn hoofd altijd in vier overzichtelijke categorieën verdeeld: mensen, ongedierte, dieren in de dierentuin en dieren op de televisie. Vogels telden niet mee.

Wij mensen vermoorden elkaar verbijsterend vaak. Dat doen we omdat we gestoord zijn, geestelijk of moreel onvolwaardig – of allebei tegelijk. We doen het omdat we het geld, de vrouw of de auto van die ander begeren, of omdat hij onze zoon te lang op de bank liet zitten bij een sportwedstrijd, omdat hij ons sneed op de snelweg, of misschien zelfs omdat zijn gezicht ons niet bevalt. Of alleen maar voor de kick, gewoon, zomaar. Dat weet iedereen en het wordt elke dag opnieuw bewezen, zo vaak zelfs dat niemand de stand meer bijhoudt. Je moet echt een beroemdheid om zeep helpen of iets extreem opvallends of walgelijks doen, wil je de aandacht trekken. Maar dat zijn wij, de mensen, en dat is begrijpelijk, want we zijn nu eenmaal schoften. De meesten van ons handelen overhaast en laten zich regeren door hun driften. We zijn blind voor ons betere ik uit hebzucht of uit domheid. Ik weet dat jij en ik graag iets anders zouden geloven, maar de feiten spreken voor zich, je hoeft maar een krant in te kijken.

Mijn probleem was dat ik altijd had aangenomen dat het alleen bij mensen zo was, dat het er in de natuur beter aan toeging dan bij ons, dat vrede, of althans een of andere vorm van coëxistentie daar de regel was en dat wij een afwijking vormden. Het echte leven was anders en als we er maar in slaagden onze ogen te openen, zouden we ook inzien dat we onze huidige problemen en vijandelijkheden konden overstijgen en nobeler wezens konden worden die leefden zoals God of Moeder Natuur het had bedoeld. Maar helaas, daar was het bewijs, recht onder mijn voeten. Het was overal hetzelfde verhaal, de geschiedenis wordt geschreven met het bloed van de verliezer.

Louis kwam kijken waar ik naar stond te staren. 'Wasbeer,' zei hij. 'Moet een kip te pakken hebben gekregen.' Hij liep de schuur in om het te controleren en kwam even later weer terug. 'Er ontbreekt er niet een,' zei hij schouderophalend. 'Ga je mee?'

Avery ging als een ware kunstenaar om met zijn kettingzaag. Hij sprong op de boomstam en liep er overheen met de zaag in één hand, terwijl hij de kleine takken afzaagde. Aan het einde sprong hij er weer af en begon met het serieuze werk. Hij zorgde voor lawaai, rook en kleine splinters. Nicky keek van een veilige afstand toe, zijn aandacht min of meer gelijk verdeeld tussen het paard en Avery's kettingzaag.

Mensen die hun brood zittend verdienen en zelfs degenen die wel eens langs de regenpijp naar een raam op de tweede verdieping klimmen, hebben geen idee van de fysieke inspanning die een klus als brandhout hakken vergt. Die ochtend leerde ik dat gewichtheffen en oefenen met fitnessapparaten geen geschikte voorbereiding zijn voor het worstelen met stukken boom van een kleine anderhalve meter lengte. Bukken, de ene kant omhoog steken, het hout tegen je schouder laten leunen, de onderkant vastgrijpen en weer opstaan en ten slotte met het enorme gevaarte naar de pick-up wankelen en het stuk stam daar zo voorzichtig mogelijk inleggen, zodat je geen gat in de roestige bodem stoot. Je worstelt met materie die zogenaamd levenloos is, maar die materie lijkt er ondertussen wel een sadistisch genoegen in te scheppen de huid van je handen te schuren. Ik kreeg de smaak echter te pakken. De laatste keer dat ik in de sportschool was geweest, was een paar dagen voordat ik mijn auto had gekocht. Het voelde goed, hoewel ik wel besefte dat ik de volgende dag spierpijn zou hebben.

'Verdorie,' zei Louis terwijl hij zijn voorhoofd afveegde en neerzonk op het blok hout dat hij aan het zagen was. 'Ik kan jullie jonge gozers niet meer bijhouden. Weet je hoe je moet schakelen met tussengas?'

'Schakelen met tussengas? Oh, je bedoelt rijden met het koppelingspedaal ingedrukt? Ja, tuurlijk.'

'Wijsneus,' antwoordde hij. 'Waarom breng jij die laatste lading dan niet de heuvel af, zodat ik hier even op adem kan komen?'

De pick-up van Louis had geen stuurbekrachtiging, geen gesynchroniseerde versnellingsbak, maar ik kwam veilig de heuvel af. Ik was net bezig de houtblokken uit de laadbak te halen, toen er een grote Ford pick-up, zo'n vijftig jaar jonger dan die van Louis, de oprit op draaide en zacht en moeiteloos de heuvel op reed. 'Calders Bosbessen' stond op de deur vermeld. Een beerachtige man stapte uit en kuierde in mijn richting. Hij was een paar centimeter kleiner dan ik, maar gezet, met dik zwart haar op zijn armen, een ronde borst als een biervat, een fikse buik, een bril met glazen als jampotbodems, een korte zwarte baard en een kalend hoofd. 'Sam Calder,' zei hij en stak zijn hand uit. 'Jij moet Manny zijn.'

De verbazing moet op mijn gezicht te lezen zijn geweest toen ik zijn hand schudde.

'Klein stadje,' meesmuilde hij. 'Nieuws verspreidt zich snel. Je zou denken dat we niets beters te doen hebben. Ik hoorde dat je auto kapot is gegaan en dat Gevier er gisteren nieuwe onderdelen voor heeft besteld. Hij verwacht dat ze er overmorgen zijn. En ik weet dat je een klein jongetje bij je hebt dat Nicky heet.'

'Jezus.'

'Neem het ons maar niet kwalijk,' zei hij. 'We hebben alleen maar elkaar om over te praten.'

'Hoe komt het dat je geen accent hebt?'

'Ik heb zes jaar in Columbia gewoond,' antwoordde hij met een weemoedige uitdrukking op zijn gezicht. 'Aan de honderdvijfde straat en aan Riverside Drive.'

'Je klinkt alsof je het mist.'

'En niet zo zuinig ook,' zei hij. 'Ik ga zo vaak mogelijk terug. Minstens twee weken per jaar, anders word ik gek hier.' Hij keek naar de stapel forse houtblokken bij de ingang van de schuur. 'Louis aan het werk in het bos?'

'Nee,' antwoordde ik. 'Hij is een boom aan het verzagen aan de achterkant van zijn weiland daar. Heb je hem nodig?'

Hij knikte. 'Ik heb wat zaken met hem te bespreken.'

'Wil je een lift de heuvel op?'

Hij keek naar de Jeep. 'Daarin?' Hij schudde zijn hoofd. 'Louis verongelukt nog een keer in dat ding. Hij is ongetwijfeld de koppigste man die ik ken. Zullen we maar lopen?'

'Oké. Maar waarom vind je hem koppig?'

Calder wierp een blik achterom naar het huis en keek toen naar mij. 'Hij zou zich best een betere pick-up kunnen veroorloven. Ik probeer hem nu al een jaar of tien over te halen voor mij te komen werken. Een vaste baan met een regelmatig inkomen. Hij is een pientere kerel, betrouwbaar, vindingrijk, precies de soort man die je de leiding geeft over de onderhoudsploeg van je bedrijf bijvoorbeeld. Hij wil er echter niet van horen. Hij schraapt liever op zijn eigen manier een inkomen bij elkaar, weet je, houthakken voor de papierfabrieken, kerstbomen zagen, bosbessen oogsten, naar oesters vissen, af en toe een nieuw dak op iemands schuur maken. Hij werkt zich kapot wanneer hij iets vindt dat geld opbrengt en de rest van de tijd is het hongerlijden geblazen. Geen pensioen, geen ziektekostenverzekering en dan dat wrak van een auto. Hij kweekt het grootste deel van zijn voedsel zelf, schiet herten buiten het jachtseizoen... Nou ja, hij moet het zelf weten, maar Eleanor verdient iets beters. Ik mag me er niet mee bemoeien, maar hij zou veel beter voor mij kunnen komen werken. Ik zou hem graag willen hebben.'

We begonnen de heuvel op te klimmen. 'Ben je gekomen om hem weer een aanbod te doen?'

'Nee, verspilde moeite. Nee, hij bezit een stuk land in Eastport en ik probeer hem zover te krijgen dat hij dat aan mij verkoopt.'

'Zo.'

'Ja, mijn vader wil het ook kopen als bedrijventerrein en dat probeer ik te voorkomen. We zitten hier niet op nog meer verrekte industrie te wachten. Als je te midden van de industrie wilt wonen, moet je maar naar de stad verhuizen.' Hij keek naar mij. 'Ik wil je niet vervelen met de lokale kletspraat.'

'Geeft niets. Denk je dat Louis het land aan jou zal verkopen?'

Calder schudde zijn hoofd. 'Louis Avery is een uitermate koppige kerel. Eigenlijk kan het me niet eens veel schelen of hij het aan mij verkoopt of niet. Ik wil alleen maar verhinderen dat hij het aan mijn vader verkoopt.'

Louis was neergestreken op het restant van de boom, het

onderste deel van de stam tot waar de eerste takken hadden gezeten. De stam leek te dik om te verzagen, maar ik verwachtte niet dat Louis hem daar zou laten rotten. Dat ik niet wist hoe ik dat ding in stukken moest hakken die in zijn houtkachel pasten, betekende nog niet dat hij het niet wist.

'Hallo, Louis.'

'Ha, Sam. Alles goed?'

'Prima,' antwoordde Sam. Ik vermoedde dat hij probeerde met het lokale accent te praten. 'Ik stoor je hoop ik niet bij je werk?'

'Nee, nee,' zei Louis. 'Die knul heeft me volkomen uitgeput. Zo hard zou een man niet moeten werken voordat hij zelfs maar een ontbijt heeft gehad. Er is vast veel hout nodig om New York City te verwarmen. Wat kan ik voor je doen?'

Calder zuchtte. 'Ik geloof dat mijn vader op het punt staat een nieuw bod te doen. Je weet dat ik niet wil dat hij zijn plannen doorzet, Louis. Tussen jou en mij, wat hij ook biedt, ik bied je hetzelfde.'

'Zo? Manny, willen Nicky en jij gaan ontbijten? Ik ga Sam hier misschien alle hoeken van het bos laten zien en daar wil je niet bij zijn.'

Calder keek naar me en rolde met zijn ogen.

'Kom, Nicky, laten we gaan eten.'

Eleanor stond uit het keukenraam naar Sam Calders auto te kijken en klakte met haar tong. 'Goedemorgen,' zei ik. 'Ik hoop dat Nicky je vanochtend niet te vroeg wakker heeft gemaakt.'

'Nee, hoor,' antwoordde ze. 'Ik was al wakker. Staat Sam junior daar nu weer tegen Louis te jammeren over dat verdomde stuk land in Eastport?'

'Ja. Hij zegt dat hij niet wil dat het aan zijn vader wordt verkocht.'

'Ieder zijn mening,' antwoordde ze. 'Ik wou dat ze ons met rust lieten over dat land.' Ze keek naar Nicky. 'Wil je wat eten? Houd je van eieren met spek?'

Nicky knikte. 'Ja,' zei hij.

'Ja, alstublieft, bedoel je,' merkte ik op.

'Huh?'

'Zeg eens: ja, alstublieft.'

Hij keek me verbaasd aan. 'Ja, alstublieft.'

'Niet tegen mij, ik maak je ontbijt niet klaar.'

'Oh.' Nu keek hij naar Eleanor. 'Ja, alstublieft.'

'Ga maar vast aan tafel zitten,' antwoordde ze hem. 'Wil je koffie, Manny?'

'Heel graag,' antwoordde ik. Ik zag Nicky naar me kijken. 'Ja, alsjeblieft, bedoel ik.' Het voelde een beetje ongemakkelijk om door haar te worden bediend. Samen met mijn zoon profiteerde ik hier van twee mensen die zo blut waren, dat hun enige vervoermiddel een paard was plus een pick-up die wel twintig jaar ouder was dan ik. Ik kon er zo te zien op dat moment echter weinig aan doen. Eleanor overhandigde me een kop koffie.

'Melk en suiker?'

'Nee, dank je, zo is het goed.'

Ze keek weer uit het raam naar Calders auto. 'Hij is een hardnekkig type, die Sam.'

'Denk je dat hij iets zal bereiken?'

Ze schudde haar hoofd. 'Wanneer Louis iets niet wil, laat hij zich ook niet overhalen.' Ze liep weer naar het fornuis. De geluiden en de geuren van gebakken eieren met spek begonnen de keuken te vullen. 'Sams vader wil een oliehaven bouwen in Eastport,' zei ze. 'Aan de baai. Hij wil daar olietankers laten lossen. Hij heeft een olieraffinaderij gevonden die geïnteresseerd is. Dat zou werkgelegenheid betekenen en een hoop mensen zouden dat graag zien gebeuren. Het is moeilijk om geld te verdienen zo ver naar het noorden, weet je. De meeste kinderen die hier opgroeien, moeten na hun schoolopleiding wegtrekken om ergens anders werk te zoeken. Als het echter wel doorgaat, moeten er grote tanks worden geplaatst en pijpleidingen worden gelegd en dat soort dingen. Er zouden hier dag en nacht grote vrachtwagens rondrijden om de olie te vervoeren en dat betekent lawaai en vervuiling. Veel mensen zijn ervan overtuigd dat dat alles zou bederven, dat zowel de stad als de baai verpest zouden raken. Waarschijnlijk komen er dan geen toeristen meer, hoewel we daar nu ook bepaald niet door worden overspoeld. Maar waarom zou iemand helemaal hierheen rijden om naar olietanks en zo te kijken? Afijn, als Louis niet verkoopt, wordt er niet gebouwd. We zouden het geld goed kunnen gebruiken, geloof me, maar we willen allebei niet degene zijn die beslist of die oliehaven wordt gebouwd of niet. Toch lijkt het daar nu wel op neer te komen.'

'Vind je dat hij er moet komen?'

'Ik weet het niet.' Ze dacht er even over na terwijl ze de eieren omkeerde. 'Het is moeilijk je kinderen te zien wegtrekken naar de steden. Je ziet hen nog maar één of twee keer per jaar... Maar weet je, als die terminal wel wordt gebouwd, komt hij daar op die bergrug te staan en zal hij de komende honderd jaar het uitzicht verpesten en de lucht verzieken. Denk eens aan alle mensen die daar langs zullen rijden en degene zullen vervloeken die hem daar heeft neergezet. Ik denk niet dat dat ons karma veel goed zal doen.'

'Waarom verkopen jullie die grond dan niet aan Sam junior? Hij wil daar geen industrie, zegt hij.'

'Wat Sam junior niet wil is industrie waarbij hij geen vinger in de pap heeft,' antwoordde ze. 'Hoe dan ook, dit gaat niet over industriële ontwikkeling, niet wat hem betreft. Hij wil het bewind voeren over het Calder-familiebedrijf buiten zijn vader om en daarom doet hij alles wat hij maar kan om wat keien op zijn pad te leggen. Zodra Sam senior onder de grond ligt, gaat Sam junior daar iets bouwen om meer geld te verdienen. Misschien geen oliehaven, maar ongetwijfeld iets dat net zo hard stinkt.'

Eleanor schonk nog twee koppen koffie in toen Louis en Sam junior door de keukendeur naar binnen stampten. 'Oh, ik kan niet blijven,' zei Sam, maar hij nam de koffie toch aan. Hij schudde zijn hoofd. 'Anders krijgt mijn vader een beroerte.'

'Werk je voor je vader?' Dat verbaasde me, want ze leken verschillende belangen te hebben.

'Ik werk met hem samen,' antwoordde Sam. Het viel me op dat Louis een grijns wegslikte. 'Het is een familiebedrijf. We wilden het een coöperatie noemen, maar het lijkt meer op een noncoöperatie. Hij heeft er de pest in wanneer ik te laat kom.'

'Hij is ook niet zo blij wanneer je op tijd komt,' zei Louis.

'Louis,' kwam Eleanor ertussen met een waarschuwende klank in haar stem.

'Ja, ja,' zei Louis. Nicky giechelde.

'Luister eens,' zei ik in het algemeen. 'Kan ik hier ergens in de buurt een auto huren? Als ik hier toch een paar dagen moet blijven, wil ik wel graag een beetje mobiel zijn.'

'Nee,' antwoordde Sam. 'Niet wanneer je zoiets als Hertz-autoverhuur bedoelt. Als je echter met mij meerijdt naar Lubec, kan ik wel iets voor je regelen. De man die ons wagenpark bijhoudt, heeft vast wel iets dat je kunt gebruiken, als ik het hem vraag.'

'Dat zou ik erg waarderen. Ga je niet naar Gevier?'

'Nee. Er is niets mis met hem, hij bevindt zich alleen te ver naar het zuiden. Lubec ligt ten noorden van hier en Gevier ten zuiden. Maar hij is een prima monteur. Je hoeft je geen zorgen te maken over je auto.' Hij nam een slok koffie en gaf het kopje terug aan Eleanor. 'Bedankt, Eleanor, ik moet nu echt gaan.'

'Weet je zeker dat je niet wilt blijven ontbijten, Sam? Ik moet toch aan de slag voor Louis. Ik maak met alle...'

Hij grijnsde tegen haar. 'Je vindt het heerlijk om problemen te veroorzaken, nietwaar?'

'Wel, ik kom niet veel het huis uit,' antwoordde ze. 'Ik moet de mogelijkheden die op mijn pad komen zo goed mogelijk uitbuiten.'

'Ik zal mijn vader de groeten van je doen.'

Nicky bleef achter. Eerst wilde hij mee, maar ik vormde een armzalig alternatief voor Louis' paard, katten en kippen. Ik probeerde me te herinneren hoe ik zelf was op Nicky's leeftijd, maar ik wist het niet meer. Op Nicky leek ik in elk geval vast niet. Hij had met zijn vijf jaar meer sociale vaardigheden dan ik op mijn achtentwintigste. Misschien was er iets gebeurd dat me had afgeremd, ik weet het niet. Het had ook geen zin daar nu over te piekeren.

Sam junior reed heel behoedzaam. Hij hield zich aan de snelheidslimiet en hij stopte bij elke kruising en wachtte tot het verkeer van de andere kant was gepasseerd. Hij praatte ook bijna voortdurend tegen me tijdens de rit. Ik begon te begrijpen wat Eleanor met 'hardnekkig' had bedoeld. Op een vreemde manier praatte hij haast alsof ik er niet bij was, niet echt. Alsof het hem niet om mij ging, maar om twee luisterende oren en daarom besteedde ik ook niet veel aandacht aan wat hij zei. Af en toe maakte ik gewoon de geluiden die van me werden verwacht.

De rit duurde circa vijfendertig minuten. We passeerden een klein vliegveld, daarna een aantal huizen en vervolgens de buitenwijken van een stadje waar de gebouwen iets dichter op elkaar stonden, aangevuld met een postkantoor, een slijterij, een levensmiddelenwinkel en een evenementenhal. Net toen ik verwachtte dat we het centrum zouden bereiken, sneed de Atlantische Oceaan de bebouwing af, alsof de zee het grootste deel van een grotere, drukkere en welvarender stad had opgeslokt en het kleinere, stille gedeelte had laten staan. Wat voor de binnenstad moest doorgaan, was niet meer dan één lang huizenblok direct aan het water. Zo'n honderd meter uit de kust lag een groot eiland en het water stroomde zo snel door de met rotsen afgezette geul, dat je wel zorgde dat je voeten netjes op de stoep bleven. Als je erin viel, zou je al halverwege Engeland zijn voordat je zelfs maar om hulp kon roepen. Calders kantoor bevond zich in een statig oud Victoriaans gebouw niet ver van de hoofdstraat. Sam junior parkeerde zijn pick-up aan de voorkant.

De kantoren van Calders Bosbessen waren smaakvol ingericht met kobaltblauwe en grijze tinten. Er zat een vrouw achter een balie te telefoneren. Ze keek mij uitdrukkingloos aan en wuifde tegen Calder. Op datzelfde moment vloog aan de achterkant een deur open en stormde er een gedrongen oude man naar buiten. Hij zag eruit alsof kwaadaardigheid zijn tweede natuur was geworden. Hij had een rond buikje dat hij strijdlustig naar voren stak terwijl hij zijn handen op zijn heupen zette. Ook zijn kin stak vooruit. 'Je moest je er weer mee bemoeien, hè? Je moest er zo nodig heengaan.'

'Ik wil deze discussie niet nog eens voeren,' antwoordde Sam junior.

'Verdomme, Sam! Ik doe mijn best dit bedrijf en deze gemeenschap weer op te bouwen en in plaats van me te helpen, steek je me een mes in mijn rug.' Hij draaide zich om op zijn hielen, deed twee stappen in de richting van zijn kantoor en draaide zich weer om. 'Wat ben je toch een klootzak!' Hij draaide weer terug, stampte weg naar waar hij vandaan was gekomen en smeet de deur achter zich dicht.

Calder keek me aan. 'Mijn vader,' zei hij met een somber gezicht. 'Mijn vader. Kom op, dan gaan we die auto voor je halen.'

'Heb jij Hobart gezien, Roscoe?' Sam junior had me verteld dat Roscoe een Franse Canadees was die bij Hobarts garage werkte. Roscoe was verdiept in de raadsels van een spruitstuk dat op een werkbank stond. Hij was een man met donker haar, zo'n 1,80 meter lang en forsgebouwd. Hij zag eruit alsof hij graag met je op de vuist zou gaan. Hij grijnsde breed terwijl hij opkeek van zijn werk en hij deed me denken aan Teddy Roosevelt, want je wist niet precies of hij glimlachte, een grimas trok of alleen maar zijn tanden liet zien. 'In de rokerij misschien,' zei hij. 'De ouwe was hier ook. Hij was op zoek naar jou, denk ik.'

'Hij heeft me al gevonden,' antwoordde Sam somber.

'Dat gaat nog een keer fout met jullie.'

'Vind je dat ik moet zeggen dat hij naar de duivel kan lopen?'

'Volgens mij zit hij daarop te wachten.' Roscoe schudde langzaam het hoofd terwijl hij bleef grijnzen, of wat het dan ook was wat hij deed. Zijn tongval verschilde sterk van het gebruikelijke oostkust-accent. 'Die ouwe is te gierig om dood te gaan,' zei hij, 'te oud om te vechten en te lelijk voor seks. Misschien zit je wel met hem opgescheept. Kijk maar in de rokerij, ik denk dat Hobart daar is.'

De rokerij stond aan de overkant van de straat op een houten pier die uitstak over de gevaarlijke stroming van wat Passamaquoddy Bay werd genoemd. Het achterste gedeelte bestond uit een lang, rood, schuurachtig gebouw met ventilatiegaten in het dak en de voorkant was klein, niet groter dan één kamer. We bleven op de stoep staan om een auto te laten passeren. De bestuurder wuifde naar Sam en die wuifde terug.

'Is de rokerij ook van Hobart?'

'Ja. Meerdere functies, heel gewoon in Maine. De meeste mannen hier moeten veel verschillende petten dragen om één inkomen te vergaren. Met slechts één beroep haal je gewoon niet genoeg binnen.'

De deur van het witte voorhuis was niet op slot, maar er was niemand binnen. We gingen daarom weer naar buiten en liepen naar de rokerij. Langs de zijkant van het gebouw bevond zich een rij lage, deurachtige openingen en binnen lagen hopen smeulend zaagsel op de vloer. Onder het dak waren houten palen aangebracht en daaraan hingen haringfilets, zoals ik later te weten kwam. Ze waren gemiddeld zo'n twintig centimeter lang en heel donkerbruin tot bijna zwart van kleur. Calder stak zijn hoofd door een van de openingen. 'Hobart!' brulde hij. 'Ben je hier?'

Een lange man met een slordige bos wit haar stapte aan de achterkant van de rokerij naar buiten. Hij was nog langer dan ik, misschien wel zo'n 1,95 meter, en ook breder in zijn schouders. Zijn pezige lijf straalde iets uit van een lang leven van hard werken onder barre omstandigheden. Hij droeg bretels om zijn broek op te houden, want zijn knokige achterste bood niet genoeg houvast aan een riem. Hij had iets merkwaardigs – misschien lag het aan zijn schrale witte baard, zo eentje die oudere mannen laten staan wanneer ze geen zin meer hebben om zich te scheren, of misschien was het zijn gekreukelde overhemd, zijn onverzorgde haar of alleen maar zijn gezichtsuitdrukking, maar ik had daar ter plekke durven wedden dat het deze man allemaal niets meer kon schelen, dat iedereen die ooit van hem had gehouden was verdwenen. Hij existeerde alleen nog maar.

'Oké,' zei hij. 'Je hoeft niet zo te schreeuwen.'

'Hobart.' Sam draaide zich naar hem om en begon hem uit te leggen dat mijn auto kapot was en dat ik nu bij de Avery's logeerde en dat ik een paar dagen lang een auto nodig had. Hobart kwam op me af en stak zijn hand uit zodat ik die kon schudden. Zijn hand voelde aan als het hout waarmee ik de hele ochtend had geworsteld in Louis Avery's weiland: ruw, zonder innerlijke warmte en bedekt met harde schors. Hij kneep niet op zo'n onvolwassen manier in mijn vingers als sommige mannen doen, maar ik kreeg desondanks het gevoel alsof hij me taxeerde, maar meer uit gewoonte dan uit belangstelling.

'Hoe gaat het met mijn oude vriend Louis?' Ik vond het een vreemde vraag in zo'n kleine gemeenschap. Ik bedoel, je moest elkaar toch wel om de haverklap tegen het lijf lopen.

'Prima, geloof ik. Moet ik hem soms de groeten van je doen?'

Hobart grinnikte. 'Zolang je dat maar doet wanneer Eleanor er niet bij is. Ze vindt dat ik een slechte invloed heb.'

'O ja?'

'Ja,' antwoordde Hobart. 'Zeg maar tegen die Fransoos dat hij je de Brat kan meegeven.'

Het was een Subaru Brat, een soort miniatuur pick-up, ernstig verroest en veel te klein voor een man van mijn lengte. Ik vroeg me af of Hobart hem had gekozen uit een of andere sadistische impuls, maar Roscoe zei dat het ding het betrouwbaarste vehikel was dat ze hadden. Hij startte met een brullend geluid en liep schokkerig door tot hij voor Hobarts garage bleef staan trillen als een hond die te lang in koud water heeft gelegen. Terwijl we wachtten tot de motor was opgewarmd, vertelde Roscoe me dat zijn band die avond in de evenementenhal zou spelen en dat hij het leuk zou vinden als ik kwam. Sam Calder liep terug naar zijn kantoor om het hanengevecht met zijn vader voort te zetten. Als buitenstaander ben je geneigd ervan uit te gaan dat familie zoiets betekent als liefde, zorg voor elkaar en wederzijdse solidariteit, dat soort dingen. Misschien niet precies de Brady Bunch, maar in elk geval iedereen aan dezelfde kant, dat wel. Op dat moment drong zich een beeld van Sam en zijn vader aan me op: Twee katten die met aan elkaar gebonden staarten over een boomtak waren gegooid. Wat hun motivatie ook was, ze zouden naar elkaar blijven uithalen met hun klauwen, geen van beide in staat zichzelf of de ander te helpen. Hoe komt het tot zoiets? Was ik op datzelfde moment soms bezig de stappen te nemen waardoor Nicky en ik uiteindelijk ook over die tak zouden hangen?

Jezus, wat een gedachte.

Roscoe leek het oprecht prettig te vinden toen ik zei dat ik waarschijnlijk wel naar de evenementenhal zou komen.

Alle andere autobestuurders wuifden naar me toen ik terugreed naar de Avery's en ik bedoel werkelijk iedereen. Ze deden het op de minimalistische manier van Maine, absoluut niet demonstratief, meer een flitsend snel openen van de hand, maar toch. Het leek alsof Hobarts voertuig me toegang had gegeven tot een of andere besloten club en hoewel ze waarschijnlijk meer naar de Subaru wuifden dan naar mij, zwaaide ik toch terug. Hallo, hoe gaat het, wie je ook bent. Ik begon te letten op wie er achter het stuur zat, in plaats van alleen maar naar de buitenkant van de auto's te kijken. Dit hier waren mensen, individuen, en niet alleen voertuigen waarvoor ik moest afremmen.

Ergens onderweg naar Louis' huis nam ik een verkeerde afslag. Ik besefte direct dat ik op de verkeerde weg zat omdat de rivier ontbrak. Toch draaide ik niet om, maar bleef ik de weg volgen die zich langs verlaten uitziende boerderijen slingerde. Woonhuizen waren er niet meer, alleen hier en daar houten schuren die op instorten stonden en velden met hoog geel gras, van elkaar gescheiden door muren van gestapelde stenen. Er ging op een melancholieke manier iets indrukwekkends van uit, alleen al door het slopende karwei dat het moest zijn geweest om al die muren te bouwen. Een of andere arme donder moest decennia lang hebben gezwoegd om die rotsen uit zijn akkers te lichten, akkers die er nu leeg en onverzorgd bijlagen. Op sommige plekken had het bos de grond weer in bezit genomen en liepen de muren tussen de bomenrijen door. En het waren ook geen dunne boompjes, maar volwassen exemplaren met een brede stam. Ik had geen idee hoe lang een boom erover doet om zo groot te worden. Honderd jaar? Langer? Dat betekende dat die arme drommel die die akkers ooit had ontgonnen, die die muren had gebouwd en die een bestaan aan die harde grond had ontworsteld allang was overleden, dood, vergeten, naamloos, terwijl die stomme rotsen er nog gewoon lagen. Het had iets oneerlijks.

Er kwam een tegenligger de bocht om, een lichtgroene GMC pick-up met ongewoon grote banden, waarschijnlijk een model '74 of '75, met twee tieners erin. De knul achter het stuur reed te hard en nam het grootste deel van de weg in beslag, zodat we allebei snel moesten reageren. Het was een geluk dat de Subaru aan de kleine kant was – hij paste in de greppel. De GMC toeterde luid en ik wurmde de Subaru weer terug de weg op, zo te zien onbeschadigd. Ik keek net op tijd in de achteruitkijkspiegel om de pick-up om de volgende bocht te zien verdwijnen.

Stomme kinderen.

Ik kon echter niet lang boos op hen blijven, want zo lang was het nog niet geleden dat ik zelf zo'n stom kind was.

Enkele kilometers verder ging ik langzamer rijden en begon ik uit te kijken naar een plek om te draaien. Toen zag ik de man. Hij was enorm groot, groter dan ik, zelfs groter dan Rosario. Hij had steil zwart haar, afhangende schouders en suffe ogen. Zijn leeftijd was moeilijk te schatten, begin twintig zou ik zeggen. Onder een van zijn vlezige armen droeg hij een fiets. Het voorwiel was ernstig verbogen, een aantal spaken was afgebroken en de band was losgeraakt van de metalen velg. Ik stopte in de berm om hem de weg te vragen, maar de man staarde omlaag naar de grond en keek niet naar mij. Ik draaide het raampje omlaag. 'Hallo, joh. Alles goed?'

Hij wierp me een snelle blik toe, niet meer dan een haastige beweging van zijn ogen, en keek daarna weer omlaag terwijl hij zijn schouders ophaalde. Ik wenste dat ik Nicky bij me had, ik was niet goed in dit soort dingen. Nicky zou hem binnen een seconde hebben opengebroken, hij zou uit de auto springen... Ik zette de motor af, stapte uit en stak hem mijn hand toe. 'Hallo, ik ben Manny.'

Hij staarde enkele ogenblikken naar mijn hand voordat hij langzaam zijn eigen grote klauw uitstak. 'Manny?' Zijn stem maakte een rommelend geluid diep in zijn keel.

'Klopt. En hoe heet jij?'

'Franklin.' Hij keek nog steeds naar mijn hand, of misschien naar de tatoeages op mijn onderarm, en niet naar mijn gezicht.

'Is dat jouw fiets, Franklin?'

Hij wierp een blik op de fiets en knikte langzaam.

'Wat is ermee gebeurd?'

Hij keek over zijn schouder in de richting van waaruit hij was gekomen. 'Pick-up,' zei hij en staarde weer naar de grond. 'Heeft me van de weg gedouwd.'

'Dat is verdomd vervelend.'

'Niet vloeken,' zei Franklin. 'Vloeken is niet goed.'

'Daar heb je gelijk in, Franklin, sorry. En wat gebeurde er toen je van de weg af reed? Kwam je tegen een rots terecht?'

'Boom.'

'Dat is niet zo leuk. Je fiets is behoorlijk beschadigd, maar dat kun je vast wel repareren. Heb je je pijn gedaan?'

'Alleen mijn arm.'

'Laat me eens kijken. Mag ik je arm zien, Franklin?'

Hij zette zijn fiets neer, liet hem tegen zijn been leunen en stak zijn arm naar me uit. De mouw van zijn spijkerjack was aan flarden en er zat nog wat steenslag gekleefd aan zijn onderarm die diepe, bloederige schrammen vertoonde.

'Dat valt wel mee, Franklin. Een beetje geschaafd. Laten we je fiets maar achter in mijn auto leggen, dan breng ik je thuis.'

Het duurde heel lang voordat hij antwoord gaf, alsof hij de woorden eerst op een rijtje moest zetten en over elk woord afzonderlijk moest nadenken. 'Mijn vader zegt dat ik niet met anderen mag meerijden.'

'Wel, dat lijkt me heel verstandig van je vader. Wat dacht je ervan hem even te bellen? Weet je het nummer van zijn gsm?' Franklin schudde zijn hoofd. 'En je nummer thuis?' Hetzelfde antwoord. 'Weet je, dit is eigenlijk een soort noodgeval, Franklin. Ik weet zeker dat je vader dit wel goedvindt.' Hij keek aarzelend. 'Ik rijd, oké, maar jij mag me vertellen waar ik heen moet. Zullen we dat doen?'

Hij keek omlaag naar zijn fiets en dacht erover na. 'Oké,' antwoordde hij ten slotte.

Ik pakte de fiets van Franklin aan en legde hem achter in de Subaru. Hij perste zich op de passagiersstoel en dat lukte maar net. De eerste keer dat hij de deur probeerde dicht te slaan, dreunde het ding tegen zijn achterste en wilde niet sluiten. Hij zuchtte, schoof zo ver mogelijk opzij en probeerde het nog eens, met meer succes deze keer. Hij leek zich niet erg op zijn gemak te voelen. 'Je mag je raam wel opendraaien als je wilt, Franklin, dan heb je misschien wat meer ruimte.'

Hij keek naar het raamhendeltje bij zijn rechterknie. 'Oké.'

'Welke kant moet ik op?'

Zijn ogen waren op de vloer gericht, maar hij wees met zijn duim over zijn schouder. 'Andere kant op,' zei hij.

Franklin moest een flink stuk hebben gefietst, want het was een kleine tien kilometer naar zijn huis. Het was een standaardtype huis. Ik heb geen idee van wie het ontwerp is, maar je ziet ze overal. Er stond een Ford stationcar geparkeerd op het steenslag van de oprit. Het bouwjaar wist ik zo snel niet, maar hij stamde wel uit een tijd dat die dingen nog het formaat hadden van de ark van Noach. Een klein hondje met kort grijs krulhaar rende om ons heen en blafte tegen ons allebei. Franklin wurmde zich uit de auto, negeerde de hond en wachtte tot ik de fiets uit de Subaru had gehaald. Hij nam hem van me over en droeg hem naar de zijkant van het huis. Daar probeerde hij hem op de standaard te zetten, maar dat lukte niet omdat het wiel was verbogen. Hij prutste er een poosje aan, maar gaf het toen zuchtend op en legde de fiets in het gras.

De voordeur van het huis ging open en er kwam een vrouw naar buiten. Ze was klein en mollig en haar haar had dezelfde kleur als dat van Franklin. Ze zag er angstig uit – haar ogen waren wijd opengesperd en ze klemde haar handen in elkaar. Ze was veel kleiner dan Franklin, die ze niet kon zien omdat hij zich aan de zijkant van het huis bevond. 'Kan ik je helpen?' De hond rende naar haar toe en begon ook tegen haar te blaffen.

'Franklin heeft een klein ongelukje gehad.'

Op dat moment kwam hij de hoek om, bleef staan, keek naar haar en toen naar mij en schudde zijn hoofd. Hij scheen te beseffen dat de nasleep erger zou zijn dan het ongeluk zelf.

'Franklin! Wat is er gebeurd?'

'Tegen een boom gereden, ma.'

Ze haalde diep adem, haastte zich de treden van het portiek af en liep naar hem toe. 'Tegen een boom gereden? Oh, mijn God. Hoe kwam dat?'

Hij leek niet bereid haar het verhaal te vertellen. Hij haalde zijn schouders op. 'Van de weg geraakt. Tegen een boom gereden.'

'Je wordt nog eens mijn dood, Franklin, al die problemen die je me bezorgt.' Met het zesde zintuig dat moeders nu eenmaal bezitten, greep ze zijn arm, hield deze in het licht, schudde haar hoofd en klakte met haar tong van schrik. 'Ga naar binnen en trek dat overhemd uit. Ik kom zo bij je om je arm schoon te maken.'

'Het is maar een schrammetje, ma.' Hij keek even naar mij terwijl hij dat zei en ik meende een glimp van plezier op zijn gezicht te zien.

Zijn moeder dacht daar heel anders over. 'Ga nu maar.' De hond wist eindelijk haar aandacht te trekken en ze snauwde: 'Houd je bek, Scruffy!' De hond hield op met blaffen, maar naar mij gromde hij en liet zijn tanden zien, alsof hij wilde zeggen: 'Ik ben misschien bang voor haar, maar voor jou niet, verbeeld je maar niets.'

'Oké.' Franklin slenterde naar me toe en stak zijn enorme klauw uit. 'Bedankt voor de lift, Manny.'

'Graag gedaan, Franklin,' antwoordde ik en schudde zijn hand. Ik knipoogde naar hem. Uit mijn ooghoek zag ik dat zijn moeder vol ongeloof naar me staarde. 'Pas goed op jezelf, hè?'

'Oké.' Hij liet mijn hand los, deed een stap in de richting van het huis en bleef weer staan. 'Pas jij ook goed op jezelf.'

'Doe ik, dank je wel.'

Zijn moeder keek hem na toen hij door de voordeur ging. 'Hij mag je duidelijk heel graag,' zei ze en schudde haar hoofd. 'Eerlijk gezegd ben ik stomverbaasd. Normaal gesproken is hij zo verlegen, hij praat nooit tegen vreemden. Hij praat nauwelijks tegen mensen die hij wel kent. Heel erg bedankt dat je hem thuis hebt gebracht. Heb je het ongeluk zien gebeuren?'

'Nee. Hij liep langs de weg met zijn fiets te sjouwen en ik stopte.'

'Waar is het gebeurd? Vind je het vervelend dat ik dat vraag?'

'Helemaal niet, maar ik kan het u niet vertellen. Misschien zou ik het u kunnen laten zien, als ik de plek terug kan vinden. Eigenlijk wilde ik Franklin de weg vragen. Ik logeer bij de Avery's, maar ik heb ergens een verkeerde afslag genomen. Ik weet niet hoe die weg heet. Het is zo'n acht tot tien kilometer hier vandaan.'

'Ik maak me zoveel zorgen om hem,' zei ze. 'Wil je misschien binnenkomen, ...?'

'Manny Williams. Nee, dank u wel. Het wordt echt tijd dat ik terugga.'

'Je logeert bij Eleanor en Louis?'

'Ja.'

Ze kwam naar me toe en kneep in mijn hand. 'Nogmaals bedankt, Manny Williams. Je weet niet hoe ik dit waardeer.'

Louis was niet thuis toen ik terugkwam bij de Avery's. Eleanor vertelde dat hij ergens in een vakantiepark een kapot toilet aan het repareren was. De eigenaars van het park woonden in Massachusetts en het was een van Louis' bijverdiensten om de boel daar te onderhouden. Ze keek een beetje schuldig terwijl ze me dit vertelde. 'Hij was van plan Geralds stacaravan voor je in orde te maken,' zei ze, 'maar als je het niet erg vindt, moet dat misschien wachten tot morgen.'

'Natuurlijk vind ik dat niet erg, hoe kom je erbij. Zal ik Nicky meenemen voor een ritje, zodat je even geen last van hem hebt?'

'Hij heeft wel heel veel energie,' antwoordde ze met een zucht. 'Ik merk dat ik niet meer de jongste ben.'

'Ik zal proberen hem moe te maken. Weet je een leuke plek waar we heen kunnen gaan?'

'Zeker, en wil je misschien een pond koffie voor me meebrengen als je toch gaat?'

Ik volgde Eleanors aanwijzingen naar een meer in het bos, zo'n vijfentwintig kilometer naar het westen. Ik moest een paar ongeplaveide wegen nemen om er te komen en de laatste daarvan bestond uit niet meer dan twee met gras overwoekerde bandensporen onder overhangende bomen. Ik zou me daar nooit met een auto, of op enige andere manier, hebben gewaagd als Eleanor me niet had verzekerd dat we niet in overtreding waren. Dat het althans niemand iets kon schelen. 'Al het land daar is het eigendom van de houtmaatschappijen,' zei ze. Voordat we weggingen smeerde ze Nicky en mij nog in met een insectenwerend middel. 'Er zijn misschien nog van die kleine agressieve muggen,' verklaarde ze. 'En dat kun je geen bloedzuigers meer noemen, die vreten je compleet op.'

Het enige wat me er die laatste kilometer van weerhield om terug te gaan, was het feit dat ik het hele stuk achteruit zou moeten rijden, want ik kon nergens draaien. Eindelijk verbreedde het pad zich tot een open plek, precies zoals Eleanor had gezegd. Je kon zien waar andere voertuigen in het gras hadden gestaan, maar nu was er niemand. Aan de andere kant van de open plek bood een opening tussen de bomen uitzicht op het meer, zonnig en stralend blauw, en in mijn ogen volkomen onbedorven, want er waren geen huizen of blokhutten en zelfs geen boten. Er was echter wel een pad tussen de bomen langs de oever. Eleanor had verteld dat je zo rond het hele meer kon lopen, hoewel ze dat zelf nooit had gedaan.

Nicky aarzelde. Ik liep om de auto heen en deed de deur voor hem open.

'Van wie...?' Hij keek om zich heen. 'Wie woont hier?'

'Niemand. Dit is net zoiets als het park. Mensen kunnen hier komen wandelen als ze daar zin in hebben. Dat heeft mevrouw Avery gezegd.'

'O ja?'

'Ja.'

'Oké.' Hij sprong uit de auto.

'Je vergeet het boek. Wil je het dragen, of denk je dat het te zwaar is?'

'Ik kan het wel dragen,' antwoordde hij en dus pakte ik het uit de auto voor hem.

We bleven een paar uur aan het meer. Eerst probeerde ik hem een poosje te leren hoe hij de kijker moest gebruiken om naar dingen te kijken en hij probeerde het ook, maar ik denk dat hij er nog te klein voor was. Waarschijnlijk keek hij er alleen maar door om mij een plezier te doen en daarom hield ik mijn mond en liet hem op zijn eigen manier de dingen ontdekken.

Wat mij het meest opviel, was de volslagen stilte. Ik geloof dat ik nog nooit zoiets had meegemaakt. Zo'n stilte had ik nog nooit gehoord. In Brooklyn, waar ik ben opgegroeid, is er altijd lawaai, dag en nacht, het hele jaar lang. Op den duur ben je je het niet meer bewust, je schakelt het uit, de auto's, de overkomende vliegtuigen, de schreeuwende, pratende en lachende mensen en de muziek die eeuwig en altijd wel ergens uit een radio klinkt. Hier waren de enige menselijke geluiden die van Nicky en mij terwijl we door de bladeren stapten. Alle andere geluiden kwamen van de wind of van de dieren. Een kraai die krassend om zijn vrienden riep, het briesje dat kale boomtakken tegen elkaar sloeg en iets dat zachtjes kraakte in het kreupelhout. Ik wist niet of het een of andere vogel was, of misschien een wasbeertje of een eekhoorn. Ik probeerde te kijken wat het was, maar het was te schuw. Aan de andere kant van het meer dobberden wat eenden, als een stel te zwaar beladen miniatuur sloepen die diep in het water lagen. Ik dacht dat het misschien duikers waren, maar ze waren te ver weg om dat zonder de telescoop te kunnen onderscheiden. Bovendien moest ik op Nicky letten. Kom hier terug, dacht ik, kom een andere keer terug en zoek ze dan weer op.

'Heb je wel eens gehoord van Daniel Boone?' vroeg ik.

'Nee,' zei hij en dus verzon ik een verhaal over Daniel Boone en vertelde hem dat. De nare dingen liet ik weg, bijvoorbeeld dat de indianen en hij op elkaar schoten en dat Boone wel besefte dat de blanken massaal in zijn voetsporen zouden treden en alles zouden bederven, dat ze de bomen zouden omhakken om plaats te maken voor huizen, wegen en alle ellende die daar bij komt. Hij moet dat vreselijk hebben gevonden, dat was ook vast de reden dat hij daar in de wildernis was, hij moet hebben geweten dat de tijd en de beschaving het uiteindelijk allemaal zouden verpesten. Al die dingen liet ik weg uit het sprookje dat ik Nicky vertelde. Ik vertelde hem alleen over de in hertenleer geklede woudloper, de eerste man die op verkenning ging in het bos en die nooit verdwaalde.

Toen ik ongeveer zo oud was als Nicky, woonde ik een poosje bij pleegouders en de man daar had een heleboel boeken. Daar kwam ik voor het eerst in aanraking met Daniel Boone. Ik heb altijd problemen gehad met slapen en die mensen zetten op een bepaalde tijd de televisie uit en stuurden me naar bed. Ik pikte dan een boek mee, verstopte het onder mijn kussen en deed alsof ik sliep totdat ze allemaal naar bed waren. Daarna lag ik te lezen bij het zwakke licht van de lamp in de hal. Lezen werd mijn eerste verslaving. Het was mijn eerste, en misschien mijn beste vluchtweg. Als je er goed over nadenkt, is het wonderbaarlijk hoe een stoffig voorwerp dat bestaat uit papier en gedroogde inkt je mee kan nemen naar Skull Island of naar de purper getinte vlaktes van het zuidwesten. Het is bijna onweerstaanbaar. Ik werd erin meegesleept en dat is nooit meer helemaal overgegaan. Elke andere plek liever dan hier, snap je? Elk ander leven liever dan het mijne. Daarom let ik ook overal waar ik voor het eerst kom op de huizen die te koop staan. Hoe zou het zijn? Hoe zou het zijn als ik niet woonde waar ik woon, als ik niet was wie ik ben? Terwijl ik toekeek hoe Nicky aan de waterkant speelde, stelde ik me voor dat er blokhutten in het bos stonden en dat was weer precies hetzelfde, die ontevredenheid, die knagende onrust in mijn binnenste, de steeds terugkerende vraag: Wat als? Het leven leek zoveel eenvoudiger toen ik niets bezat, want toen maakte het niet uit wat ik deed, het kon niemand iets schelen en mij al helemaal niet. Maar nu had het leven, of de natuur, of God als je dat liever wilt, in elk geval een of andere wrede kracht me Nicky gegeven en plotseling wilde ik dingen die me nooit eerder hadden geïnteresseerd en leken mijn wensen mijn armzalige vermogens ver te boven te gaan. Ik vroeg me af of elke ouder zich zo voelde, of zelfs de oude Calder misschien aan hetzelfde spit was geregen en langzaam boven dezelfde vlammen werd geroosterd. Ik kon me wat ik wenste voor mijn zoon in duizend varianten voor mijn geest halen, niet voor mezelf, God, echt niet... Maar ondanks mijn levendige fantasie kon ik me niet voorstellen dat iets daarvan ook werkelijk zou uitkomen.

Uiteindelijk werd Nicky toch moe. Ik begon al te denken dat het nooit zou gebeuren. Ik moest hem naar de auto dragen, maar hij wilde per se het boek vasthouden en we hingen de kijker om zijn nek, zodat ik die niet ook hoefde te dragen. Het enige gewicht dat ik voelde, was Nicky en ik droeg hem met genoegen terug naar de open plek waar ik de Subaru had geparkeerd. Dit was tenminste iets wat ik wel kon.

Waarschijnlijk verbaast het je niet dat ik niets opheb met politieagenten. Voor een deel is dat natuurlijk professionele vooringenomenheid, maar je moet toch toegeven dat het moeilijk is iemand sympathiek te vinden wiens werk grotendeels bestaat uit het rondrijden in een auto op zoek naar iemand om het leven zuur te maken.

Ik had door moeten rijden toen ik de patrouillewagen geparkeerd zag staan, maar ik bedacht dat Eleanor me had gevraagd koffie mee te brengen en de kleine winkel bij de benzinepomp was de enige die ik onderweg naar het meer had gezien die ook open leek te zijn. Ik had geen zin om helemaal naar de supermarkt in Lubec te rijden en daarom stopte ik.

Het was Hopkins, dezelfde kerel die mijn auto had doorzocht. Zijn patrouillewagen stond bij de benzinepompen geparkeerd en hij stond ernaast in ernstig gesprek met een of andere vrouw, hoewel je het nauwelijks een gesprek kon noemen. Hij praatte en zij luisterde met een wit gezicht. Nicky en ik stapten uit en gingen de winkel in. Hopkins wierp een blik in mijn richting, maar hij gaf geen teken van herkenning. Ik pakte koffie voor Eleanor en liep toen wat rond op zoek naar dingen waarvan ik dacht dat de Avery's ze wel konden gebruiken. Ik nam er de tijd voor, want eigenlijk wilde ik pas weggaan wanneer Hopkins was vertrokken. Ze hadden geen winkelwagentjes en dus bleef ik de spullen naar de toonbank dragen waar ik ze aan het meisje achter de kassa gaf. Ze zei niets tegen me, maar telde alles op, terwijl ze ondertussen naar buiten keek, naar Hopkins en de vrouw bij de benzinepompen. Nicky kreeg er denk ik genoeg van om achter me aan te sjouwen en ik verloor hem uit het oog. Eindelijk was ik klaar, zodat het meisje alles in plastic tassen kon stoppen. Ze keek echter nog steeds niet naar mij, ze was meer geïnteresseerd in de soap die zich buiten afspeelde.

'Vrienden van je?' vroeg ik haar.

Ze knikte kort en leunde voorover. 'Hopkins is een zwijn,' zei ze zachtjes. 'Brenda had nooit met hem uit moeten gaan.'

Op dat moment voelde ik Nicky aan mijn broekspijp trekken. Hij bezat een bepaalde intuïtie, hij wist altijd wanneer iemand anders in moeilijkheden was of pijn had. Daar mag je van denken wat je wilt, maar alles wat ik weet, is dat de pijn die hij in zijn eigen korte leventje heeft gevoeld hem een speciale antenne heeft gegeven.

'Pappie,' zei hij, 'die agent buiten slaat die mevrouw. Laat hem ophouden.'

Nicky had gelijk. Hopkins had de vrouw met haar rug tegen de patrouillewagen geduwd en terwijl het meisje achter de kassa en ik toekeken, greep hij haar bij haar haar en smakte haar hoofd tegen de auto. Het was een razendsnelle beweging – als ik niet net toevallig had staan kijken, zou ik het hebben gemist.

'Pappie,' zei Nicky, 'je moet hem laten ophouden. Hij doet haar pijn.'

Ik keek naar hem en bedacht dat zijn gevoel voor goed en kwaad zuiverder was dan het mijne, dat was aangetast door vele jaren van diefstal en een overontwikkelde drang tot zelfbehoud. Het meisje achter de kassa piepte angstig, greep de telefoon en belde het alarmnummer.

'Wees maar niet bang,' troostte Nicky haar, 'mijn pappa kan die vent wel aan.'

Hopkins' geschreeuw drong dwars door het glas van de ramen. Nicky trok weer aan mijn broekspijp. 'Pappiiiiieeee...'

Ik keek naar het meisje. 'Pas even op mijn zoon, ja?' Ze knikte met de telefoon tegen haar oor gedrukt terwijl ze wachtte tot hij werd opgenomen. Daarna keek ik naar Nicky. 'Jij blijft hier, hoor je me?'

'Oké,' zei hij.

Ik pakte twee van de tassen met boodschappen op, liep ermee naar buiten en zette ze in de laadbak van de Subaru. Hopkins hield op toen hij me zag. Ik leunde tegen de achterkant van mijn auto en op dat moment schoot de bijnaam me weer te binnen waar Hopkins volgens Louis Avery zo'n hekel aan had. 'Nee, ga rustig je gang, Hoppie,' zei ik. 'Ik wil graag zien hoe je dat aanpakt, misschien kan ik er nog iets van leren.'

Hopkins' gezicht werd rood van woede. 'Ga die winkel weer in en bemoei je met je eigen zaken.'

'O ja? Moet ik vanuit de winkel naar je kijken?'

Hij was zo kwaad dat zijn hele lichaam trilde. Hij draaide zich half naar me om en de vrouw die hij tegen de auto gedrukt hield deinsde terug alsof ze ervandoor wilde gaan. Hij was echter snel. Hij draaide zich weer om en stak zijn vinger naar haar uit. Ze bleef stokstijf staan.

'Kom op, Hoppie, doe niet zo stom. Je kunt dit niet op straat afhandelen.'

Daarop draaide hij zich helemaal naar me om en deed een stap in mijn richting. 'Godverdomme! Sodemieter toch op!' De vrouw achter hem zag haar kans schoon en ging ervandoor, maar Hop was sneller en voordat ze vier stappen had gedaan, had hij haar alweer te pakken. Hij sleurde haar terug en smeet haar tegen de auto.

Ik applaudiseerde. Hopkins bleef doodstil staan bij dit geluid. 'Zo moet je ze aanpakken, Hop. Maar wees voorzichtig, het moet later niet zichtbaar zijn. Bovendien kun je je vingers wel breken. Je moet ze op de zachte plekken slaan.' De vrouw hield haar handen voor haar gezicht en begon luid te snikken. Hopkins liet haar los, zijn hand zakte omlaag en zijn schouders ontspanden zich. 'Toe maar, Hoppie, laat haar zien wie de baas is!'

'Oh, verdomme,' zei hij tegen haar en negeerde mij. 'Het spijt me. Oh, Jezus, Brenda, het spijt me... Brenda, toe nou. Houd op, Brenda...'

'Krijg de tyfus, Hop,' zei ze, maar zonder enige woede.

Ze duwde zich van de auto af en liep de winkel binnen. Hopkins deed niets om haar tegen te houden.

Misschien had ik het daarbij moeten laten. 'Man, wat een zielige vertoning.'

Dat wakkerde het vuur weer aan en hij bewoog zich langzaam in mijn richting, zijn hand in de buurt van zijn pistool en zijn gezicht vertrokken van woede. 'Ga naar mijn auto,' zei hij met lage en dreigende stem. 'En leg je handen op de motorkap.'

Ik leunde nog steeds op de Subaru en ik maakte geen aanstalten zijn bevel op te volgen. 'Ik dacht het niet, Hop.' Hij deed nog een stap in mijn richting en legde zijn hand op zijn pistoolholster. Hij zag eruit alsof hij elk moment kon exploderen. 'Wat ben je van plan, klootzak, wou je me neerschieten?' Ik wees naar de winkel, waar de twee vrouwen en mijn zoon achter het raam naar ons stonden te kijken. 'Daar staan drie getuigen, idioot. Bovendien ben je veel te dichtbij. Leren ze jullie plattelandsagentjes dan helemaal niets? Ik zou je arm kunnen breken voordat je je wapen zelfs maar te voorschijn kunt halen.'

'Is dat wat je denkt, hoerenzoon?' Hij was zo nijdig dat hij de woorden met moeite uitspuwde. 'Is dat wat je denkt?' Hij ging een stap achteruit, haalde zijn hand van het wapen en maakte zijn riem los. 'Denk je dat ik dit nodig heb, verdomme?' Op dat moment hoorden we allebei de sirene in de verte en hij wist dat het voorbij was. De kwaadheid scheen uit hem weg te ebben en hij wendde zich van me af, liep langzaam naar zijn auto en bleef daar met gebogen hoofd staan.

De andere agent zette zijn sirene af voordat hij ons bereikte en stopte met zo weinig mogelijk vertoon. Hij stapte uit en bleef staan, terwijl zijn blik van mij naar Hopkins gleed. Toen zag hij de twee vrouwen in de winkel. Hij was een lange man, zo te zien begin vijftig en enigszins aan de gezette kant. Zijn zachte grijze ogen stonden in een vriendelijk gezicht en zijn kortgeknipte haar begon al aardig dun te worden. Ik geloof dat hij de hele situatie al had ingeschat voordat iemand een woord had gezegd, of misschien had de caissière het al aan de alarmcentrale uitgelegd. Hij deed de achterdeur van zijn auto open en gebaarde naar Hopkins. Hoppie gehoorzaamde zonder een woord te zeggen en stapte in. De man deed de deur achter hem dicht. Vervolgens keek hij naar mij. 'En u bent?'

'Manny Williams.'

'Mag ik uw rijbewijs even zien, meneer Williams?'

'Tuurlijk.' Ik haalde het te voorschijn en overhandigde het aan hem, maar hij wierp er slechts een vluchtige blik op en gaf het terug. Hij had wel een oostelijk accent, maar anders dan wat ik tot op dat moment had gehoord.

'Is dat uw zoon daar in de winkel?'

'Ja.'

Hij keek naar het raam waar Nicky en de twee vrouwen nog steeds stonden te kijken en zuchtte. 'Wilt u hier even wachten, meneer Williams?'

'Zeker.'

'Dank u,' zei hij en ging de winkel in. Nicky werd bang en toen de agent de deur doorging, vloog hij langs hem heen naar buiten. Hij rende naar me toe en klemde zich vast aan mijn been. De agent keek hem na vanuit de winkel, maar draaide zich toen om en begon met de twee vrouwen te praten. Ik voelde Nicky beven terwijl hij mijn been omklemde. Hij trok aan mijn mouw en ik boog voorover, zodat hij in mijn oor kon fluisteren.

'Pappie,' zei hij, 'komen ze me ophalen?'

'Nee,' stelde ik hem gerust. 'Niemand haalt je van me weg. Stil nu maar.'

Hij was echter nog niet klaar. 'Gaan ze jou in de gevangenis stoppen?'

'Nee, stil nu. Niemand gaat naar de gevangenis. Die man daar verloor zijn geduld, dat is alles.' Dat ontbreekt er nog net aan, dacht ik, straks word ik verraden door mijn eigen kind. 'Luister eens, ga maar vast in de auto zitten en bemoei je nergens mee, oké?' Ik bracht hem naar de Subaru en hij stapte met tegenzin in.

'Je komt toch wel terug?'

'Ik ga niet weg, je kunt me de hele tijd zien. Blijf maar rustig zitten en houd je kalm, ja? Kun je dat?'

Hij knikte en ik deed de deur op slot en liep terug naar waar ik daarvoor had gestaan. Binnen stond de agent samen met het meisje achter de kassa op de andere vrouw in te praten, maar die had haar handen voor het gezicht geslagen en schudde haar hoofd, nee, nee, nee... Ze gingen een hele tijd zo door, maar ze gaf niet toe. Ten slotte gaf de agent het op, liet haar staan en kwam weer naar buiten.

'Meneer Williams,' begon hij

'Manny.'

Hij knikte. 'Manny. Mijn naam is Taylor Bookman en ik ben de sheriff van dit district. Dank je voor het wachten.'

'Kleine moeite.'

'Ik bied je mijn verontschuldigingen aan voor het gedrag van mijn hulpsheriff daar, Thomas Hopkins.'

'Dat is wel goed, meneer Bookman, ik....'

Hij schudde zijn hoofd. 'Nee, het is niet goed. Het is niet de eerste keer dat dit gebeurt, maar die stomme vriendin van hem weigert om aangifte te doen. Nu weer. En daarom zijn mijn handen gebonden, min of meer, Manny.' Bookman praatte heel langzaam en zijn stalen gezicht veranderde geen moment van uitdrukking. Hij keek naar de boodschappen achterin de Subaru en vervolgens naar Nicky. Hij neemt het allemaal in zich op, dacht ik, en hij zet het weg op zijn harde schijf. Ik maakte een aantekening in mijn hoofd dat ik me niet door Bookmans verbale traagheid moest laten verleiden om te denken dat hij een onbenul was. Pas op wat je zegt tegen deze man.

'Weet je,' vervolgde hij in zijn lijzige tempo, 'Hop is eigenlijk een hele pientere jongeman. Hij heeft goed werk gedaan met de kinderen uit de streek hier en daardoor kon het departement enige vooruitgang boeken met het drugsprobleem. Ik begrijp dat je daar nu geen boodschap aan hebt, maar hij is een goede kerel, zolang hij tenminste niet met zijn hormonen denkt. Hij zou zich tot een prima politieman kunnen ontwikkelen, als hij maar een beetje volwassen wilde worden. Die Brenda daar zal echter nooit doen wat ze zou moeten doen, daar heeft ze het lef niet voor. Maar jij zou me misschien kunnen helpen.'

'O ja?' Ik wilde er niets mee te maken hebben, ik wilde gewoon weg. 'Hoezo?'

'Wel,' antwoordde hij, 'als je naar Eastport zou willen komen om een klacht in te dienen, dan heb ik precies wat ik nodig heb om Hop aan te pakken, als je begrijpt wat ik bedoel.'

'Het is echt niet mijn bedoeling iemand moeilijkheden te bezorgen, meneer Bookman.'

'Maar je bezorgt niemand moeilijkheden,' zei hij vriendelijk. 'Je helpt me om problemen een halt toe te roepen voordat ze uit de hand lopen. Het stelt niets voor. Je hoeft alleen maar een formulier in te vullen en dan houd ik het verder tussen jou, mij en hem. Je bewijst er ons allebei een grote dienst mee.' Hij draaide zich om en keek naar Hopkins die met gebogen hoofd achterin de patrouillewagen zat. 'Weet je, Hopkins heeft nooit iemand gehad die hem leerde hoe hij zich moest gedragen. Dat wil echter niet zeggen dat het te laat voor hem is om het te leren. Als je me helpt om greep op hem te krijgen, kan ik hem bijbrengen hoe hij dit soort kwaadaardigheid kan ontgroeien.' Hij keek weer naar mij. 'Je doet er iets goeds mee, meneer Williams.'

'Manny,' zei ik terwijl ik hem recht aankeek en hij knikte. Ik kon me Hops probleem wel voorstellen. Hij sloeg zich door het leven met behulp van spiervertoon en bulldozertactieken, terwijl hij best wist dat hij fout zat, maar hij was onzeker over de alternatieven. Plotseling besefte ik dat een normale man, een doorsnee burger, Bookman zonder meer zou vertrouwen en er niet tegenop zou zien naar het politiebureau te komen om een formulier voor hem te ondertekenen. Ik voelde zijn zachtaardige ogen op me gericht en ik kon bijna voelen dat hij zich afvroeg waarom ik zo terughoudend reageerde. 'Oké dan, meneer Bookman, als u zegt dat dat het beste is.'

'Mooi zo. Mooi zo.' Hij sloeg me op mijn schouder.

'Zou het niet simpeler zijn hem mee terug te nemen naar het politiebureau en hem daar een pak op zijn donder te geven?'

'Als ik dacht dat dat werkte,' zei Bookman, 'had ik het allang gedaan, geloof me maar.'

Op de een of andere manier twijfelde ik niet aan zijn woorden. Hij viste een kaartje uit zijn borstzakje en overhandigde het aan mij. 'Bel me even voordat je komt,' zei hij, 'dan zorg ik dat ik er ben. Logeer je hier ergens in de buurt?'

'Bij Louis en Eleanor Avery.'

'Zo, zo. Wel, dan wacht ik je telefoontje af, morgen of overmorgen.'

Ik knikte. 'Niet later.'

'Prachtig,' antwoordde hij. 'Het is maar goed dat ik in de buurt was.'

'Voor mij of voor Hopkins?'

Hij keek me aan en schudde zijn hoofd. 'Moeilijk te zeggen,' verklaarde hij, 'maar geloof maar dat die stomme idioot daar in de auto daarover na zit te denken.'

Nicky was heel stil op de terugweg. Voor een deel misschien door vermoeidheid, maar zeker ook door onze confrontatie met de politie. Ik wist niet wat ik van zijn zwijgen moest denken en ik wist ook niet wat ik tegen hem moest zeggen. Ik had nog niet eerder problemen gehad hem aan het praten te krijgen, maar toen ik hem vroeg of alles in orde was, knikte hij alleen maar. Een paar minuten later liet hij zich op de vloer glijden en viel in slaap met zijn hoofd op de bank. Het zag er niet erg comfortabel uit en de Subaru reed allesbehalve soepel, maar toch was hij in een mum van tijd vertrokken. Hij werd pas weer wakker toen ik de oprit van de Avery's opreed. Louis' pick-up stond bovenop de heuvel geparkeerd en ik zette de Subaru ernaast. Nicky kwam overeind en keek om zich heen.

'Wil je me helpen de boodschappen naar binnen te dragen?'

'Oké,' antwoordde hij. Hij leek er nog niet bij te zijn. Waar hij ook heen was gegaan in dromenland, hij was er nog.

Louis was somber en teruggetrokken.

Eleanor probeerde hem een paar keer aan de praat te krijgen terwijl ze in de keuken rommelde en de boodschappen opborg. 'Kijk eens wat hij allemaal heeft meegebracht,' zei ze. 'En ik vroeg alleen maar om een pond koffie.' Louis gaf geen antwoord.

'Ik was vergeten wat ik moest meebrengen.'

'Hmmmf,' mompelde Louis. Hij zat aan de keukentafel en speelde patience met echte kaarten. Het was lang geleden sinds ik iemand dat had zien doen. Vanaf het moment dat we binnen waren, bleef Nicky heel dicht bij me. Plotseling drong het tot me door dat dit de eerste keer in zijn en mijn leven was dat we zoveel tijd met elkaar doorbrachten. We kenden elkaar van gezicht en we hoorden bij elkaar door die merkwaardige band die mensen die aan elkaar verwant zijn nu eenmaal hebben; dat onverklaarbare, ondefinieerbare gevoel van verbondenheid. Voor mij kwamen daar ook nog wat negatieve gevoelens bij – dat kind zat toch maar met een sukkel van een vader opgescheept – maar direct daarna borrelde mijn gebruikelijke arsenaal verontschuldigingen omhoog: ach, wie is op de een of andere manier niet een sukkel, je doet toch wat je kunt, enzovoort, enzovoort, maar het duurde slechts enkele seconden voordat het schuldgevoel weer terugkeerde. Ondanks deze chaos van onbekende emoties besefte ik echter dat ik mijn zoon nu voor het eerst echt leerde kennen. Een van de eerste dingen die me daarbij opvielen, was zijn zesde zintuig voor mensen die het moeilijk hadden. Zelf zou ik daar vroeger heel anders op hebben gereageerd – als ik het al had opgemerkt. Tot op dat moment was hij heel dicht bij me gebleven, maar nu liep hij naar Louis, ging naast zijn elleboog staan en keek naar zijn kaartspel. Louis keek naar hem en Nicky ging op zijn tenen staan, zodat hij hem iets in zijn oor kon fluisteren. Louis boog zich naar hem over.

'Oké,' zei hij toen en schoof zijn kaarten bijeen. Hij maakte er een net stapeltje van dat hij op de vensterbank legde. 'Laten we maar even gaan kijken. Misschien lukt het vandaag wel als we heel stil zijn.' Hij stond op, nam Nicky bij de hand en liep samen met hem in de richting van de grote schuur. Eleanor en ik keken hen na. Ik wenste dat ik hem beter begreep en misschien wenste zij dat ook wel, maar zij was tenslotte een ouwe rot met dat kindergedoe en ik was nog maar een groentje, dus hoe kon ik in godsnaam weten wat ze dacht.

'Ze lijken wel wat op elkaar,' zei ze, 'mijn man en jouw zoon.' Ze stond met haar rug naar me toe bij het aanrecht het eten klaar te maken.

'Vind je? Hoezo?'

Ze keek naar me over haar schouder en ging toen weer door met waarmee ze bezig was. 'Soms heb je een bepaalde dosis taaiheid nodig om er te komen. Ik weet niet of Louis en Nicky die wel in voldoende mate bezitten.' Ze keek me weer aan. 'Mist hij zijn moeder?'

'Ik weet niet of hij zich haar nog kan herinneren. Hij heeft het echter niet gemakkelijk gehad. We hebben na haar dood allebei een paar moeilijke jaren gehad.'

'Dat geloof ik graag,' antwoordde ze. 'Maar jij hebt taaiheid genoeg, Manny, dat kan ik wel zien. Als jij wordt neergeslagen, veer je weer overeind. Klopt dat?'

'Daar heb ik nooit veel keus in gehad.'

'Natuurlijk wel,' meende ze. 'Er zijn duizenden manieren om het op te geven, maar dat zie ik jou gewoon niet doen.' Ze draaide zich nu helemaal om en leunde met haar rug tegen het aanrecht. 'Hoe ouder je bent, hoe moeilijker het wordt, dat is het probleem. Terugveren, bedoel ik. Louis en ik hebben het de laatste paar jaar te gemakkelijk gehad, zo afgezonderd als we hier wonen. En Louis heeft hetzelfde wat ik in Nicky zie. Wanneer het leven hem een slag toedient, wordt hij daar dieper door gekwetst dan jij of ik. En dan gaat het niet eens om de slag zelf, maar om de intentie erachter.'

Er moet iets mis zijn gegaan, dacht ik. Louis en zij moeten een of ander probleem op hun weg hebben gekregen. Ze wil me niet vertellen wat het precies is, maar ze wil wel vertellen hoe ze zich voelt. 'Toch lijkt het een goed leven hier, rustig en zo.'

'Heel vredig,' antwoordde ze. 'Ik ben nooit in New York City geweest. Ik had zoveel dingen zo graag gezien. Raar om het zo te zeggen, niet? Maar zo is het wel. Nu zou ik het niet meer kunnen. Misschien heb ik ook niet genoeg taaiheid over. Ik heb er te veel last van wanneer het leven met grote schoenen door mijn keurige tuintje stampt, denk ik.' Ze draaide zich weer om en ging door met haar werk.

'Waarom zou je het jezelf ook moeilijk maken? Je hebt hier een heerlijk rustig plekje gevonden.' Ik dacht aan die huisjes in het bos bij het meer, die ik alleen in mijn fantasie had gezien. 'Een toevluchtsoord bijna.'

'Oh, dat kan ik niet ontkennen,' zei ze. 'Manny, mag ik je iets vragen? Zou je het erg vinden als we Nicky en jou niet naar Geralds caravan verhuisden?' Ze keek over haar schouder in de richting waarin Louis en Nicky waren verdwenen. 'Ik geloof dat ik verliefd begin te worden op dat knulletje van je.'

Ik denk niet dat ik ooit echt van iemand of iets had gehouden. Ik wist alleen dat hoe langer ik dit kind om me heen had, hoe meer mijn maag samenkneep wanneer ik aan hem dacht. In de stad was het al erg genoeg, toen ik hem slechts één of twee keer per maand zag, maar ik denk dat dat voornamelijk schuldgevoelens waren. Wat me nu overkwam, herkende ik niet. Het was nog niet bij me opgekomen dat het wel eens liefde zou kunnen zijn, want ik dacht altijd dat je je daar gelukkig van ging voelen. Jezus. 'We zouden het heel prettig vinden hier te blijven logeren, mevrouw Avery. Volgens mij heeft Nicky het hier geweldig naar zijn zin.'

'Mooi zo,' antwoordde ze terwijl ze zich weer afkeerde. 'Daar ben ik blij om.'

Onder het eten vertelde ik Louis en Eleanor over mijn confrontatie met Hop en zijn huidige vriendin bij het benzinestation. Ik vertelde ook dat Bookman wilde dat ik aangifte deed tegen Hopkins. Ik was van plan geweest hen naar Franklin te vragen, maar dat vergat ik. Na het eten verklaarde Louis dat hij een probleem had met zijn auto. 'Manny, wil je misschien even mee naar buiten lopen om naar mijn pick-up te kijken. Volgens mij is er een klembeugel afgebroken en misschien moet ik hem wel laten lassen. Kom eens kijken wat jij ervan vindt.'

'Oké.' Nicky stond op van de tafel en liep me achterna naar de deur.

'Nicholas, doe me een plezier en blijf even hier, goed?' zei Louis. 'Houd mevrouw Avery maar gezelschap.'

'Ik wil mee, pappie.' Hij hield hardnekkig mijn broekspijp vast.

Ik begon hem een beetje te begrijpen, maar het was duidelijk dat Louis me onder vier ogen wilde spreken.

'Ik ga helemaal niet weg,' zei ik. Hij begon te jammeren. 'Kijk eens, ga maar hier bij het raam staan. Zo kun je me de hele tijd zien.'

'Oké.' Hij ging bij het raam staan, maar erg blij keek hij niet. 'Je komt toch weer terug naar binnen?'

'Natuurlijk. We gaan alleen maar even naar Louis' auto kijken, dat beloof ik je.'

Louis leunde tegen de achterklep en staarde naar de stapel eikenhoutblokken bij de schuurdeur. 'Luister,' zei hij. 'Ik wil je iets zeggen. Bookman is geen man die zich erg aan de regels houdt. Hij is van de oude stempel, als je begrijpt wat ik bedoel.'

'O ja? Dus als hij denkt dat ik iets heb misdaan, hangt hij me op in het souterrain en stuurt zijn jongens op me af met rubberen slangen?'

'Dat zou niet de eerste keer zijn,' antwoordde Louis. 'Let op je manieren wanneer je met hem te maken hebt. Hij lost problemen op volgens de directe benadering.'

'Goed dat ik het weet,' zei ik. 'Ik zal voorzichtig zijn. Maar zeg eens, Louis, is alles in orde met Eleanor en jou? Jullie zijn allebei zo stil vanavond.'

'Ach,' zei hij en gebaarde met zijn hand alsof hij een mug wegjoeg. Misschien was dat ook wel zo, want die beesten hadden ons ontdekt. 'Eleanors aanvallen van pijn werden erger en daarom ben ik een week of twee, drie geleden met haar naar de dokter gegaan. Daar hebben ze wat onderzoeken en zo gedaan. Ze deed er heel negatief over, ze heeft er nu eenmaal een hekel aan het huis uit te moeten. Afijn, vanmiddag belde de dokter en zei dat we volgende week langs moeten komen. Sinds dat telefoontje is ze zo stekelig als een cactus.'

'Oh.' Ik wist niet of ik me opgelucht moest voelen of niet.

Louis ging op zijn hurken zitten en tuurde onder de Jeep. 'Mijn ogen zijn niet meer zo goed als vroeger,' zei hij. 'Kijk jij even naar die verrekte beugel voordat het helemaal donker wordt. Ik wil weten of hij gebroken is.'

Ik kon het nog net zien. 'Ja, Louis, hij is aan de bovenkant gespleten en daardoor ligt het veersysteem helemaal los. Bovendien is je schokbreker totaal verbogen.'

'Klote.' Hij zei het in alle rust.

'Misschien wordt het tijd voor een nieuwe auto, Louis.'

Hij schudde zijn hoofd. 'Dat zit niet in het budget.'

'Zoveel bijzonders hoeft het niet te zijn. Zelfs dat wrak dat ik van Hobart heb gehuurd zou al een hele verbetering zijn. Hij wil je dat ding vast wel voor zo'n twee- of driehonderd dollar verkopen.'

'Nee, dat wil hij niet,' antwoordde Louis. 'Hij zou hem echter wel aan me geven, als ik dat zou willen.'

'Nou dan.'

Hij schudde zijn hoofd weer. 'Ik heb die Jeep al heel lang. Hij is misschien bijna op, maar dood is hij nog niet. Ik wil niet meer verlangen dan wat ik heb. Dan word ik nog zoals die ouwe Calder, boosaardig en gemeen, en ga ik kwaad denken over iedereen die ik ken. Als je me morgen wilt helpen, dan duwen we de auto naar het huis van Gevier even verderop. Misschien wil hij zijn lasapparaat meenemen uit de garage en hem weer oplappen.'

'Met plezier, Louis. Als je een ketting hebt, slepen we hem morgenochtend meteen weg, voordat ik naar Bookman ga.'

'Vergeet niet wat ik over hem heb gezegd,' benadrukte Louis. Hij keek opzij de groeiende duisternis in. 'Soms,' zei hij, 'zou ik willen dat ik gewoon een cheque in kon vullen en dat dan al mijn problemen waren opgelost. Maar ach, of ik daar gelukkig van zou worden?' Hij mepte op zijn arm. 'Verrekte muggen!'

Ik wuifde het beest weg dat probeerde me in mijn oor te bijten. 'Horen ze rond deze tijd van het jaar niet al weg te zijn?'

'In het voorjaar is het erger,' antwoordde hij. 'Dit is nog maar het restje. De eerste flinke vorst overleven ze niet. Kom, we gaan naar binnen.'

Later die nacht zat ik in een stoel met mijn benen op het bed. Ik hoorde Louis of Eleanor snurken in de andere slaapkamer en ik kon net de contouren van mijn zoon onderscheiden onder de dekens. De meeste nachten verliepen zo voor me. Ik heb altijd al minder slaap nodig gehad dan andere mensen. Dit in m'n eentje opzitten in het donker, elke nacht weer, had naar mijn idee altijd het solitaire karakter van mijn leven bevestigd. Het feit dat iedereen in wezen alleen is. Misschien was die les er bij mij al op jonge leeftijd ingeramd, maar de andere mensen moesten dat uiteindelijk ook leren, toch? Ieder mens voor zichzelf, zegt men dat niet zo? De ene mens is voor de andere een wolf. Ieder voor zich. Nu kon ik echter de verbondenheid tussen mezelf en deze mensen om me heen in het donker voelen. Ik maakte me zorgen over Eleanor en wat haar lichamelijke aandoening ook was, over Louis en zijn financiële problemen en over mijn zoon – Jezus Christus, wat gaat er gebeuren met mijn zoon? Wat voor leven zou hij krijgen, hoe kon hij normaal opgroeien met een vader als ik, die niet eens wist wat dat woord eigenlijk betekende?

Niemand kan je vertellen hoe je het goed moet doen, je kunt het ook nergens opzoeken, je moet het helemaal alleen ontdekken, in het donker.

4

Met behulp van de Subaru en een zeven meter lange ketting sleepten we Louis' Jeep naar het huis van Gevier. Nicky zat bij Louis in de auto. Hij begon zowel aan Louis als aan Eleanor gehecht te raken en hij liep hen voortdurend achterna. Eleanor probeerde hem nu het alfabet en de eerste beginselen van het rekenen bij te brengen. Ik waardeerde haar inzet, maar het hoofd van het kind raakte erdoor vervuld van duizenden vragen. 'Wat is dat voor woord, wat betekent dat, wat staat er op dat bordje?' Jezus. In principe juichte ik het toe en daarom bleef ik ook voor hem lezen en spellen en wat er nog meer bijkwam, maar het vereiste wel het geduld van een heilige. Nu hij eenmaal besefte dat al die cijfers en letters iets betekenden, werd hij dol van nieuwsgierigheid. Rijd maar fijn met Louis mee, laat Louis zich er maar een poosje mee redden.

Gevier woonde met zijn dochter in wat oorspronkelijk een stacaravan was geweest, maar de caravan was nu niet meer zichtbaar. Louis had me er de vorige avond over verteld, alsof hij me vast wilde voorbereiden. Sinds hij er woonde, was Gevier aan het aanbouwen geweest en daarbij had hij aan zijn opwellingen toegegeven, tot de oorspronkelijke caravan onherkenbaar was veranderd. Die ochtend leerde ik dat hij je de logica van het ontwerp graag wilde uitleggen als je hem ernaar vroeg, maar je moest wel engelengeduld en een goede woordenschat bezitten om hem te kunnen volgen. Het had kennelijk allemaal te maken met warmteopvang en overstekende daken die 's winters de zon door moesten laten en hem 's zomers juist moesten weren, waarbij pal zuid de beste ligging was, ronde vormen op de natuur waren geënt, hoeken alleen maar ellende betekenden en nog een hoop flauwekul. Als je je ogen sloot en luisterde, zou je kunnen geloven dat hij een genie was en dat de rest van de mensheid zijn huizen bouwde volgens achterhaalde principes. Zodra je echter je ogen opende en één blik op de man wierp, viel de illusie in duigen, want zodra je hem zag, wist je dat hij geschift moest zijn. Sommige dingen die hij zei klopten misschien maar andere waren volslagen onzin, en ik had geen idee wat waar en wat onzin was.

Het gebouw, de caravan, wat het ook was, lag zo'n dertig meter van de weg af. De ruimte tussen de weg en het bouwsel kon je geen voortuin noemen, er was geen gras en er stonden geen bomen, er was alleen grond, geëgaliseerd en stevig aangestampt, hier en daar met olie doordrenkt. Wat zich achter het huis bevond, was niet zichtbaar, want aan weerszijden was een hek van harmonicagaas aangebracht dat parallel liep aan de weg. Op de open plekken waren groene stroken plastic ingevlochten, zodat er uitsluitend hier en daar een paar omhoog stekende bomen zichtbaar waren.

Een asociaal zootje, zo zag het geheel eruit en ik geef toe dat dat ook was wat bij me opkwam toen we voor de deur stopten. Gevier kwam naar buiten – ik zweer dat hij hetzelfde overhemd aan had als op de dag dat ik hem voor het eerst ontmoette – en knipperde met zijn ogen tegen de zon. Nicky liet zich uit Louis' auto glijden en liep op hem af. 'Hallo,' zei hij. 'Kent u me nog?'

'Natuurlijk,' zei Gevier terwijl hij naar Louis en mij keek. 'Hallo, Nicky. Hallo Louis en...' Hij keek me aarzelend aan.

'Manny.'

'O ja, Manny. Ford heeft het juiste onderdeel opgestuurd, maar voor de verkeerde kant van je auto. Ik heb me een beetje kwaad gemaakt, en nu zullen ze heel snel het goede onderdeel sturen. Zeggen ze. Als het goed is, is het er maandag. Als dat klopt, moet je auto maandagavond klaar zijn. Willen jullie binnenkomen?'

Nee, alsjeblieft niet, dacht ik, maar Louis liep al recht op de deur af. 'Tuurlijk,' zei hij. Alles bij elkaar ben ik misschien wel in de huizen van minstens honderd verschillende mensen geweest, meestal als een ongenode gast, en weinig dingen fascineren me meer, maar toen ik Geviers voordeur doorging, maakte ik me wel een beetje zorgen over wat me te wachten stond.

Ik zat er echter volkomen naast.

Ik kom niet altijd binnen via de deur die de bewoners het meest gebruiken, maar wanneer je dat wel doet, zie je bijna altijd iets bijzonders. Een of ander voorwerp waarmee de bewoners iets over zichzelf duidelijk willen maken. Misschien zijn ze accountant of tandarts, maar ook echte kunstliefhebbers, of hangen er honderden familiefoto's aan de muur (zie je wel hoe dol ik op hen ben), of zijn ze fanatieke Yankee-fans of wat dan ook. Ik heb ooit eens ingebroken op een zolderverdieping in Chelsea en die man daar had een complete kano aan het plafond gehangen, net achter de voordeur. Tot nu toe was ik in Maine pas in twee huizen geweest, dus ik had nog niet veel vergelijkingsmateriaal, maar in beide gevallen liep je de voordeur door en stond je direct in de keuken. Ik denk omdat de keuken het middelpunt van het leven vormde voor de mensen hier. In de woningen waar ik gewoonlijk inbrak, speelde de keuken een ondergeschikte rol en lag hij ergens aan de zijkant.

Geviers keuken was niet volgens de gebruikelijke principes ingedeeld, dat was opvallend. Zo waren er geen kastjes, maar alleen planken van de vloer tot het plafond. Een van de wanden was bestemd voor levensmiddelen – blikken, potten, dozen en dat soort dingen. De wand daarnaast was kaal, want daar stonden het houtfornuis en een glanzende geiser met een koperen omhulsel. Het was me op het eerste gezicht niet duidelijk hoe de geiser werkte, ik zag alleen dat er buizen door het houtfornuis liepen en twee andere die naar de zonnepanelen in het dak gingen. Ik zag geen gasaansluiting en geen elektrische bedrading. De pijp die de rook uit het houtfornuis moest afvoeren liep ook niet recht een schoorsteen in, zoals bij de Avery's, maar vormde een cirkel langs het plafond van de keuken en ging vervolgens de hal in. Gevier keek toe hoe ik dat alles in me opnam zoals een wetenschapper misschien naar een proefrat kijkt die iets onverwachts doet, buitengewone intelligentie of een abstract denkvermogen bezit of zoiets. Natuurlijk niet op zijn eigen niveau, maar toch meer dan hij verwachtte.

Tegen de overige twee wanden stonden boekenkasten met veel dikke exemplaren, zoals een encyclopedie, technische handboeken en allerlei andere dingen. Een aantal daarvan was in het Latijn of in het Grieks, vermoedde ik. Louis vertelde Gevier over zijn rampspoed en ondertussen bewonderden Nicky en ik de bibliotheek. Nicky was te veel bezig het allemaal in zich op te nemen zodat hij niet een hoop vragen stelde en dat was een opluchting.

Er zat beslist een bepaald systeem in het huis. Na een poosje begon ik daar oog voor te krijgen, hoewel de logica erachter me ontging. Ondanks dat iemand intelligenter is dan jij, kan hij nog wel gestoord zijn, dat moet je niet vergeten. Je moest je ogen open houden wanneer je met Gevier sprak, je moest de context goed begrijpen, anders kon je niets met wat hij je vertelde. Met Rosario, mijn partner in Brooklyn, was het precies omgekeerd. Bij hem moest je juist je ogen dichtdoen. Soms stelde ik me voor dat zijn woorden getypt in de lucht voor me hingen en dat de hele context weg was, want Rosey praatte met een zwaar accent en hij had de neiging zijn woorden in te slikken voordat hij ze uitsprak. Bovendien had hij een rare blik in zijn ogen waardoor het je niet zou verbazen als er plotseling mannen met een dwangbuis achter hem zouden opduiken. Eigenlijk was hij een slimme gozer, maar ik moest zijn woorden scheiden van de manier waarop hij klonk en hoe hij eruitzag, anders nam ik hem niet serieus omdat hij overkwam als een complete maniak.

Er kwam een meisje uit een achterkamer. Ze leek op de rand van volwassenheid te balanceren – ze had die uitstraling die jonge vogels hebben wanneer ze nog niet zeker weten of ze kunnen vliegen. Ze staan op de rand van het nest en kijken omlaag met een gretigheid die wij volwassenen allang hebben verloren. Ze vertoonde enige gelijkenis met Gevier, maar niet veel, daar bofte ze mee. Ze was lang en slank en had spieren die je niet zomaar krijgt. Uitgesproken mooi kon je haar niet noemen, knap misschien, als je van dat type hield. Ze had kringen onder haar ogen die ik nooit eerder had gezien bij iemand die nog zo jong was.

'Edwina,' zei Gevier, 'dit zijn Manny en zijn zoon Nicky.'

Ze keek hem met een ijzige blik aan. 'Mijn naam is Edna.' Daarna draaide ze zich om naar mij. 'Als je me ooit Edwina noemt, maak ik je af.'

Nicky kon geen Edna zeggen. 'Hallo, Ed... uhhhh, Ed...' Hij haalde zijn schouders op. 'Hallo, Eddie. Woon jij hier? Heb je al deze boeken gelezen?'

Ze keek me aan en schudde haar hoofd. 'Ik geef het op,' zei ze. Ze schudde Nicky's hand. 'De meeste heb ik gelezen, behalve degene over het in elkaar zetten van motorfietsmotoren.' Ze keek vol afkeer naar haar vader. 'In de woonkamer zijn nog meer boeken,' zei ze en wendde zich weer tot Nicky, 'leukere dan deze hier. Wil je ze zien?'

Hij keek naar mij. 'Mag dat?'

'Ga maar,' zei ik, 'maar maak niets kapot.' Ik kon er maar niet aan wennen dat hij overal toestemming voor vroeg en het gaf me een raar gevoel om die te geven. Grappig dat een kind van vijf de vorm van een relatie kan aanvoelen voordat een zogenaamde volwassene dat kan. Ik keek het tweetal na. Ze had een aantrekkelijk, strak kontje, maar ik wist niet zeker of ze al de wettelijke leeftijd had. Bovendien wist ik niet of ik die kant wel op wilde, dat kon wel eens gevaarlijk zijn. Ik bewonderde haar liever van een veilige afstand.

'Lukt het met de motor?' vroeg Louis.

Gevier wierp een blik in de richting waarin zijn dochter en mijn zoon waren verdwenen. 'Kom maar,' zei hij, 'dan laat ik het je zien.' En weer keek hij nerveus in Edna's richting.

'Doet ze er moeilijk over?' vroeg Louis hem.

'Moeilijk? Moeilijk? Ze maakt mijn leven tot een hel!' Hij keek naar mij. 'Toen ik zo'n jaar of negen geleden voorwaardelijk werd vrijgelaten uit Thomaston Tech, was een van de eisen dat ik geen motor mocht rijden. Over acht maanden zit mijn proeftijd erop en ik heb tegen Edwina gezegd dat ik over acht maanden weer vrij ben om te gaan rijden. Mijn motor is al voor die tijd klaar en zodra het mag, ga ik. Als het goed is, studeert zij dan, als ze tenminste zo pienter is als ze allemaal beweren.' Hij hijgde een beetje. 'Een paar universiteiten hebben haar een volledige beurs aangeboden, ze hoeft alleen maar op te houden met moeilijk doen en ja te zeggen.'

'Wil ze niet?'

Hij schudde zijn hoofd. 'Ze zweert dat ze niet gaat. Zegt dat ze hier gewoon zal doodhongeren als ik wegga. En ze is koppig genoeg om het nog te doen ook, dat is het probleem. Kom, dan laat ik jullie de motor zien.'

Het ding stond in een werkplaats aan het eind van het gebouw. Ik heb me nooit in motorfietsen verdiept; er zijn al genoeg manieren om je leven te verliezen in Brooklyn. Bovendien waren de meeste motorfietsen die ik had gezien glimmende, verchroomde modedingen, meestal in bezit van een orthodontist of een advocaat met een midlifecrisis. Neem een motor, een tatoeage, een leren vest en een sik. Doe me een lol.

Gevier verbaasde me weer. De motor was een oude Triumph, geen Harley. Het frame was zwart, geen chroom te bekennen, de voorkant stak wel zo'n dertig centimeter verder uit dan normaal, geen spatbord en voorzover ik kon zien ook geen rem aan de voorkant. De carburateur lag in onderdelen op een werkbank en er was geen uitlaatpijp.

'Je hebt de motor al op z'n plek,' zei Louis. 'Wat nu, de benzinetank?'

'Dat denk ik wel. Ik probeer het een beetje te rekken, Louis. Ik kan het hele ding in een weekend klaar hebben, maar dat durf ik niet.' Hij keek achterom de hal in naar het woongedeelte van het gebouw. Hij schudde zijn hoofd. 'Ik moet weten dat Edwina een onderkomen heeft voordat ik weg kan.'

Je weet toch maar nooit wat mensen beweegt. 'Wil je werkelijk alles in de steek laten en in het wilde weg vertrekken?' vroeg ik.

'Welnee,' zei hij en liet zijn stem dalen. 'Maar zeg dat niet tegen Edwina, anders blijft ze hier tot ze een verdroogde pruim is. Ik snap niet wat er met haar aan de hand is. Eigenlijk heb ik nooit veel van haar begrepen.' Hij schudde zijn hoofd. 'Afijn, misschien rijd ik wel een keer naar Daytona en misschien ook eens naar Sturgis. Gewoon even kijken of mijn oude maten nog leven.'

'Waarom kijk je niet gewoon op internet?'

'Ik heb geen internet. Ik probeer minder contacten aan te knopen, niet meer. Bovendien, ik ken geen voornamen of zo.' Hij grijnsde. 'Een naam als Henk Hondenvreter vind je heus niet in het telefoonboek.'

'Henk Hondenvreter?'

'Honger en geldgebrek kunnen iemand wanhopig maken.'

'Vast wel. Uit welk jaar is dit ding?'

'De motor is uit drieënzestig. Het frame is origineel, aangepast door mij. Het voorstuk is van een Harley, bouwjaar onbekend. De rest komt van hier en daar.'

'Denk je werkelijk dat je hem aan de gang kunt krijgen?'

'Ik had hem al aan de gang, beter dan een nieuwe.' Daarop stak hij een lang betoog af over de pluspunten van Engelse techniek en over de nadelen van Engelse productieprocessen. Na een poosje merkte hij waarschijnlijk dat mijn ogen begonnen te rollen, want hij hield op met zijn verhaal. 'Wel, Louis,' zei hij, 'hoe krijgen we jouw pick-up naar de garage? Ik kan er op mijn fiets heenrijden en de sleepwagen halen...'

Louis schudde zijn hoofd. 'Ik weet niet of dat ding een sleeppartij wel overleeft,' zei hij. 'Ik hoopte eigenlijk dat je je lasapparaat zou willen halen om de boel weer aan elkaar te knutselen met een stuk hoekstaal.'

'Dan moet ik toch op de fiets mijn wagen met de spullen halen,' antwoordde Gevier.

Ik haalde Hobarts sleutels uit mijn zak en gooide ze naar Louis. 'Neem de Subaru,' bood ik aan.

'Mooi,' zei Gevier, 'Laten we dan maar eens kijken wat we nodig hebben.'

'Waarom noemt hij je Edwina?'

Ze keek naar Nicky die naast haar stoel op de grond zat en een plaatjesboek doorbladerde. 'Hij probeert me kwaad te maken,' antwoordde ze en keek me uitdrukkingloos aan. 'Als ik maar kwaad genoeg word, ga ik wel ergens studeren en laat ik hem alleen achter.'

'En zou dat erg zijn?'

Ze knikte kort met haar hoofd en staarde me met open mond verbijsterd aan, alsof ze wilde zeggen: hoe kun je zo'n onnozele stommeling zijn? 'Je hebt hem toch gezien,' zei ze. 'Kun je je voorstellen dat hij in z'n eentje woont?'

'Ik dacht dat hij allang meerderjarig was.'

Ze stond weer met wijdopen mond. 'Die man gelooft in astrologie,' zei ze en keek me strak aan. 'Hij bewerkt zijn tuin 's nachts, bij volle maan. Voordat je het weet zoekt hij nog telepathisch contact met Peter Fonda. Ik kan hem niet zomaar hier achterlaten!'

Het viel me op dat ze vrijwel geen accent had. 'Fonda is nog niet dood.'

'Denk je dat dat iets uitmaakt?'

'Ik denk dat je vader het volste recht heeft zich in het bos te verstoppen en een kluizenaarsbestaan te leiden als hij dat wil. Maar het zou stom zijn als jij dat samen met hem deed.'

'Ach, wat weet jij daarvan? Waar bemoei je je trouwens mee? En wat zou je doen wanneer het om jouw vader ging?'

Ik keek naar Nicky, die helemaal opging in zijn boek. Ik had geen idee wat hij wist van zijn afkomst. Ik wist niet wat het Kreng hem eventueel had verteld en ik wist ook niet of hij meeluisterde. 'Dat kan ik niet zeggen, ik heb mijn vader nooit gekend.'

'Oh,' zei ze vol verbazing. 'En je moeder dan?' vervolgde ze op zachtere toon.

Dan denk je dat je het allemaal achter je hebt gelaten, dat je alles hebt gevoeld wat er te voelen is, dat je er klaar mee bent, maar dat ben je kennelijk nooit. Alles wat ik kon doen, was mijn hoofd schudden.

'Ken je haar ook niet? Ben je een wees?'

Ik keek een poosje naar Nicky voordat ik antwoordde. Hij

bekeek plaatjes van een woestijnlandschap met felgekleurde zonsondergangen, veel zand en cactussen. Zijn mond stond open en hij bevoelde de plaatjes met zijn vinger, bijna alsof hij ze streelde. 'Ik, wel ik heb geen idee wie ze waren. Iemand heeft me op straat gevonden, op een stoep in Brooklyn. Meer weet ik niet.'

'Dat moet moeilijk zijn,' antwoordde ze. 'Jij bent de eerste die ik ontmoet bij wie het nog erger is dan bij mij. Ben je geadopteerd?'

Ik kon haar inmiddels weer veilig aankijken. 'Nee, ik heb me nooit ergens kunnen hechten. Ik weet ook niet waarom.' Ik probeerde te lachen. 'Ik dacht dat ik eroverheen was. Snap je wat ik bedoel? Ik dacht dat ik klaar was met piekeren over waar ik vandaan kom en zo. Hoe zijn we trouwens bij dit onderwerp terechtgekomen?'

'Weet ik niet,' zei ze. 'Het spijt me.' Ze gebaarde naar Nicky. 'Is hij alles wat je hebt?'

Ik knikte alleen maar. 'Heb jij je moeder gekend? Vertel eens over haar.'

Ze glimlachte, maar alleen met de onderste helft van haar gezicht. 'Mijn moeder...' begon ze.

'Je hoeft er niet over te praten als je niet wilt.'

Ze maakte een onverschillig gebaar. 'Het geeft niet. Ik vind het niet erg. Niemand hier in de buurt heeft ooit naar haar gevraagd.' Nu was het haar beurt om een poosje naar Nicky te kijken om zich ervan te overtuigen dat hij niet meeluisterde. 'Ik heb bij haar gewoond tot ik tien was. In Connecticut. Ze was lief, soms, maar ze dronk heel veel en ze had...' Ze zuchtte: 'Ik denk dat ze manisch-depressief was. Wanneer ik thuis kwam uit school, wist ik nooit of ze de borden naar mijn hoofd zou gooien of dat ze me zou knuffelen of zo. Toen ik tien was, is ze met haar auto de rivier in gereden. Ik weet nog steeds niet of het een ongeluk was of dat ze het expres heeft gedaan... Hoe dan ook, mijn vader was ongeveer een jaar daarvoor uit de gevangenis gekomen en hij woonde hier en dus ben ik ook hier gekomen.' Ze keek me aan en iets van haar felheid keerde terug in haar gezicht. 'Toen begon het, toen begonnen ze te proberen me weg te sturen. Toen ik overstapte naar de school hier, bracht ik mijn papieren mee van de school in Connecticut. Ik was daar een slechte leerling, maar dat was mijn schuld niet! Niemand snapte dat ik gewoon geen tijd had voor mijn huiswerk. Mijn moeder deed niets aan de was, ze maakte het huis niet schoon, ze kookte niet. Ze lag of in bed met de dekens over haar hoofd getrokken, of ze was geld aan het uitgeven dat ze niet had.' Ze zweeg even. 'Eigenlijk was dat ook niet haar schuld. Ze was ziek. Maar toen ik hier kwam, moest ik een test doen voordat ze me op de school wilden toelaten. IQ en dat soort dingen. Afijn, tests gingen altijd goed bij mij. Waarschijnlijk had ik me slechter voor moeten doen, maar ik vond het leuk en ik scoorde veel beter dan mijn bedoeling was. Die vent die me de test had afgenomen, de onderdirecteur, kwam zijn kantoor uitstormen met de test in zijn ene hand en mijn schoolresultaten uit Connecticut in de andere. Zijn gezicht was bijna paars aangelopen.' Ze sperde haar ogen wijd open en vertrok haar gezicht bij wijze van een imitatie van de woedende blik van de man. 'Jij verdient de goddelijke gave niet die je hebt meegekregen...' Ze schudde haar hoofd. 'Sinds dat moment proberen ze me weg te sturen. Maar ik ga niet.'

Ik keek om me heen. 'Nou, ik snap best waarom je dit alles hier niet achter wilt laten...'

'Oh, wacht even maatje...'

'Ik plaag je maar. Waar kun je terecht?'

'Boston University, Columbia, Seton Hall.'

'Wow, Columbia, dan zou je in Manhattan kunnen wonen. Hoe oud ben je?'

'Zeventien.'

'Shit, zeventien jaar oud, beeldschoon en helemaal alleen in New York City.' Ik gooide mijn hoofd in mijn nek en huilde als een wolf. 'Ahoeeeeeeeeeee...'

Nicky keek op van zijn boek en lachte. 'Let maar niet op hem, Nicky,' zei ze. 'Hij is een beetje gek.' Nicky legde zijn hand op mijn been en keerde terug naar zijn boek.

'Dus Columbia biedt je een gratis opleiding aan en jij wilt niet? Dat is net zoiets als wanneer iemand honderdvijftigduizend dollar in een zak stopt en je die zak overhandigt. Dat kun je niet weigeren. Wanneer iemand je zoveel geld aanbiedt en je neemt het niet aan, is dat een zonde die God niet kan vergeven.'

'Die heb je van Zorba gepikt.'

'Ik heb hem aangepast.' Daarop besloot ik terug te grijpen op een oude truc die verkopers gebruiken wanneer het slachtoffer dat ze de stofzuiger proberen aan te smeren steeds maar met slappe smoesjes komt. 'Vertel me nu de echte reden eens,' zei ik. 'Ik zal het tegen niemand zeggen. En Nicky ook niet. Vertel me waarom je werkelijk niet wilt gaan.'

Ze staarde wel een volle minuut naar de grond en keek me toen recht aan. 'Hoe zou jij je voelen als je een of andere heikneuter was? Stel dat jij je halve leven hier in Nergenshuizen had gewoond, aan de achterkant van de maan? Ik pas al niet bij de jongeren hier, hoe moet ik me dan in hemelsnaam redden in New York City?'

'Dat is geen goede reden,' antwoordde ik. 'Daar kan ik je in tien minuten van overtuigen. Je moet echt met iets beters komen.'

Ik hoorde het geluid van Geviers sleepwagen die naast Louis' Jeep parkeerde. 'Ze zijn terug,' zei ze met een opgeluchte klank in haar stem. 'Moet je hen niet gaan helpen?'

Ik vermoedde dat Louis geen geld had om Gevier te betalen, maar ik was hem een paar dagen huur schuldig en daarom rekende ik met hem af terwijl Gevier de Jeep oplapte. Hij gebruikte wat restjes staal en een schokbreker die zijn beste tijd had gehad en zo kreeg hij de pick-up in een mum van tijd weer aan de gang. Hij probeerde Louis zover te krijgen dat hij ook nog de doorgeroeste bevestiging aan de onderkant mocht verstevigen, maar blijkbaar balanceerde Louis liever op de rand van een crisis. Gevier wilde geen geld van Louis aannemen. Hij beweerde dat hij niets anders had gedaan dan een paar afvalstukjes aan elkaar lassen tot grotere afvalstukken, zodat het fundamentele karakter van het uiteindelijke product niet was veranderd. Louis deed alsof hij beledigd was. Na een poosje bereikten ze een compromis en Gevier reed zijn sleepwagen terug naar de garage met Louis achter hem aan in zijn Jeep, zodat hij niet op de fiets terug hoefde te rijden. Nicky ging met Louis mee en ik zette koers naar Eastport.

Als je je hand met gespreide vingers voor je gezicht houdt, ligt Lubec aan het uiteinde van je duim en Eastport aan het eind van je middelvinger. De ruimte daartussen is een hoekje van Passamaquoddy Bay. Louis en Gevier woonden ergens bij je pols. Het punt is dat je Eastport wel kunt zien vanuit Lubec en andersom, maar dat het desondanks een hele rit is van de ene plaats naar de andere. Eastport is groter en ziet er ook niet zo half afgebouwd uit als Lubec. Eastport ligt op het uiterste puntje van Moose Island en je komt er via een lange, verhoogde weg. Ze noemen het een stad, dat staat in elk geval op een bordje wanneer je binnenkomt. Toch past het geheel gemakkelijk in een buitenwijk van Queens en dan blijft er nog heel wat ruimte over.

Er waren maar een paar cellen in het gebouw waar Taylor Bookman zijn kantoor had, maar een paar is genoeg. Zelfs één is genoeg. Neem maar van mij aan dat niets ter wereld vergelijkbaar is met de metalige klank waarmee die ijzeren deur dichtslaat achter je onnozele jonge lijf. Ik hoor dat geluid nog steeds en ik wil er nooit meer aan de verkeerde kant van staan. Eerlijk gezegd wil ik er zelfs nooit meer bij in de buurt komen en daarom was ik ook nerveus toen ik op zoek ging naar Bookmans kantoor. Wat heet, ik deed het haast in mijn broek. Er zat een jonge knul in een van de cellen. Je kon hem niet horen door de dikke deur van staal en glas, maar je kon hem wel in elkaar gedoken in een hoekje zien zitten, zwetend, bibberend en huilend. Ik volgde de hulpsheriff, niet Hopkins, maar iemand anders. Hij bleef staan om door het raampje naar de knul in de cel te kijken.

'Wat is er met hem?'

'OxyContin-koerier,' zei hij zonder me aan te kijken.

'Hebben jullie hier wel eens van medicijnen tegen zijn verschijnselen gehoord?'

'Dit is een arm district,' antwoordde hij. 'We hebben hier geen geld voor zulke dingen.' Hij schudde zijn hoofd. 'De vader van dat joch was vroeger een vriend van me.'

'Smerige drugs.' Ik had mijn eigen verhaal over dit onderwerp, maar ik dacht niet dat hij dat wilde horen. Ikzelf trouwens ook niet.

Hij draaide zich om en keek me aan, zijn gezicht vertrokken van woede. 'We hebben deze stomme klootzak gepakt toen hij op weg was naar het zuiden met twee zakken OxyContin-tabletten in zijn auto. Honderd pillen per zak. Dit zal zijn familie kapotmaken.'

'Ik neem aan dat hij hier wel een poosje voor achter de tralies gaat.'

De man schudde zijn hoofd. 'Hij is maar een koerier. We moeten hem zover krijgen dat hij vertelt hoe ze de Canadese grens over komen. Als hij dat doet, heeft hij misschien nog een kans.'

'Zal hij dat doen, denk je?'

'Wie weet,' antwoordde de man. Hij klonk niet optimistisch. 'Kom, we gaan hier weg.' We liepen verder en lieten de jongen over aan zijn eigen ellende.

Bookmans kantoor was voorzien van een groot raam, waardoor je over de daken van de weinige gebouwen in Eastport heen kon kijken tot Passamaquoddy Bay. Het water leek nooit tot rust te komen. Elke keer wanneer ik het zag, stroomde het met geweld in een of andere richting en soms zelfs in twee richtingen tegelijk, stroomafwaarts in de vaargeul en stroomopwaarts langs de kust. Zo klotste het voortdurend tegen de rotsen waaruit het eiland bestond. Ik weet helemaal niets van boten of van de zee en dat soort dingen, maar ik weet wel dat het aan het strand van Brooklyn nauwelijks iets uitmaakt of het eb of vloed is. Ik kan me niet herinneren dat het me in al die jaren dat ik daar heb gewoond ooit is opgevallen. Het water stijgt misschien een meter of zoiets en bij eb krijg je zo'n twintig meter extra strand om op te liggen bij Rockaway of bij Riis Park als je dat wilt. Maar als je je boot bij hoog tij vastbindt aan de pier van Eastport, moet je wel een stevig stuk touw gebruiken, want wanneer het eb wordt, hangt het stomme ding daar hoog en droog als een balletje in een kerstboom. En ze hebben ook geen zandstranden in Eastport; die hebben ze ook niet nodig, want het water is toch overal veel te koud. Je kunt er alleen maar naar kijken. Ze hebben echter wel oesterbanken en bij vloed kan het water tot vlak bij de weg komen, terwijl het er bij eb wel haast een kilometer vandaan blijft. Het hoogteverschil kan wel zeven meter zijn, heb ik me laten vertellen, en dat is een hoop zout water. Geen wonder dat die stromingen er altijd zo driftig uitzien. Als je bedenkt hoeveel werk ze moeten verzetten.

En dan die meeuwen, overal waar je kijkt, zie je meeuwen. Er staan er altijd wel een paar op de weg en zover als het oog reikt zie je meeuwen door het luchtruim tuimelen. Het zijn voor het grootste gedeelte zilver- en mantelmeeuwen, met hier en daar misschien een verdwaalde kokmeeuw op zoek naar de weg naar Brooklyn. Er zijn hier ook een hoop andere zeevogels die ik al kende uit Brooklyn, zoals aalscholvers, grote jagers, eenden enzovoort. De zilvermeeuwen zijn het leukst om naar te kijken. Het zijn net straaljagers met hun acrobatische toeren, snel en flitsend en bijna menselijk in mijn ogen, zoals ze vol overgave vechten, ruziën, eten en vliegen. Soms loop je op straat en hoor je een luide, holle, metalige bonk en dan heeft een of andere meeuw hoog in de lucht gepoept en een auto geraakt. Ik stel me dan altijd voor dat dat beest daarboven denkt: shit, heb ik die vent weer gemist.

Taylor Bookman zat met zijn rug naar het raam achter een

metalen bureau en keek toe hoe ik naar buiten staarde. 'Hoe kunt u aan uw werk blijven?' vroeg ik hem.

'Daar zijn hulpsheriffs voor,' zei hij met een stalen gezicht. 'Ga zitten.' Ik ging tegenover hem zitten en hij keek me aan met die nietszeggende blik van hem.

'Hoe lang ben je al uit de gevangenis?'

Mijn hart stond stil. Ik wist het, ik wist het verdomme. 'U verwisselt me met iemand anders,' antwoordde ik en probeerde mijn gezicht net zo onbewogen te laten lijken als het zijne.

'Manny,' zei hij en gedurende een fractie van een seconde grijnsde hij licht. 'We zijn hier misschien een heel eind verwijderd van New York City, maar daarom ben ik nog geen Neanderthaler.'

'Dat hoort u mij ook niet zeggen.' Ik draaide mijn linkerarm om en keek naar de binnenkant van mijn pols waar een zwarte slangenstaart onder mijn mouw uitkwam en zich rond de plek krulde waar je meestal een horloge draagt. 'Ik ben op straat opgegroeid,' zei ik en daar was geen woord van gelogen. 'De meeste van die tatoeages heb ik laten zetten toen ik een tiener was.'

'Was je lid van een bende?'

'Toen ik jong was wel. De Poppy Chulos.' Dat was wel een leugen. De Poppy Chulos die ik kende hadden hun territorium in Sunset Park, een wijk in Brooklyn. De naam is Spaans en betekent 'gewiekste jongens' en ik voldeed nooit aan hun toelatingscriteria.

'Ja? Dus je bleef daar niet bij? En waarom niet?'

Ik keek enkele minuten uit het raam. 'Wel,' zei ik toen en liet een of ander kletsverhaal door mijn hoofd gaan dat ik hem kon opdissen, maar besloot toen dat dat niet nodig was. 'We waren met z'n vijven, we groeiden samen op en waren altijd bij elkaar. Toen ik twintig was, bleef ik als enige over. Die jongens waren mijn familie, meneer Bookman, of moesten daarvoor doorgaan, en ze waren allemaal verdwenen.' Ik telde hen af op mijn vingers. 'Eén een overdosis, één doodgeschoten tijdens een overval, twee ergens opgesloten in een cel, levenslang. En ik.'

'Dus jij hebt het licht gezien en je besloot eruit te stappen. Ik ben blij dat dat toch nog kan gebeuren.' Hij trok een van zijn wenkbrauwen een paar millimeter op en een van zijn mondhoeken krulde. Waarschijnlijk was dat zijn equivalent van een gulle lach.

'Ach, wanneer je een tiener bent, is het net Russische roulette zonder kogels in het pistool. Er kan je niets gebeuren, je bent minderjarig, niemand kan je iets maken.'

'Dat is me ook opgevallen, ja.'

'Vast wel. Zodra je achttien wordt, stoppen ze echter een kogel in dat pistool. Maar je denkt nog steeds dat je onkwetsbaar bent. Je bent Superman, toch? Vijf kansen van de zes is nog altijd gunstig, want zo denk je op die leeftijd. Hoe langer je echter doorspeelt, hoe meer kogels ze in dat pistool stoppen.'

'Hoeveel bij jou?'

Ik schudde mijn hoofd. 'Geen idee. Ik speel al jaren niet meer.'

'Dat doet me plezier,' zei hij. 'Soms maak ik me namelijk zorgen om mensen als de Avery's. Er bestaat ook zoiets als te goed van vertrouwen zijn. Wist je dat het tegenwoordig niet meer veilig is om lifters mee te nemen?'

Ik knikte.

'Louis Avery,' vervolgde hij, 'was vroeger een vreselijke losbol, voordat hij Jezus vond.' Zijn gezichtsuitdrukking veranderde niet. 'Ik dacht dat een rustig leven zijn blik misschien heeft vertroebeld, maar Eleanor houd je niet voor de gek. Ze zei tegen me dat je waarschijnlijk wel te vertrouwen was. Dat je dat jochie van je nooit zo zou hebben opgevoed als er niet iets goeds in je stak.'

'Ik ben blij met zo'n bewijs van vertrouwen.'

'Ik vertrouw op haar oordeel,' vervolgde hij, 'tot op zekere hoogte. Lees deze verklaring even door om te zien of je het eens bent met wat erin staat.' Hij overhandigde me enkele getypte vellen papier. Toen ik ze van hem aannam, pakte hij een krant op die op zijn bureau lag. Het was een exemplaar van de *New York Daily News* van enkele dagen oud. Ik wist bijna zeker dat het de krant was met het verhaal over de Russen en de aandelenzwendel, en ook met het bericht over Nicky die was verdwenen uit Bushwick.

Ik kon me maar moeilijk concentreren op de verklaring, maar ik deed mijn best terwijl Bookman achteloos zijn krant doorbladerde. Na een paar minuten gaf ik hem de vellen terug. 'Er staat hier dat hij haar in het gezicht stompte, maar dat klopt niet. Hij sloeg haar hoofd tegen de auto.'

'Een klein verschil,' zei hij en legde de krant neer. 'Wacht even, dat heb ik zo veranderd.' Een minuut later kwam hij terug met een nieuwe uitdraai. Hij overhandigde me de papieren en nam zijn krant weer op.

'Ik kan me toch voorstellen dat die tatoeages een soort handicap voor je zijn, nietwaar?'

'Ik ben een softwaredesigner,' antwoordde ik. 'Ze zitten me totaal niet in de weg, maar ik heb wel last van die vragen erover.'

Hij knikte. 'Je hebt gelijk,' zei hij. 'Dat zei Eleanor Avery al, maar ik was het weer vergeten.' Hij rolde de krant op en gooide hem in de prullenbak. 'Ik snap niet hoe je in een stad als New York City kunt leven,' vervolgde hij. 'Ze beroven elkaar daar aan de lopende band. Het lijkt me zo onnatuurlijk.' Hij staarde me indringend aan.

'Daar wen je aan.'

'Dat zal wel,' zei hij. 'Het gaat me ook niets aan wat jullie elkaar aandoen in New York of in Boston. Ik heb hier mijn handen vol. Begrijp je wat ik bedoel?' Hij keek me rustig aan en gaf me even tijd om erover na te denken. Toen schraapte hij zijn keel. 'Mijn vrouw zei dat je gisteren bij het huis was.'

'Bij uw huis?'

Hij draaide een van de ingelijste foto's op zijn bureau om, zodat ik kon zien wat erop stond. Het was een foto van Bookman en Franklin, het grote kind met de kapotte fiets. Ze hadden hun armen om elkaar heengeslagen. Bookman keek met half dichtgeknepen ogen in de camera, terwijl Franklin naar de grond staarde.

'Ah. Hij is uw zoon.'

Hij knikte. 'Mijn zoon. Hij is wat vreemd. Hij praat niet veel. Zo wil hij absoluut niet zeggen wie hem van de weg af heeft gereden, maar toch moet ik beslist weten wie dat heeft gedaan.'

'Verklikkers zijn nergens populair.'

Hij staarde me aan. 'Veelgehoorde misvatting,' merkte hij op.

'Ik heb het niet zien gebeuren. Ik zag een lichtgroene pick-up, een GMC uit vierenzeventig of vijfenzeventig, met twee jongens erin. Zo'n twee kilometer verder zag ik Franklin.'

'Oké.' Zijn gezicht verried geen enkele emotie. 'Bedankt dat je bent gekomen. Ik zal tegen Hop zeggen dat hij uit je buurt moet blijven. Laat het me weten als hij zich daar niet aan houdt.'

Ik vermoedde dat hij heel goed wist wie de jongens in de pick-up waren en dat hij op zijn eigen manier en in zijn eigen tijd recht zou laten geschieden. 'Oké.'

'Ik heb vanochtend bezoek gehad van een privé-detective. Een Rus, uit New Jersey. Hij kwam zich bij mij melden, zoals hij dat ook hoort te doen.'

Shit, je wist nooit wat je van deze man moest verwachten. 'O ja?'

'Ja. Hij zei dat hij op zoek was naar een of andere kerel die werd beschuldigd van een gewapende overval in Bayonne en die op borgtocht vrij was. Ene Mohammed of zoiets. Ben jij dat soms?'

'Ik ben nog nooit in Bayonne geweest.'

'Dacht ik al,' antwoordde hij. 'Ik ben zelf nooit dol geweest op privé-detectives. De meesten van hen zijn uitschot, als je het mij vraagt. Hoe dan ook, ik laat die krant en al die verhalen erin mooi in de prullenbak liggen.'

Ik geloof dat mijn hart stilstond. 'Wat wilt u eigenlijk van me, meneer Bookman?'

Hij schudde zijn hoofd. 'Niets, helemaal niets,' antwoordde hij. 'Ik wil dat je het naar je zin hebt zolang je hier bent. Gevier zal morgen of overmorgen je auto wel klaar hebben. Probeer in die tussentijd niet in de problemen te raken.'

'Dat zal ik doen.'

'Mooi,' zei hij. 'En bedankt voor je komst.'

Ik stond op.

'Manny?'

'Ja?'

Hij draaide de foto van Franklin en hemzelf weer terug. 'Heb je gemerkt hoe kalm en rustig het hier is? Dat willen we graag zo houden.'

Even had ik de neiging mijn onschuld te betuigen, maar ik zag ervan af en liep naar buiten.

Eigenlijk wilde ik op de vlucht slaan.

Ik geef het achteraf niet graag toe, maar het was zo, ik wilde vluchten, maken dat ik wegkwam. Toen ik uit Bookmans raam keek, kon ik Canada zien aan de overkant van het water. Jezus, ik wist dat ik slechts een kleine vijftig kilometer aan de Amerikaanse kant van de rivier de Saint Croix moest blijven en dan de grens oversteken bij Calais. Ik kan niet zeggen hoe graag ik dat wilde. Bookman liet me met rust, waarschijnlijk omdat hij had besloten dat Nicky beter bij mij kon zijn dan in een of ander pleeggezin, of misschien omdat ik Franklin een lift had gegeven en thuis had gebracht, of misschien had hij ook gewoon geen zin in alle administratieve rompslomp. Ik wilde echter ook niet te veel risico's nemen. Ik wilde weg. Nicky grijpen en verdwijnen.

Ik stuurde Hobarts Subaru over de verhoogde weg die Eastport verbindt met het vasteland, langs het Passamaquoddyreservaat. Die verrekte Subaru ging nauwelijks harder dan honderdtwintig, maar ik scheurde ervandoor, geloof dat maar. Plotseling kwam er echter een gedachte bij me op: er hoefde maar één klein dingetje mis te gaan met dit stuk antiek, deze roestige verzameling staal, verf, ijzeroxide en rubber en dan konden ze me met een plamuurmes van de weg schrapen. En wat zou er dan van Nicky worden? Het was als wanneer je iemand hoort zeggen: 'Ik had zelfmoord willen plegen, maar ik was er te laf voor.' Ten slotte bereikte ik het einde van de weg, daar waar hij op de U.S.1 aansluit en ik voelde me verscheurd. Ik bleef staan bij het stopbord zonder dat daar enige reden voor was, want er stond niemand achter me en er kwam niemand aan op de doorgaande weg. Ik kon gemakkelijk wegkomen, als dat was wat ik wilde. Ik kon Gevier bellen en hem vertellen dat hij mijn auto mocht slopen en de onderdelen mocht verkopen, ik kon Louis wat geld geven en hem vragen Hobart te betalen voor de Subaru, mijn kind grijpen en vertrekken. Dan deed ik niemand tekort en misschien creëerde ik zo genoeg tijd om over de grens te komen en te verdwijnen, maar over een paar dagen zou Bookman merken dat ik was gevlucht en dan zouden Louis en Eleanor het ook weten.

Ik merkte dat het me kon schelen wat deze mensen van me dachten. En erger nog, ik wilde niet dat mijn zoon opgroeide bij iemand wiens enige oplossing eruit bestond de benen te nemen zodra de zaken een beetje bedreigend werden. Toch riep ook een deel van me dat ik te weekhartig begon te worden, dat ik de controle dreigde te verliezen. Wat was het verstandigst? Nicky was nog te jong, hij zou zich later niets herinneren....

Ik kon het niet.

Ik sloeg linksaf en zette koers naar Louis' huis.

Er stond een grote gele Mercedes geparkeerd naast het gele huis van de Avery's. Zodra ik de auto zag, stopte ik, een paar honderd meter van het huis vandaan, en zette de Subaru in de berm. Ik pakte mijn verrekijker van de voorbank en bedacht dat ik dat ding in het vervolg altijd bij me moest hebben. Ik stapte uit en bekeek het huis door de kijker. Alles wat ik kon onderscheiden, was dat de auto een nummerbord had van Maine en dat er niemand inzat. Een S 500, misschien vier jaar oud. Ik heb nooit begrepen waarom Mercedessen zo populair zijn, ze zijn te log en te langzaam naar mijn smaak. Ze doen echter wel wat ze moeten doen, maar je kunt er net zo goed een bordje opplakken met: 'Hé, kijk eens, ik ben een rijke ouwe stinkerd.' Toen flitste het door mijn hoofd dat ik ook rijk was, maar nog niet oud, gelukkig.

Ik wachtte een half uur, maar er kwam niemand uit het huis van de Avery's om in de auto te stappen. Ik zag niets door de ramen, niet op die afstand en er was niet veel dekking tussen mij en het huis. Daarom stapte ik weer in de Subaru en reed zo snel mogelijk langs het huis.

Na de paardenweide van de Avery's maakte de weg een bocht en tussen die plek en de bomen van Louis' bosperceel was ik korte tijd uit het zicht. Voordat ik bij het terrein van Gevier kwam, ging er aan de rechterkant een pad het bos in, een smal, overwoekerd karrenspoor waar de bomen tot vlak naast de weg groeiden. Daar minderde ik vaart. Ik kon noch het huis van de Avery's, noch dat van Gevier zien en zij konden mij ook niet zien. Ik stuurde de Subaru het pad op en reed tussen de bomen door.

Het ging gemakkelijker dan ik had verwacht. De Subaru was gemaakt voor een dergelijk terrein met zijn motor met laag toerental en zijn vierwielaandrijving. Ik begon het zowaar bijna een leuke auto te vinden. Ik bedoel, niet dat ik er ooit een zou willen hebben of zo. Als ik een pick-up zou nemen, zou ik nooit zo'n oude rammelkast kiezen als de Subaru. Nee, dan nam ik er een met airconditioning, een CD-speler, twee schuifdaken, driehonderd pk en een super-de-luxe lakafwerking. Maar daar zou ik natuurlijk niet het bos mee in durven rijden uit angst voor krassen op al die glanzende dure verf.

Het pad ging zo'n dertig meter heuvelopwaarts het bos in en daar liep het langzaam dood. Je zag niets vanaf die plek, niet de hoofdweg en ook niet de beide huizen. Ik parkeerde de Subaru op wat een geschikte plek leek en stapte uit. Daarna begon ik dwars door het bos te lopen in de richting van Louis' huis. Een woeste aanval van een horde muggen eiste al mijn aandacht op en ik was enkele minuten alleen maar bezig me te verdedigen, maar ten slotte kwam ik uit bij het weiland van Louis, dichter bij de weg dan mijn bedoeling was geweest. Het begon al te schemeren en ik dacht wel dat het donker genoeg was om onopgemerkt naar het huis te sluipen, vooral wanneer ik het van de voorkant benaderde, waar eigenlijk nauwelijks iemand kwam. Ik keek eerst waar het paard was en begaf me toen naar het huis.

Net voordat ik de hoek van het huis bereikte, zag ik hem. Het was een dwergooruil, zonder enige twijfel. Ik had hem de vorige avond nog opgezocht in *Sibley*. Vrij klein voor een uil, bruingrijs gevlekt, met oorpluimpjes. Die pluimpjes lijken op oren, maar dat zijn het niet; het zijn niet meer dan toefjes veren op de kop van de uil. De uil kan ze platleggen, net zoals een kat dat kan met zijn oren, of ze spitsen als hij dat wil, maar zijn eigenlijke oren zijn openingen aan de zijkant van zijn schedel onder zijn veren. Het ene oor zit hoger dan het andere, zodat hij uit de geluiden die zijn prooi maakt kan berekenen waar die zich bevindt. Ik weet niet waarom ze die oorpluimpjes hebben, ik kan geen enkel overlevingsvoordeel bedenken dat ze kunnen opleveren en ik snap ook niet waarom sommige uilen ze wel hebben en andere niet. Misschien dat de damesdwergooruilen je geen blik waardig keuren als je geen oorpluimpjes hebt, wie weet. Natuurlijk hoorde hij me aankomen en hij vloog weg, maar ik zag hem voordat hij mij zag. Het gevoel dat hij me gaf, kan ik niet goed onder woorden brengen, het was haast een rilling over mijn rug. Ik begrijp ook niet waarom hij me zo fascineerde, maar geloof maar dat die uil op dat moment verbijsterend mooi was. Een fractie van een seconde, niet langer dan een oogwenk, kwam ik in de verleiding alles te vergeten, de vogel achterna te gaan en hem bij de jacht te observeren, maar in plaats daarvan keek ik hem na toen hij wegvloog.

Het was Sam Calder senior daar bij de Avery's in de keuken. Hij zat aan de ene kant van de keukentafel en Louis aan de andere. Eleanor stond achter haar man met haar handen op zijn schouders. Er was nog een vrouw in de keuken, ik kon haar niet zien, maar ik hoorde haar stem. Ik nam aan dat het Sams vrouw was. Ik kon niet verstaan wat ze zeiden, ik hoorde alleen wat gemompel. Louis was duidelijk geagiteerd. Ik merkte aan de toon van zijn stem en aan de manier waarop hij op zijn stoel zat dat de zaak hem niet beviel. Eleanor stond rustig achter hem en klopte hem af en toe op zijn schouder. Ze hield van die man, dat voelde je gewoon dwars door de muur van het huis heen, ze hield van hem. Jezus. Hoe zou ik zijn geworden als ik een vrouw had gehad die zo van me had gehouden? Shit.

Ik volgde de rand van Louis' weiland tot de hoofdweg en liep vervolgens langs de weg tot waar het karrenspoor het bos in ging. Een flinke omweg, dat weet ik, maar ik had even geen zin meer om de woudloper uit te hangen, tenminste niet totdat ik antimuggenspray bij me had. Ik bereikte de plek waar ik de Subaru had achtergelaten, startte het ding en reed het bos weer uit. Ik zette mijn mobiele telefoon aan, maar ik kreeg geen ontvangst en dus reed ik naar de winkel waar Hopkins zijn vriendinnetje het hof had gemaakt. Daar belde ik Louis. Ik zei dat ik graag naar het optreden van Roscoe en zijn band in de evenementenhal wilde gaan en hij verzekerde me dat Eleanor en hij met plezier voor Nicky zouden zorgen. Ik hoorde Sam Calder senior op de achtergrond en Louis leek geen haast te hebben om naar het gesprek terug te keren.

'Hoor ik daar Sam senior?'

'Klopt,' antwoordde Louis.

'Zit hij je nog steeds op je huid over dat terrein in Eastport?'

'Ja.'

'Waarom smijt je hem de deur niet uit?'

'Kan niet,' zei Louis met iets droevigs in zijn stem. 'De omstandigheden spannen tegen me samen.'

Ik herinnerde me dat Louis de vorige avond erg in zichzelf gekeerd was geweest en ik vroeg me af wat er was gebeurd.

Er zat nu een andere vrouw achter de kassa in de winkel. Waarschijnlijk dacht ze dat ik gek was, want ik kocht behalve benzine ook nog een heleboel andere dingen. Kaarten van het gebied, een zaklantaarn met batterijen, antimuggenspray, een paar repen chocolade, flessen mineraalwater, een groot jachtmes om onder mijn stoel in de auto te leggen en van alles en nog wat. Het leek wel alsof ik op expeditie naar de noordpool ging. Ik had een hoop nieuwe muggenbeten opgelopen en ik smeerde me helemaal in met het spul als een klassiek voorbeeld van de uitdrukking: als het kalf verdronken is, dempt men de put. De muggen hadden me eraan herinnerd dat Maine niet New York City is. Hier moest je voorbereid zijn, anders werd je levend opgevreten.

Ik ben nooit erg geïnteresseerd geweest in muziek. Veel mensen denken dat ik van rap houd, maar dat is niet zo. In mijn ogen is rap niets anders dan een of andere knul die onzin uitkraamt en zoiets kun je altijd overal gratis krijgen. Jongeren die daarvan houden, wonen meestal ergens waar je je het kunt veroorloven agressieve taal uit te slaan, let maar eens op. Waar ik vandaan kom, dreig je niet, je kijkt wel uit. Als je iets van plan bent, dan doe je het gewoon of je houdt je mond erover en je ziet ervan af. In een hoop van de huizen waarin ik als onderhuurder woonde, waren de bewoners echter verzot op muziek. Oude kerels uit de jaren zestig hebben vaak hun elpees uit die tijd bewaard, ik ben in woningen geweest waar ze er dozen en dozen vol van hadden. Ik stelde me dan voor hoe ze een joint zaten te roken, die troep op de platenspeler legden en zich overgaven aan nostalgische herinneringen aan de tijd dat ze de wereld zouden veranderen. Persoonlijk ga ik wel graag luisteren wanneer er ergens een band speelt, maar ik zal hun muziek niet aanschaffen en met me meeslepen. Maar dat geldt voor de stad, waar je elke avond van de week ergens naar muziek kunt gaan luisteren. Hier in de rimboe is dat niet zo gemakkelijk.

Ik denk dat ik daarom besloot naar Roscoe's band te gaan luisteren. Er waren al heel wat mensen toen ik aankwam, de parkeerplaats was bijna vol, voor de helft met gewone auto's en voor de andere helft met pick-ups. Ik moest de Subaru ergens achteraan in een donker hoekje parkeren. Zodra ik uitstapte, hoorde ik de muziek al. Het was country en western, maar enigszins aangepast, met een Frans-Canadees tintje zogezegd. Ik vond het een verbetering, want oké, misschien had het vriendinnetje van de zanger zijn hart gebroken en hem in de steek gelaten voor jou, maar in plaats van er alleen maar over te jammeren, dreigde hij in deze versie naar je huis te komen en je verrot te schoppen.

Er zat een oude soldaat met grijs haar en droevige ogen bij de ingang. Hij pakte mijn vijf dollar aan en knikte dat ik kon doorlopen. Er waren twee ruimtes, een grote en een kleine, die dienst deed als bar. Roscoe's band bevond zich aan de achterkant van de grote ruimte en ze waren gekleed in westernstijl – witte overhemden, zwarte stropdassen, spijkerbroeken en cowboylaarzen en -hoeden. Ze speelden hard en dynamisch, Roscoe's overhemd was nat van het zweet. Hij speelde viool en hij had het ding niet onder zijn kin, maar hield het tegen zijn broekriem geklemd en zaagde erop los. Of je nu van zijn stijl hield of niet, aan enthousiasme ontbrak het hem in elk geval niet. Een half dozijn paartjes sprong rond op de dansvloer in het midden van de ruimte. Roscoe keek me over hun hoofden heen aan en knikte me toe. Even flitste zijn Teddy-Rooseveltgrijns over zijn gezicht, maar toen raakte hij weer totaal gefixeerd op waar hij mee bezig was. Aan de rand van de zaal stonden ronde tafels met elk een stuk of tien stoelen eromheen.

Franklin viel me direct op, je kon hem niet missen. Hij zat aan een tafel achter in de ruimte, naast zijn vader. Ik zag dat hij naar me keek en ik zwaaide naar hem. Hij keek omlaag naar de tafel, maar wapperde met drie dikke vingers naar me. Bookman ving de beweging op, zag me staan en wees naar een lege stoel naast zijn zoon. Ik baande me een weg langs de rand van de ruimte en knikte naar de paar gezichten die ik herkende. Ik had het gevoel dat ik meer dan ooit opviel in deze zee van geruite flanellen overhemden en bleke gezichten. Ik was in alle opzichten zo anders, maar ze accepteerden me stijlvol en glimlachten me toe ondanks mijn bruinige huidskleur, zwart leren jasje en sportschoenen. Misdaadschoeisel noemde een ex-smeris die ik vroeger kende die dingen graag.

Ik ging naast Franklin zitten. Hij stak zijn klauw uit, maar keek omlaag naar de grond terwijl we handen schudden. Mijn hand is niet klein, maar hij verdween volkomen in zijn droge, leerachtige knuist. Hij kneep echter niet hard, er zat een zachtheid in hem die je niet zou verwachten als je hem zo zag.

'Hallo, Franklin.' Ik moest schreeuwen om boven Roscoe's band uit te komen. 'Hoe vind je de muziek?'

'Te hard,' brulde hij terug. 'Het doet zeer aan mijn oren.'

Ik leunde voorover en keek naar Bookman. 'Uw zoon is een eerlijk mens.'

'Ja, dat is hij. Hoe is het?'

'Ik heb dorst. Kan ik iets voor u meenemen uit de bar?'

Hij knikte en zwaaide met een leeg bierflesje.

'En jij, Franklin? Wil je wat drinken?'

Hij wierp me een korte blik toe, maar keek toen weer omlaag. Meer oogcontact zat er met hem gewoon niet in. Het leek zo ongerijmd dat deze beer van een jongen zo verlegen was. 'Ik drink niet,' zei hij.

'Cola dan?'

Hij keek me bijna een hele seconde aan voordat hij zijn ogen weer afwendde. Uit mijn ooghoek zag ik zijn vader naar voren leunen om te luisteren. 'Wil je limonade voor me kopen?'

'Ja, Franklin.'

Hij dacht erover na. 'Oké,' zei hij ten slotte. 'Gemberbier.'

'Komt eraan.' Ik sloeg hem op zijn rug terwijl ik opstond en het ging weer door me heen hoe gigantisch hij was. Toen bedacht ik me dat Franklin nog het meest leek op een torpedojager die werd bestuurd door een klein jongetje.

Ik liep de deur tussen de grote en de kleine ruimte door,

zodat ik in de bar kwam. Daar bleef ik even staan om mijn ogen aan de duisternis te laten wennen. De bar zelf was een ovaalvormig geval in het midden van de ruimte en eromheen stonden krukken. In een hoek bevond zich een televisie waarvan het geluid zacht stond. Er was een honkbalwedstrijd te zien tussen de Red Sox en de Yankees, maar ik ben nooit een fan geweest van de Yankees en daarom interesseerde het me ook niet. Ik leunde op de bar en knikte naar Hobart, de man die me de Subaru had verhuurd, aan de overkant van de bar. Hij knikte terug en gebaarde toen met zijn kin naar het uiteinde van de bar, waar Thomas Hopkins zich bevond.

Hop was dronken. Er hingen drie mannen rond zijn barkruk die naar de honkbalwedstrijd keken. Hop droeg burgerkleding, hij dronk onverdunde whisky en bier en hij had die trage, ongecoördineerde, benevelde uitstraling die mannen krijgen wanneer ze bezopen zijn. De barman kwam mijn bestelling opnemen. Hij was een oudere man met grijs stekeltjeshaar en een marinetatoeage op zijn onderarm. Hops ogen volgden elke beweging van de man toen hij mijn twee biertjes en het gemberbier ging halen. Ik vermoedde dat Hops drankjes opraakten en dat hij geen moment droog wilde staan. Ik herkende dat, een gevoel dat er iets bij je opborrelt dat je alleen maar onder controle kunt houden door er iets heftigs tegenaan te smijten, alcohol of drugs of seks of wat dan ook, als het maar werkt. Hops ogen gleden een paar maal over mijn gezicht, maar hij leek me niet te herkennen. Ik rekende de drankjes af en gaf de barman een flinke fooi, maar toen ik me omdraaide om weg te gaan, zag ik de herkenning doorbreken op Hops gezicht. Even dacht ik een gealarmeerde blik in de ogen van de barman te zien, maar Hobart bleef onbewogen zitten en keek toe. Toen ik wegliep, keek ik hem nog even aan en ik vermoedde dat hij stiekem een beetje moest lachen om ons, om Hop en mij.

Bookman ging staan toen hij me aan zag komen. Ook Franklin wilde overeind komen, maar Bookman leunde naar hem over en zei iets in zijn oor. Franklin knikte en ging weer zitten. Ik overhandigde Bookman zijn bier en zette het gemberbier voor Franklin op tafel. 'Dank je,' rommelde zijn stem en toen ik niet antwoordde, hoorde ik hem zachtjes 'Graag gedaan' tegen zichzelf zeggen. Ik bewonderde Bookman omdat hij dit reuzenkind had geleerd dat het belangrijk is hoe je met mensen omgaat. Ik klopte Franklin op zijn rug als een soort woordenloze verontschuldiging voor mijn ongemanierde gedrag en ik nam me voor in het vervolg zorgvuldiger te zijn, in elk geval tegenover hem. Bookman ving mijn blik op en gaf een ruk met zijn hoofd in de richting van de achterdeur. Hij klopte Franklin op zijn schouder. Ik kon niet horen wat hij zei, maar ik las het van zijn lippen.

'Blijf hier. Ik ben zo terug.'

Roscoe's band werd luidruchtiger naarmate de avond vorderde. Samen stapten we door een zijdeur naar buiten. Ik merkte op hoe Bookman nog even naar zijn zoon keek voordat de deur dichtzwaaide en we in de relatieve duisternis en rust van de parkeerplaats stonden. Hij zag me kijken.

'Ik moet me waarschijnlijk geen zorgen om hem maken,' zei hij.

Het is zoiets als je zorgen maken om Godzilla, dacht ik, maar ik zei het niet. 'Dat is uw taak.'

'Ja, daar zul je wel gelijk in hebben.' Hij pakte me bij mijn elleboog en bracht me enkele passen bij het gebouw vandaan. 'Ik heb vanmiddag een paar telefoontjes gepleegd,' zei hij. 'De naam van die Rus is Alexander Postrozny. Op zijn kaartje stond dat hij uit Jersey City komt, dus ik heb navraag gedaan bij een detective daar. Die zei dat die Postrozny tuig is. Zijn woorden, niet de mijne. Het is een huurmoordenaar, beweerde hij, en ze vermoeden dat hij banden heeft met de Russische maffia.' Hij staarde me aan. 'Wil je me nu vertellen waar dit allemaal over gaat?'

De zijdeur zwaaide weer open, zodat Bookman en ik korte tijd in het volle licht stonden totdat de deur weer dichtviel achter een of andere knul en zijn mollige vriendinnetje. Ze was kleiner dan hij en ze was dik op een gespierde manier, zoiets als bij een nijlpaard. Als ze je te pakken kreeg, zou ze je zo je lever kunnen uitrukken en hem opvreten als ze dat wilde, zo zag ze eruit. 'Avond, sheriff,' zeiden ze allebei en wuifden naar ons. 'Avond.' Ze had een enorme kont die heen en weer rolde terwijl ze liep. Bookman en ik keken hen na terwijl ze over de parkeerplaats liepen, in een oude pick-up stapten en wegreden. Het schijnt aan de feromonen of zoiets te liggen. Wanneer een man daar de geur van in zijn neus krijgt, gebeurt er iets verschrikkelijks met zijn hersenen.

'Nicky's moeder is dood en ik ben niet zijn wettige voogd.' Je begint met de waarheid, of met een klein stukje daarvan, en daarmee bouw je dan je verhaal op. 'Ze was Russisch-Amerikaans. De broer van haar vader zit bij de Russische maffia. Haar familie wilde Nicky bij me weghalen en tegen dat soort groot geld kon ik natuurlijk niet op. Daarom heb ik hem meegenomen.' Het was een goede leugen, vooral omdat ik hem ter plekke moest verzinnen. Ik moest wel. Bookman wilde een verklaring, maar als hij erachter kwam dat ik twee miljoen dollar bezat die ik van een groep Russische gangsters had gestolen en dat ik alles had weggestouwd in een opslagruimte in Hackensack, zag ik Nicky waarschijnlijk nooit meer terug. Nou ja, misschien met een dikke plaat plexiglas tussen ons in.

'Die Postrozny gaf me de naam op van een motel in Machias als plaatselijk adres,' vervolgde Bookman, 'maar toen ik hem daar probeerde te bellen, snapten ze niet wie ik bedoelde. Maar ik kan ook weer geen opsporingsbevel laten uitgaan voor die klootzak, want hij wordt niet gezocht. Als je slim bent, blijf je de komende dagen zoveel mogelijk uit beeld.'

'Ik zal mijn best doen. Bedankt voor de waarschuwing.' Hij keek me aan en weer kreeg ik dat gevoel dat ik kritisch werd doorgelicht. Ik vroeg me af wat er werkelijk in hem omging, achter die nietszeggende gezichtsuitdrukking van hem. 'Hoe gaat het met uw heropvoedingsproject?'

'Hoe bedoel je?'

'Hopkins.'

'Oh,' zei hij. 'Wel, ik heb zijn aandacht, dat is wel duidelijk. Misschien duurt het een paar dagen, maar dan trekt hij wel bij, hij is veel te slim om dat niet te doen. Het valt niet altijd mee om volwassen te worden, weet je. Meestal gaat dat gepaard met de nodige frustraties.'

Daar kon ik niets aan toevoegen.

We liepen weer naar binnen en gingen zitten. Roscoe's band vulde de atmosfeer met Frans-Canadese stemmen die afwisselend smekend, treurig en boos klonken. Het verbaasde me hoeveel mensen opstonden en zich stampend op de dansvloer begaven, draaiend en schreeuwend op de maat van de muziek. Ik voelde me op een klein, relatief rustig eiland daar naast Franklin en zijn vader, omgeven door herrie en drukte.

Ik vroeg Franklin of hij nog een gemberbier wilde. Hij stommelde overeind. 'Ik haal wel,' zei hij. Aan zijn andere kant werden Bookmans ogen groot van verbazing.

'Zeker weten?' vroeg ik.

'Ja,' zei hij zonder me aan te kijken. 'Mijn beurt.' Hij verzamelde de lege flesjes.

‘Heb je geld, Franklin?’ vroeg zijn vader.

‘Tuurlijk heb ik geld,’ antwoordde Franklin en zette koers naar de bar. Over Franklins lege stoel heen staarde Bookman me aan.

‘Ik weet niet wat je met die knul hebt uitgevoerd,’ zei hij. ‘Soms krijg ik een hele dag lang nauwelijks zoveel tekst uit hem.’

Ik haalde mijn schouders op. Ik wist ook niet wat ik met hem had uitgevoerd, maar het voelde wel prettig dat ik het had gedaan. ‘Ik weet het niet,’ zei ik. ‘Misschien was hij eraan toe.’

Bookman schudde zijn hoofd. ‘Misschien wel,’ zei hij. Ik begon hem te mogen en ik moest mezelf eraan blijven herinneren dat hij een politieman was die mijn leven kon verwoesten, Nicky bij me weg kon halen en me voor een hele tijd achter de tralies kon laten belanden als hij achter de waarheid kwam.

Franklin kwam terug en leek heel tevreden over zichzelf. Hij zette het flesje met een bons voor me neer. ‘Budweiser,’ zei hij.

‘Dank je wel, Franklin.’

‘Graag gedaan,’ klonk het.

Niet lang daarna stonden ze samen op en vertrokken en daarmee namen ze het eiland, die kleine enclave van rust, met zich mee. Ik dronk het bier dat Franklin voor me had gehaald op en liep door de achterdeur naar buiten de parkeerplaats op.

Buiten kon je de muziek niet horen, alleen het gedreun van de bas en een gesmoord geschreeuw. Het was een heldere en koude nacht. Ik leunde tegen een pick-up en keek naar een troep zwaluwen die insecten vingen in de lucht boven een veld naast de parkeerplaats. Vliegende zwaluwen doen me altijd denken aan films met luchtgevechten uit de Tweede Wereldoorlog, Messerschmitts en Spitfires.

Achter me werd de deur opengesmeten en Thomas Hopkins stapte naar buiten het donker in. Zijn drie maten kwamen achter hem aan en leken iets nuchterder te zijn dan hij. Een van hen hield Hopkins bij zijn elleboog vast, maar hij rukte zich los. ‘Daar ben je,’ zei hij met dikke tong, ‘jij rotzak. Moet zo nodig zijn neus in andermans zaken steken. Zal je leren.’

De man die had getracht Hop vast te houden, probeerde het opnieuw. ‘Niet nu Hop, dit is niet het juiste...’

‘Sodemieter toch op,’ snauwde Hop, draaide zich om naar zijn vriend en duwde hem weg. De man gaf het op, stak zijn handen omhoog, keek in mijn richting en haalde zijn schouders op.

‘Zal ik Bookman bellen?’

'Welnee. Hoppie is veel te zat om iets te beginnen,' antwoordde ik. 'Ja, toch, Hoppie?'

Hop schudde onvast zijn hoofd. 'Klootzak,' zei hij. 'Ik maak je af, dronken of nuchter.'

'Weet je zeker dat je dit wilt, Hop? Daar komt alleen maar gelazer van.' Hij antwoordde niet, maar schuifelde een paar passen dichter naar me toe. Ik reageerde niet, ik bleef gewoon naar hem staan kijken, want hij leek veel te dronken om zelfs maar zelfstandig te lopen. Plotseling haalde hij echter naar me uit met een linkse uppercut die verrassend snel was. Hij miste me maar net. Ik danste achteruit tot buiten zijn bereik. 'Oké, oké,' zei ik. 'Zoals je wilt.' Ik schudde mijn leren jasje van me af. Goed dik leer glijdt heel gemakkelijk van je lijf. Hop probeerde hetzelfde met zijn wollen jasje, maar dat ging in een prop om zijn ellebogen zitten, zodat zijn armen achter zijn rug vastzaten. 'Foutje, Hoppie,' zei ik, deed een stap in zijn richting en gaf hem een stevige linkse pal op zijn neus. Zijn hoofd knikte scherp naar achteren en hij wankelde achteruit. Omdat hij zijn armen niet kon gebruiken om zijn evenwicht te bewaren, struikelde hij en viel op de grond. Ik was er niet zeker van wat de andere drie zouden doen, maar ze schoten in de lach. 'Mooi werk, New-Yorker,' zei een van hen.

Hop was echter pisnijdig. Hij rolde over de grond tot zijn knieën onder hem lagen en toen sprong hij overeind en slaagde erin zijn mouwen weer over zijn armen te trekken. Hij stormde op me af zonder aandacht te besteden aan het bloed dat uit zijn neus en over zijn gezicht stroomde en hij maakte onsamenhangende geluiden achter in zijn keel. Hij leek een stuk nuchterder dan enkele seconden geleden en hij begon snelle, harde stoten uit te delen. Die vent had vuisten als rotsen, maar ik stak op tijd mijn armen omhoog en zijn stoten gleden af op mijn ellebogen en schouders. Hops vrienden begonnen harder te lachen, waardoor ze de zaak nog erger maakten. Hop veranderde van tactiek. Hij greep me bij mijn overhemd en graaide naar mijn hoofd. Ik trok mijn kin in en liet mijn voorhoofd met kracht neerkomen op zijn neus. Ik wist dat dat pijn moest doen, maar hij liet niets merken. Zelfs dronken had die vent nog een afschuwelijke kracht en hij had me beet bij mijn hoofd en mijn linkerarm. Zijn vrienden bleven staan lachen, waarschijnlijk nu om ons allebei.

Mijn rechterarm was echter vrij en ik begon inmiddels zelf ook aardig kwaad te worden. Ik hield Hop recht overeind met mijn linkerarm en trof hem in zijn maag met vier van de beste rechtsen die je ooit hebt gezien. Hij liet me los en wankelde achteruit terwijl hij zijn maagstreek bedekte. Zijn ogen gingen wijd open en zijn benen knikten onder hem, zodat hij plotseling voorover viel. Ik greep hem nog net op tijd bij zijn kraag om te voorkomen dat hij met zijn gezicht tegen de bumper van een geparkeerde auto smakte.

'Snelle handjes, die New-Yorker,' constateerde een van Hops vrienden. Op dat moment begon Hop krampachtig over te geven en kotste de auto vol die hij bijna had geraakt. Zijn drie vrienden joelden.

'Hé,' zei ik en hield Hop zo ver mogelijk van me af. 'Wil een van jullie meelopers het nu overnemen? Hij hoort bij jullie, niet bij mij.'

Een van hen stapte naar voren. Het was de man die een halve minuut eerder had geprobeerd Hop tegen te houden. 'Bedankt dat je hem hebt opgevangen,' zei hij. 'Zijn gezicht is al erg genoeg toegetakeld.'

'Het was een reflex. Als ik tijd had gehad om na te denken, had ik hem die auto misschien wel laten zoenen.'

'Ja,' antwoordde de man. 'En wij hadden wel gezorgd dat hij je niets had gedaan als de zaak de andere kant was opgegaan.'

Om de een of andere reden geloofde ik hem. 'Wel, bedankt dan. Je kunt hem nu beter naar de dokter brengen. Ik denk dat zijn neus is gebroken.'

De man greep Hop bij zijn hoofd en rolde het naar achteren, hij leek Michael Jordan wel die een basketbal in zijn handen hield. 'Oh Jezus,' zei hij. 'Eric, haal je pick-up, dan gooien we Hop achterin en rijden we naar de dokter.' Hij keek weer naar mij. 'Hop zal er morgenochtend niet fraai uitzien.'

Een van hen ging er in looppas vandoor om zijn auto te halen. 'Kom op, Jimmy,' zei de man die Hopkins vasthield. 'Pak eens aan hier.' De derde man stapte naar voren, greep Hops andere arm en samen sleepten ze hem weg.

Ik ging weer naar binnen en keek naar mezelf in de spiegel van het herentoilet. Ik zou wel wat blauwe plekken krijgen op mijn schouders en armen waar Hops stoten terecht waren gekomen en er zat bloed op mijn voorhoofd, maar dat was van Hop en ik waste het af. Ik wilde eigenlijk weggaan, maar Roscoe's band nam net even pauze en daarom ging ik weer zitten. Roscoe liep rond om handen te schudden. Bij mijn tafeltje bleef hij staan. 'Bedankt voor je komst,' zei hij. 'Hoe vind je de muziek?'

'Te hard,' antwoordde ik. 'Mijn oren doen er pijn van.'

Roscoe lachte. 'Ja, dat zei Franklin de laatste keer ook. Nou, we spelen zeker hard.'

'Het was maar een grapje Roscoe. Jullie zijn prima.'

'Bedankt,' zei hij en knikte. 'Ik hoor dat je die ouwe Hop flink op zijn donder hebt gegeven.'

'Verrek, dat gaat snel hier.'

Hij haalde zijn schouders op. 'Hij vroeg erom. Misschien maak je vanavond wel een paar vrienden, hè?'

Hij leunde naar me over en liet zijn stem dalen. 'Wees voorzichtig, ja? Die Hop heeft het altijd al achter zijn ellebogen gehad. Oké?'

'Bedankt, Roscoe.' Ik keek hem na toen hij verder liep.

Ik wilde net weggaan toen er twee Russen binnenkwamen. Ik had hen geen van beiden ooit eerder gezien, maar ik wist onmiddellijk wie ze waren omdat ze mijn oude maat Rosario bij zich hadden. Zijn gezicht was grauw en bezweet en als je goed oplette, zag je hoe voorzichtig hij liep. De menigte was al iets minder dicht geworden – de verstandigsten waren tijdens de pauze naar huis gegaan en ik begon te wensen dat ik hetzelfde had gedaan. De Russen waren allebei grote, gespierde kleerkasten met stierennekken en brede schouders. Een van hen had een verticaal litteken aan de zijkant van zijn gezicht dat van zijn jukbeen langs zijn oog tot in zijn haar liep. De ander leek meer de man met de hersenen te zijn. Hij zag er nog ongeschonden uit, maar je zag wel al de geest van Boris Jeltsin in zijn gezicht; de drank had hem aardig te pakken. Ze liepen met z'n drieën naar een leeg tafeltje en gingen zitten. Jeltsin leunde over naar Rosey en zei iets tegen hem. Rosey knikte en begon de aanwezigen demonstratief op te nemen. Zijn ogen gleden langs de mijne zonder stil te staan. Een paar seconden later keek hij weer naar Jeltsin en schudde zijn hoofd. Jeltsin zei iets, waarschijnlijk vroeg hij of Rosey het zeker wist, want Rosey keek opnieuw rond. Hij nam alle gezichten zorgvuldig in zich op en schudde toen nog eens zijn hoofd. De Rus boog zich naar Rosey over en keek hem strak in zijn ogen zonder iets te zeggen. Rosey leunde naar achteren, maar ik kon zien dat hij bang was. Hij schudde zijn hoofd. Nee, hij is hier niet. Teleurgesteld boog Jeltsin weer achteruit en zocht met zijn ogen naar de bar. Hij zei iets tegen Littekengezicht, stond op en verdween in de kleine ruimte.

Rosey ging met een trillende hand langs zijn voorhoofd en droogde hem af aan zijn overhemd. Littekengezicht keek een poosje naar hem en toonde toen zijn minachting door zich opzij te draaien op zijn stoel, zodat hij hem niet aan hoefde te kijken. Heel langzaam zette Rosey zijn ellebogen op de tafel voor hem, legde zijn vingers tegen elkaar en staarde naar het plafond alsof hij zat te bidden. Daarop wierp hij een blik over zijn schouder om te zien of Jeltsin er weer aankwam voordat hij me recht aankeek.

Ik staarde net zo recht terug.

Hij keek weer uit naar Jeltsin en maakte toen snel een gebaar alsof hij een stuurwiel vasthield. Ik knikte. Ja, ik snap het. Hij had zijn handpalmen net weer op de tafel gelegd, toen Littekengezicht zich naar hem omdraaide om te zien wat hij uitvoerde.

We zijn allemaal maar mensen. Hoe stoer je ook denkt te zijn, je hebt je angsten, je hebt je emoties, je hebt je zenuwen. Rosario deugde voor geen meter, maar die Russen hadden hem gereduceerd tot een zwetend, bevend aftreksel van wat hij was geweest. Ik heb ooit ergens gelezen dat we allemaal worden geboren met slechts twee angsten, de angst voor harde geluiden en de angst om te vallen, de rest doen we op tijdens ons leven. In mijn hoofd voegde ik die twee Russen aan mijn lijstje toe.

Twee tafeltjes bij me vandaan stonden mensen op om weg te gaan. Ik wachtte tot ze me passeerden en toen stond ik ook op en voegde me tussen hen. Een van de vrouwen van het groepje was nog een tiener, met lang blond haar en een spijkerbroek die niet strakker had kunnen zitten. Wie zou er op mij letten wanneer ze naar haar konden kijken? Zo kwam ik net voor hen uit weer buiten.

Daar maakte ik een snel rondje over de parkeerplaats. Er stond een recent model sedan met een sticker van een verhuurbedrijf erop en ik nam aan dat dat de auto van de Russen was. Er waren inmiddels heel wat lege plekken op de parkeerplaats door de mensen die al naar huis waren en daarom kon ik de Subaru op een plaats zetten vanwaar ik zowel de sedan als de deur van het gebouw in de gaten kon houden. Ongeveer een half uur later kwamen ze naar buiten. Ik vermoedde dat Jeltsin zich in die tijd behoorlijk had laten vollopen, want hij leek onzeker op zijn benen te staan en Littekengezicht zag eruit alsof hij kwaad was. Rosey liep langzaam en voorzichtig en ik wilde er liever niet over nadenken wat ze met hem hadden uitgevoerd.

In een stedelijke omgeving is het niet moeilijk iemand te volgen. Meestal zijn er allerlei andere auto's in de buurt en valt een meer of minder niemand op. Hier waren we echter maar met z'n tweeën, mijn auto en die van hen. Ze reden weg en ik wachtte ongeveer dertig seconden voordat ik achter hen aanging. Ik dacht erover na en bleef op ruim een kilometer afstand. Ze leken min of meer naar het westen te rijden. Ik probeerde een poosje zonder licht te rijden, maar dat bleek toch niet zo slim. Wanneer ergens niet veel verlichte huizen staan en er zijn geen straatlantaarns, wordt het heel moeilijk om de weg te zien. Ik moest veel te vaak afremmen om te voorkomen dat ik in de berm terechtkwam en dus zette ik mijn lichten weer aan.

Bij Route 1 sloegen ze af in zuidelijke richting. Ik zat ongeveer een kilometer achter hen, maar ik zag hun remlichten en het knipperen van hun linkerrichtingaanwijzer. Ik moest wachten toen ik bij het stopbord kwam en zo raakte er een pick-up tussen mij en de Russen. Eerst dacht ik dat dat wel gunstig was, maar de man in de pick-up reed langzaam en de Russen raakten te ver weg. Ik slaagde er ook niet in de pick-up te passeren, want elke keer wanneer de weg een poosje recht was, ging hij harder rijden en de Subaru was gewoon niet krachtig genoeg om erlangs te komen. Ik vermoed dat de chauffeur dacht dat ik hem uitdaagde of zoiets. We gingen in de richting van Louis' huis en ik kende dat gedeelte van Route 1 inmiddels aardig goed. Daarom bleef ik achter hem tot we bij een lange bocht kwamen en daar trapte ik het gaspedaal zo diep mogelijk omlaag, haalde die vent in en schoot hem aan het begin van het volgende rechte stuk eindelijk voorbij. Waarschijnlijk irriteerde hem dat, want hij bleef aan mijn bumper kleven tot de volgende reeks bochten. Ik had echter andere dingen om me zorgen over te maken. Rosario had me kennelijk niet verraden. Misschien dacht hij werkelijk dat ik hem kon redden, of misschien maakte hij zich zorgen over wat de Russen met hem zouden doen wanneer ze mij te pakken kregen. Hoe dan ook, het was duidelijk dat ze hem de duimschroeven hadden aangedraaid en ik had geen idee hoe lang hij dat nog zou volhouden.

Ik zag hen naar rechts afslaan en in westelijke richting rijden. Het leek dezelfde weg als waar ik Franklin voor de eerste keer had gezien, maar ik wist het niet zeker en weer waren we met twee auto's, de een achter de ander aan door de rimboe. Na zo'n vijf kilometer werd het een ongeplaveide weg en moesten de Russen langzamer gaan rijden en ik daarom ook. De situatie beviel me intussen steeds minder. Die kerels moesten wel volslagen idioten zijn als ze me nu nog niet hadden opgemerkt. Voordat ik de top van een heuvel bereikte, zette ik mijn lichten uit. De weg liep recht voor me uit steil naar beneden en ik kon hem een heel stuk volgen met mijn ogen, maar ik zag geen achterlichten en dus stopte ik en wachtte. Ik besefte dat ik me veel voorzichtiger gedroeg dan mijn gewoonte was en ik wist niet of ik dat wel prettig vond, maar plotseling drong het tot me door dat ik ook veel meer te verliezen had dan ooit tevoren. Ik wist niet wat ik ervan moest denken: ik zat daar en voelde me even een lafaard, ondanks het feit dat zij met z'n tweeën waren en dat ze zeker gewapend waren, terwijl ik alleen maar een jachtmes en een spuitbus antimuggenspray bezat. Ik zag hun lichten terugkeren op de weg – ze waren tussen de bomen gestopt om te zien of ze werkelijk werden gevolgd. Ik keek toe hoe hun achterlichten in de verte verdwenen en vroeg me af wat ik het beste kon doen. Er is een verschil tussen moed en domheid, zei ik tegen mezelf. Rosario moest het nog maar wat langer volhouden.

Nicky lag midden in het bed te slapen, zijn armen uitgestrekt naar mijn kant, alsof hij reikte naar iemand die er niet was. Ik wilde hem niet verplaatsen – ik was bang hem wakker te maken. Bovendien was ik eigenlijk niet moe, ondanks het late uur. Ik ging in een dik gestoffeerde oude stoel in een hoek van de kamer zitten en keek naar hem. Hij ging altijd zonder klagen naar bed en sliep als een roos, dat was typerend voor hem. De kleine duvel werd echter wel altijd vroeg wakker. Precies het tegenovergestelde van zijn vader. 'Vader,' Jezus, daar moest ik maar eens goed over nadenken.

Met mijn achtergrond is het moeilijk voor me mensen te begrijpen die wanhopig graag kinderen willen, omdat ze in mijn milieu geen idee hebben wat ze moeten beginnen met de kinderen die ze hebben. Je leest het overal in de kranten en ik snap het niet. Draagmoeders, reageerbuisbevruchting, eiceldonoren, spermadonoren, hormoonbehandelingen waardoor vrouwen baby's krijgen als nestjes muizen, terwijl ik mijn hele jeugd lang heb geschreeuwd: 'Hé, hallo, en ik dan?' Het zit in de genen denk ik, niemand wil zomaar een wildvreemd kind grootbrengen, wat ze willen is zich voortplanten. Ik ben een echte winnaar, kind, en ik zal je mijn DNA doorgeven, zodat jij ook een winnaar wordt. Net als ik.

En toch lag daar dat prachtige persoontje, deze geboren

charmeur midden in het bed van Eleanor Avery's logeerkamer te slapen en wat moest ik met hem beginnen? Het was niet goed voor hem om uit een plunjezak te leven en in motels en logeerkamers te slapen. Hoe goed mijn bedoelingen ook waren, hoe geweldig ik hem ook vond, als ik wilde dat hij een beter mens werd dan ik, dan moest ik de zaken anders gaan aanpakken. Verdorie, het is al moeilijk genoeg dat je verantwoordelijk moet zijn voor jezelf. Oké, ik deug niet, ik ben dit en ik ben dat, noem het allemaal maar op, mij maakt het niet veel uit. Ik geef het allemaal toe, maar nu heb ik een kind en als ik niet ergens een plek vind waar hij een eigen kamer en een fiets kan hebben en waar hij naar school kan gaan en wat er nog meer bijhoort, dan is het mijn schuld als er niets van hem terechtkomt. Wanneer hij achttien wordt, kan hij naar de universiteit gaan of naar de gevangenis en ik kon me op dat moment niet aan het gevoel onttrekken dat de beslissingen die ik nu nam het verschil tussen die twee opties zouden betekenen.

Zelfs Louis had het er beter vanaf gebracht dan ik. Zijn zoon was opgegroeid in een huis, het was zijn slaapkamer die Nicky en ik gebruikten. Oké, misschien was hij geen Bill Gates, maar hij was een gewone vent, een man met een baan, en de eigendommen die hij bij elkaar had weten te schrapen, behoorden hem echt toe. De wet stond tussen hem en degene die zijn bezittingen wilde stelen en hij hoefde zich niet bezorgd te maken over een of andere kerel met een aanhoudingsbevel of over twee Russen uit New Jersey die in het holst van de nacht konden opduiken om hem zijn geld en zijn gezin afhandig te maken.

Ik vroeg me af of het Bookman was die me had verraden. Ik kon niet bedenken hoe die klootzakken me anders zo snel op het spoor waren gekomen. Ze hadden me beslist niet op eigen kracht kunnen opsporen. Ik had geen creditcard gebruikt, ik had alles met contant geld betaald. Hoewel het geld tot voor kort van hen was geweest, of van degene die hen had ingehuurd, hadden zij het op hun beurt ook weer gestolen. Contant geld vertelt trouwens geen verhalen, het is nooit schoon of vuil, dat zijn alleen de handen die het vasthouden. Ik was op internet gekomen via de telefoonlijn van de Avery's, maar ik kon me niet indenken dat ze dat hadden kunnen traceren. Dan zouden ze van tevoren moeten weten welke sites ik zou bezoeken en ze zouden mijn internetadres moeten weten, en dat kende niemand behalve ik. Ik weet mijn sporen wel te verbergen, reken daar maar op. Niemand is meer paranoïde dan ik. De enige die ik kon bedenken die de stukken aan elkaar had kunnen passen, was Bookman.

Maar waarom zou hij dat doen? Wat voor spelletje speelde hij? Zelfs als de Russen hem een of andere beloning aanboden, kon ik me nog niet voorstellen dat Bookman die zou aanpakken. Smerissen gedragen zich als smerissen, dat zijn ze gewend. Hij leek me er trouwens ook geen type voor. Ik gaf het niet graag toe, maar ik mocht hem wel, zelfs al was hij een smeris.

Ik legde mijn voeten op de hoek van het bed. Nicky bewoog zich en mompelde iets in zijn slaap. Hij had het hier naar zijn zin, hij hield van Eleanor en Louis en hij was gek op dat stomme paard. Dat kind had nooit iets van zichzelf gehad, nog nooit. Ik wist dat dat voornamelijk mijn schuld was, maar dat kon ik nu niet meer veranderen. Ik kon niet teruggaan naar het verleden en hem een andere familie geven en eerlijk gezegd weet ik ook niet of ik dat had gedaan als ik het wel kon. Hij hoorde bij mij, snap je? Het zal wel aan het DNA liggen, maar hij was een deel van mij en ik was een deel van hem, hoe dan ook.

Op dat moment wist ik wat ik moest doen. Het is raar, maar je hoort die dingen je leven lang en ik weet niet hoe het anderen vergaat, maar ik wilde nooit luisteren. Ik wist altijd alles al, dus waarom zou ik aandacht besteden aan wat een ander zei? Toch hadden die stemmen gelijk gehad. Ik moest ophouden de gemakkelijkste weg te kiezen, de achterdeur uit te sluipen en de benen te nemen. Ik vond mezelf altijd zo geweldig slim. Dat vind ik nog steeds. Dus ga je gang, genie dat je bent, puzzel het uit. Zoek een manier om het te regelen met die Russen, los het op met Bookman, ruim je puinhoop eens een keer zelf op. Ik had nooit eerder in een huis gewoond, mijn hele leven lang niet. In een tehuis, ja, maar dat telde niet. Ik had nooit in een normaal huis gewoond, zoals dat van Louis, met een groen grasveld en een kat, om niet te spreken van het paard en de kippen en de rest. Zelfs toen ik het stadium had bereikt dat ik een succesvol inbreker kon worden genoemd, bezat ik nooit echt iets. Ik woonde nog altijd in appartementen, met mensen boven me, mensen beneden me en mensen links en rechts en zelfs die appartementen waren nooit van mij, ze waren altijd van iemand anders. Misschien kon het hier lukken, misschien konden we blijven. Als ik erin slaagde Nicky iets echts te geven, kon hij misschien ook opgroeien tot iets echts.

5

Toen ik wakker werd, vroeg ik me af of de Russen naar de kerk zouden gaan. Vreemd, wat er allemaal door je hoofd kan spoken. Het was zondagochtend, Roscoe's muziek dreunde nog na in mijn oren en mijn rug was stijf van het slapen in de stoel. Natuurlijk was Nicky al eerder wakker dan ik, maar hij had zich rustig gehouden. Hij zat bij het raam en keek naar het paard van de Avery's. Toen ik opstond, volgde hij me naar de badkamer en we wasten ons gezamenlijk. Hij scheen de band tussen ons heel vanzelfsprekend te vinden, hij accepteerde gewoon wat ik maar zo moeilijk kon begrijpen. En dat kon je niet afdoen door te zeggen dat hij nog te jong was en niet beter wist, en je kon ook niet zeggen dat het kwam omdat ik hem nog nooit had gekwetst of teleurgesteld. Dat had ik namelijk wel en niet zo'n beetje ook, maar toch vertrouwde hij me volkomen. En meer dan dat. Nicky ging ervan uit dat ik een goed mens was. Hij had vertrouwen in het beeld dat hij van mij had in zijn hoofd en ik voelde het gewicht van dat vertrouwen en die verwachtingen. Ik had er niet langer vrede mee, met de gewetenloze rioolrat die ik was geweest. Het was een totaal nieuwe ervaring voor me om door een ander mens zo onvoorwaardelijk hoog te worden gehouden en zeker te weten dat er iemand bestond die zich bezorgd om me maakte. Nu betekenden die paar minuten vroeg in de ochtend, waarin ik Nicky omhoog tilde zodat hij gekke gezichten kon trekken in de spiegel terwijl hij zijn tanden poetste, en de knuffel die ik zomaar zonder aanleiding van hem kreeg toen we klaar waren, de hele wereld voor me. Dit zou ik verliezen als die Russen wonnen.

Louis ging die ochtend naar de kerk. Hij was er al op gekleed toen Nicky en ik beneden kwamen. Hij had een pak aan dat minstens vijfentwintig jaar oud was, maar het was schoon en zijn schoenen waren glimmend gepoetst. Zelf glom hij ook, hij zag er piekfijn uit. Hij had die glans in zijn ogen die godsdienstige mensen soms krijgen en hij vroeg of Nicky en ik mee wilden. Doe me een lol, had ik het liefst gezegd, maar ik wees zijn aanbod beleefd af. Misschien een andere keer. Eleanor had een pijnaanval, zo vertelde Louis, en bleef in bed. Ik beloofde dat Nicky en ik stil zouden zijn.

We ontbeten samen met cornflakes en daarna zette ik Nicky voor de televisie van de Avery's. Zelf sloot ik mijn laptop aan en keek op internet. Ik bekeek kaarten van de omgeving en probeerde uit te zoeken waarheen de Russen de vorige avond op weg waren geweest. Het leek erop dat ze een sluipweggetje naar Calais hadden genomen, alsof ze hadden geprobeerd Route 1 te omzeilen. Ze logeerden beslist ergens in de omgeving en dus vroeg ik lijsten op van motels binnen een straal van zo'n tachtig kilometer. Het verbaasde me hoe weinig er waren en ik maakte me zorgen of ik ze wel allemaal had gevonden. Daarom zocht ik op verschillende manieren, maar het waren steeds dezelfde namen die kwamen bovendrijven. Ik stopte toen ik een lijst van zo'n twintig adressen en telefoonnummers had verzameld.

Mijn telefoonspelletje was simpel: 'Logeren er misschien mensen bij u met de naam Dubrovnic? Weet u het zeker? Meneer Dubrovnic en zijn neef zijn hier ergens om te vissen... Misschien hebben ze zich ingeschreven onder de naam van de neef. Och hemel, ik kan me zijn achternaam niet herinneren. Maar een grote vent, een Rus. Misschien is er zelfs een derde man bij... Niemand die aan die beschrijving beantwoordt? Jammer, dank u voor de moeite.'

Ik maakte een aantekening in mijn hoofd dat ik Louis wat geld moest geven voor het gebruik van de telefoon. Toen ik mijn lijst voor driekwart had afgewerkt, had ik beet, min of meer. 'Ik weet wie u bedoelt,' zei de dame aan de telefoon, 'maar ik ben bang dat u hen net hebt gemist. Ze zijn vanochtend vertrokken.'

'Nee, hè,' antwoordde ik. Het viel me niet moeilijk bezorgd te klinken. 'Dit is vreselijk. Ik heb een dringende boodschap voor meneer Dubrovnic, zijn vrouw is aan het bevallen, veel eerder dan verwacht en als ik hem niet te pakken krijg, vermoordt ze hem en mij erbij. Hebt u enig idee waar ze heen zijn gegaan?'

Ze liet haar stem dalen. 'Wel, aan mij hebben ze niets verteld, maar ik heb een van hen vanochtend een telefoontje horen plegen in het kantoor. Hij was bezig een huisje te huren ergens in de buurt van Grand Lake Stream. Ik weet niet of u daar iets aan hebt, want ze hebben geen telefoonnummer achtergelaten.'

'Och hemel,' zei ik. 'Ik zal er iets op moeten verzinnen. Dank u hartelijk voor uw hulp.'

Ik was net bezig een tweede kop koffie in te schenken, toen de telefoon ging. Het was Bookman en hij was op zoek naar mij.

'Is Louis naar de kerk?' vroeg hij.

'Ja.'

'Luister,' zei hij. 'Hoe die Russen je ook op het spoor zijn gekomen, het lek zit aan jouw kant en niet bij mij. En luister nu heel goed: ik wil niet dat er dode Ruski's opduiken in mijn district. Is dat duidelijk?'

'Meneer Bookman, u hebt een totaal verkeerd beeld van me.'

'Ja, dat zal best. Waar heb je Hopkins trouwens mee geraakt?'

'Mijn harde rechtse. Luister, die vent is gestoord. Ik heb het recht me te verdedigen.'

'Maak je niet druk, ik heb gehoord hoe het zat. Stomme idioot, hij zag eruit als een wasbeer met een witte neus vanochtend, twee blauwe ogen en een flink verband midden in zijn gezicht. Ik heb hem met onbetaald verlof gestuurd omdat hij je heeft aangevallen. Dit hing al een hele tijd in de lucht en ik geloof dat het hem uiteindelijk goed zal doen. Als hij maar half de man is die ik denk dat hij is, zal hij ervan leren, maar als jij hem opjut, krijgt hij die kans niet. Hij heeft opdracht uit je buurt te blijven en ik vraag jou bij hem uit de buurt te blijven.'

Ik begon de indruk te krijgen dat Bookman een blinde vlek had wat Hopkins betreft. Men zegt dat loyaliteit een goede eigenschap is, maar ik had er niet veel ervaring mee. 'Bookman, ik hoef niets te bewijzen aan Hoppie of aan wie dan ook.'

'Hoppie is een van de woorden die werken als een rode lap op een stier.' Ik hoorde de afkeuring in zijn stem. 'Ik zou het waarderen als je me hierin niet tegenwerkte.'

'Ik ben het toonbeeld van medewerking.' Hij snoof vol afkeer. 'Luister Bookman, misschien wilt u iets voor me doen. Ik heb vanochtend wat speurwerk gedaan en die twee Russen logeerden in een motel in Calais, maar ze zijn vanochtend vertrokken. De receptioniste zei dat ze een huisje hebben gehuurd bij Grand Lake Stream. Kunt u me misschien helpen? Het zou een opluchting voor me zijn als ik wist waar ze zijn en wat ze uitvoeren.'

Aanvankelijk antwoordde hij helemaal niet en ik vroeg me al af of ik misschien te ver was gegaan. 'Ik zal zien wat ik kan doen,' zei hij uiteindelijk en hing op.

Ik wist niet goed wat ik van Bookman moest denken. Hij had te veel laagjes. De eerste indruk die hij je gaf, was erg misleidend. Die uitstraling van gezette goedzak hing om hem heen als een jas, maar zijn ogen behoorden aan een heel ander schepsel. Hij vertelde je ook nooit genoeg, hij zei nooit precies wat hij wilde. Wat had hij met me gedaan die keer in zijn kantoor? Hij had me een paar hapjes informatie gevoerd en daarna leunde hij achteruit en liet mij de overhaaste conclusies trekken. De eerste keer dat ik met hem te maken kreeg, wist ik al dat hij slimmer was dan hij er uitzag. De vraag was alleen, hoeveel slimmer? Ik geloofde hem echter toen hij zei dat hij me niet aan die Russen had verlinkt. Dat was gewoon niet zijn stijl.

Ik begon weer over die Russen te piekeren. Het was duidelijk dat ze wisten dat ik hier ergens was, maar kennelijk wisten ze niet precies hoe ik er uitzag of hoe ik heette. Ze konden ook niet weten waar ik logeerde, anders waren ze allang Louis' huis binnengestormd. Ze hadden Rosario, maar daar hadden ze ook niet veel aan, want die kende me alleen bij de schuilnaam die ik in Brooklyn gebruikte. Toch moest ik ervan uitgaan dat ze hun vak verstonden, want ze hadden Rosey gevangen en gebroken en dat was vast niet gemakkelijk geweest. Dit is een van de moeilijke dingen wanneer je een misdadiger bent: je slaat een grote slag en dan word je ook meteen een doelwit. De koppensnellers komen al gauw achter je aan, inclusief de mensen die je als je vrienden beschouwde. En wat moet je dan, de politie bellen soms? Ik begon zenuwachtig te worden en over mijn schouder te kijken, verdorie.

'Hé, Nicky, ga je mee wandelen?'

We gingen eerst even naar de Subaru en wreven ons in met de antimuggenspray. Ik hing mijn kijker om mijn hals en zo liepen we de heuvel achter het huis van de Avery's op. Er vlogen twee meeuwen boven ons hoofd, de een zat de ander achterna. De achtervolger was een mantelmeeuw; die zijn gemakkelijk herkenbaar, want ze zijn groter dan andere meeuwen en bovendien, zoals de naam al enigszins aangeeft, is hun rug en de bovenkant van hun vleugels zwart. Meestal dan. Ik bedoel, af en toe zie je er een die helemaal wit is en soms een met grijze vleugels, maar deze was gewoon zwart. De andere vogel was waarschijnlijk een zilvermeeuw met een wit lijf, een grijze rug en grijs op de bovenkant van zijn vleugels, maar ik wist het niet zeker, want er bestaat wel een dozijn andere meeuwen die er vrijwel hetzelfde uitzien, zoals de ringsnavelmeeuw, de grote burgemeester, de kleine burgemeester en de kleine mantelmeeuw in een grijze fase en dan heb ik het nog niet eens over kruisingen en hele jonge meeuwen, want die zien er in mijn ogen allemaal hetzelfde uit. Meeuwen zijn lastig. Je moet het hebben van hele kleine verschillen: een zwarte of witte vleugeltip, lichte vlekken in de vleugelveren van onderaf gezien, misschien een zwarte ring om de snavel, of een rood vlekje en dat moet je dan herkennen terwijl het beest vliegt voor zijn leven en draait en duikelt om te ontkomen aan de grotere vogel die hem achtervolgt. Soms doden mantelmeeuwen andere meeuwen en vreten ze op. Ze grijpen ze in de lucht en schudden ze zo hard heen en weer dat ze hun nek breken.

Nicky begon gewend te raken aan mijn obsessie voor vogels en hij bleef naast me staan. We keken naar de twee meeuwen tot ze uit het gezicht verdwenen. 'Waarom zit die grote die andere achterna?' wilde hij weten.

'Waarschijnlijk heeft die kleine een vis gevangen en wil die grote hem afpakken.'

'Dat is niet eerlijk. Waarom gaat hij niet zelf een vis vangen?'

'Weet ik niet. Misschien is hij daar niet zo goed in. Misschien verstoppen de vissen zich wanneer ze hem zien aankomen.'

'Toch moet hij zijn eigen vis vangen.'

'Ja, je hebt gelijk.' Met dat antwoord leek hij tevreden te zijn en we liepen verder de heuvel op. Het is moeilijk de daden van dieren niet in termen van goed en kwaad te bezien. Men zegt dat dat niet kan, dat dieren gewoon doen wat ze moeten doen en dat er geen moraal bij komt kijken. Niemand vertelt je echter waarom dat bij mensen anders werkt. Ik wist wat de Russen zouden doen als ze me te pakken kregen en dat had heus niets te maken met een reeks abstracte regels over het uitoefenen van dwang. Zo waren ze gewoon, dat was wat ze deden. Dat gold vermoed ik ook voor mezelf toen ik het geld meenam, of toen de kerels van wie ik het had gestolen het op hun beurt ergens roofden. Alles is afhankelijk van waar je staat wanneer de dingen gebeuren.

Nicky en ik hingen wel een uur lang rond op Louis' bosperceel. We bleven uit de buurt van de plek waar de Amerikaanse eik was omgevallen; we liepen verder de heuvel op en het bos in. Je kon zien waar Louis hier en daar een boom had omgehakt en er lagen stapels takken die langzaam opgingen in de bodem. Louis hakte zijn brandhout niet op de manier waarop andere mensen dat deden, dacht ik. De meesten zouden dicht bij het huis beginnen en dan langzaam naar achteren werken en alles omhakken wat dikker was dan een potlood. Louis haalde er echter hier en daar een boom tussenuit en spaarde de mooiste exemplaren. Ik hoorde een specht tegen een boom roffelen, maar ik kon hem niet ontdekken. Hij bleef van plaats wisselen en hield afstand. Verstandig beest.

Na een poosje liepen we de heuvel weer af. Ik hield Nicky tegen net voordat we tussen de bomen uit kwamen en bekeek het huis van de Avery's eerst door mijn kijker. Er was iemand in het weiland naast Louis' huis, bij het paard. 'Ik vraag me af wie dat is,' zei ik eigenlijk vooral tegen mezelf.

'Dat is Eddie,' antwoordde Nicky.

'Eddie? Oh, je bedoelt Edna. Hoe weet jij dat?'

'Ze komt soms overdag wanneer jij weg bent. Ze komt helpen wanneer mevrouw Avery zich niet goed voelt.'

'Wow, Nicky, jij hebt scherpe ogen. Laten we hier nog even wachten, oké?'

'Oké, pappie.'

Ik sloeg haar gade door mijn kijker. Ze droeg stevige laarzen, een spijkerbroek en een geruit overhemd met opgerolde mouwen. Als ik haar in de stad had zien lopen, had ik waarschijnlijk aangenomen dat ze lesbisch was, maar hier in de rimboe kon je dat niet zo gemakkelijk zeggen. Ik was eraan gewend dat mensen hun kleding kozen om daarmee iets over zichzelf uit te drukken, maar hier droegen de mensen kleren die pasten bij hun bezigheden.

'Gaan we nu naar beneden?' Nicky begon onrustig te worden.

'Ja, we gaan,' antwoordde ik. 'Nog heel even.' Mijn paranoia speelde heftig op en ik wilde zeker weten dat ze alleen was. Ik wist niet wat het voor verschil maakte, maar ik heb de neiging deze innerlijke waarschuwingen serieus te nemen.

Nicky trok aan me. 'Kom nou, pappie.'

'Kom dan maar.' Als er vreemden in het huis waren, zouden ze toch niet naar buiten komen met een bordje met hun namen erop. We liepen de heuvel af. Nicky had het laatste half uur in het bos tekenen van vermoeidheid vertoond, maar nu liep hij naast me te springen.

'Mag ik vast gaan? Mag ik rennen, pap?'

'Als je maar niet valt en je pijn doet.' Hij draaide zich om en grijnsde naar me. Daarna klopte hij me even op mijn heup, misschien om hem geluk te brengen, en stormde de heuvel af. Het paard moet hem hebben horen aankomen – hij tilde zijn kop op. Edna draaide zich om en zag ons komen. Tegen de tijd dat ik beneden aankwam, had ze Nicky al op het paard gezet, waar hij zo breed zat te grijnzen dat zijn gezicht haast leek te scheuren. Ik ging niet met hen mee het weiland in, maar bleef op de omheining geleund naar hen staan kijken. Edna zei iets tegen Nicky en hij knikte en klopte het paard op zijn nek. Edna kwam naar me toe en ging binnen de omheining naast me staan.

'Dag,' zei ze. 'Wat heb je met Hoppie uitgevoerd?'

'Oh,' antwoordde ik, 'we moesten nodig een gesprek hebben over non-agressie en wederzijds respect. Nou, ik moet zeggen dat de tamtam hier in de omgeving behoorlijk actief is.'

'Ja, dat kun je wel zeggen,' zei ze. 'Maar wat is er nu echt gebeurd?'

'Ik ging naar Roscoe's band luisteren en daar was Hop, straalbezopen. Gelukkig maar, denk ik, want daardoor was hij gemakkelijker te hanteren. Hij viel me aan en ik moest hem wel ontmoedigen.'

'Dat heb je nogal grondig aangepakt, heb ik gehoord.'

'Moet ik me nu zorgen maken dat hij terugkomt voor een revanchewedstrijd?'

'Reken maar. Hop moet altijd het laatste woord hebben, altijd.' Ze keek me aan. 'Als ik iemand had zoals Nicky om rekening mee te houden, zou ik zorgen dat ik hier ver uit de buurt kwam.' Ze staarde naar de grond. 'Het gaat me niets aan, maar ik hoop dat je niet zo iemand bent die zich graag op de borst klopt om iedereen te laten zien hoe stoer hij is. Ruzie zoeken met Hop zou een ernstige vergissing zijn.'

'Ik ben geen opschepper. Maar luister, hij viel mij aan.'

'Weet ik. Ik probeer je niet te vertellen wat je moet doen.' Ze keek naar het huis.

'Hoe gaat het met Eleanor?' vroeg ik haar.

'Niet zo geweldig.' Ze wierp een blik op Nicky op het paard en daarna leidde ze me een paar stappen verder bij hem uit de buurt. 'Hoeveel hebben ze je verteld?'

'Hoeveel hebben ze me verteld over wat?'

Ze staarde me wel een minuut lang aan en het viel me op hoeveel ouder ze leek dan ze eigenlijk was. Mijn volgende gedachte was die oude vertrouwde mannelijke opwelling, je weet wel, ze is oud genoeg, of althans groot genoeg en ze lijkt zo interessant...

'Over haar tumor.'

Dat trok mijn aandacht. 'Tumor? Niemand heeft iets gezegd over een tumor. Louis had het over pijnaanvallen.'

'Typisch Louis,' antwoordde ze met een afkeurend mondje. 'Nooit toegeven dat je problemen hebt, nooit om hulp vragen.' Ze schudde haar hoofd. 'Eleanor heeft pijnaanvallen omdat ze een tumor in haar buik heeft. Louis is met haar naar een dokter in Machias geweest en daar heeft Eleanor een geweldige hekel aan, want ze heeft agorafobie.'

'Bang voor truien?'

Ze wierp me een boze blik toe. 'Dat zou angorafobie zijn. Agorafobie, dat ze nooit het huis uit komt.'

'Ja, dat was me al opgevallen.'

'Afijn, die dokter heeft gezegd dat ze een tumor heeft en als ze haar nu direct opereren, voordat het verder uitzaait, dan heeft ze een goede overlevingskans. Het probleem is dat de gratis gezondheidszorg van de overheid die operatie niet wil vergoeden. Louis heeft me verteld dat die dokter zei dat ze de zaak zeker nog een jaar zullen weten te rekken en tegen de tijd dat ze er eindelijk van overtuigd zijn dat de operatie noodzakelijk is, is het te laat.'

'Jezus.'

'Ja. Het probleem is dat het, zelfs al doet die chirurg het voor niets, nog zo'n veertigduizend dollar kost en dat heeft Louis niet. Het zou net zo goed veertig miljoen kunnen kosten.'

'Meen je dat? En dat stuk land in Eastport dan, dat Sam Calder wil kopen?'

'Nu wil hij het niet meer kopen. Hij moet hebben gehoord dat Louis helemaal klem zit en nu wil hij alleen een recht van overpad kopen. Hij heeft hem vijfentwintigduizend dollar geboden. Hoe het ook uitpakt, of Louis hem dat recht verkoopt of niet, hij denkt dat hij in elk geval zijn huis zal verliezen.'

'Verdomme.' Geen wonder dat Louis en Eleanor bereid waren Nicky en mij onderdak te verlenen en hun huis in bezit te laten nemen tot mijn auto gerepareerd was. Ze hadden elke cent nodig die ze konden krijgen.

Edna keek omlaag en schopte met haar laars tegen de grond. 'Zullen we dat nu laten rusten? Kunnen we over iets anders praten?' Ze keek naar de kijker die om mijn hals hing. 'Je zoon zei dat jullie in het bos waren om naar vogels te kijken. Ben je een vogelaar?'

'Ja, dat kun je wel zeggen. Ik ben ervoor in therapie geweest, maar waarschijnlijk ben ik een hopeloos geval.'

'Hoe ben je daarop gekomen?'

'Dat weet ik niet meer.' Dat was een leugen. De eerste vogels die ik bewust zag, waren de haveloze donkerbruine beestjes die altijd op de binnenplaats van de gevangenis rondhingen. Het waren spreeuwen, maar dat wist ik toen nog niet. Het viel me alleen op dat ze zich aan geen enkele regel leken te storen. Ze gingen waar ze wilden en ze deden wat ze wilden en trokken zich van niemand iets aan. Dat had ik mis, want vogels leiden over het algemeen een bestaan dat nauwelijks minder aan regels is gebonden dan dat van gevangenen, maar tegen de tijd dat ik daar achterkwam, was het te laat – toen was ik al helemaal bezeten van vogels kijken.

Ze draaide zich om en leunde tegen de binnenkant van de omheining. 'Gaat het nog goed, lieverd?' riep ze tegen Nicky. 'Wil je er soms af?'

Nicky schudde zijn hoofd en grijnsde. Ik denk dat hij niets liever deed dan op dat paard zitten. Ze wendde zich weer tot mij. 'Dus daarom ben je in Maine? Om vogels te kijken?'

'Nee, niet echt. Ik kijk altijd naar vogels, waar ik ook ben.' Denk na Manny, waarom ben je hier? Je moet een of andere geloofwaardige verklaring geven... 'Nicky's moeder is een paar jaar geleden gestorven en sinds die tijd wonen we in Brooklyn. Kun je je dat voorstellen, een kind als hij dat de hele dag binnen zit opgesloten? Ik ben op zoek naar iets beters voor hem.'

Ze schudde haar hoofd. 'Er is hier geen werk, Manny. Je zult hier geen baan kunnen vinden.'

'Ik ben softwaredesigner. Binnen bepaalde grenzen kan ik zo'n beetje overal werken. Ik denk dat ik hier ben om uit te zoeken wat het beste voor ons is.'

'Zou je New York opgeven voor hem?'

'Oooh. Wat een idee.' Ja, maar toch zou ik dat doen, nu je het zegt, ik zou alles opgeven voor Nicky. Dat was geen weloverwogen beslissing, dat was iets wat ik me op dat moment realiseerde, misschien omdat Eddie ernaar vroeg, ik weet het niet. Wat een vreemde gewaarwording, wat een merkwaardig gevoel, dat ik mijn leven zou opofferen, dat ik mezelf zou opgeven voor een ander mens, ook al was die aan mij verwant. Ik voelde de emoties over me heen spoelen, haast als een duizeling en op dat moment verloor ik bijna de controle, hoewel dat tegen al mijn instincten in ging. Ik bedoel, als je een zwakke plek hebt, durf je die nooit in het openbaar te laten zien, toch? En dus duwde ik mijn gevoelens diep weg, zodat ik ze weer tevoorschijn kon halen wanneer ik alleen was. 'Misschien kan ik af en toe even terug voor een bezoekje.'

Ze glimlachte en samen keken we hoe Nicky op het paard zat en het dier langs zijn nek streelde en zachtjes tegen hem praatte. Ander onderwerp, dacht ik. 'Ben je vanochtend al bij Eleanor geweest?'

'Ja,' antwoordde ze.

'Ik vind dat ik Nicky mee moet nemen voor een uitje of zoiets. Zodat Eleanor rust heeft. Nicky wordt heel luidruchtig wanneer hij te lang binnen opgesloten heeft gezeten.'

'Goed idee,' zei ze. 'Als jullie het leuk vinden om te varen, zou je Hobart kunnen bellen, de man van wie je de Subaru hebt. Hij heeft een kreeftenboot en meestal vaart hij daarmee uit op zondagmiddag. Ik durf te wedden dat hij meer weet over de hele baai dan wie dan ook. Vraag of hij jullie mee wil nemen, dat vinden jullie vast leuk.'

'Bedankt, Eddie. Misschien doe ik dat wel.'

* * *

Hobart herkende mijn stem. 'Hoe houdt de Subaru zich?' vroeg hij.

'Prima,' stelde ik hem gerust. 'Luister, ik wil mijn zoon graag bij Louis en Eleanor uit huis hebben voor een middagje. En ik heb me laten vertellen dat ik bij jou moet zijn als ik Passamaquoddy Bay wil bekijken.'

'Zeker,' zei hij. 'Ik was eigenlijk van plan vanmiddag uit te varen. Je kunt meegaan, ik heb wel zin in wat gezelschap.' Hij legde me uit waar ik zijn boot kon vinden en we spraken af elkaar daar te ontmoeten. Voordat we weggingen, controleerde ik mijn voicemail nog, maar er waren geen berichten.

Zijn boot lag vastgemeerd aan een steiger op hoge palen die uitstak boven het water van een ronde inham met de naam Bailey's Folly. Deze lag buiten Passamaquoddy Bay, ten zuiden van Lubec, en door de nauwe monding van de inham zag je het koude water van de zuidkant van de Bay of Fundy. Aan de ene kant stonden enkele huizen en ergens blafte een hond toen Nicky en ik over de steiger liepen. Aan de zijkant van de steiger was een lange wandelgang die schuin afliep naar een vierkant houten platform dat in het water naast de pier dreef. Met het rijzen en dalen van het water bewoog het platform waar Hobarts boot aan bevestigd was mee. Er lagen stapels kreeftenvallen van metaalgaas op het platform, overdekt met slierten gedroogd zeewier en zeepokken.

De boot zelf was van polyester, groen aan de buitenkant en wit van binnen, misschien zo'n zeven of acht meter lang, met een soort provisorisch afdakje rond het stuurwiel en de gashendel. Waarschijnlijk bleef je daaronder wel iets droger wanneer het regende, mits het niet te hard waaide, wat hier meestal wel het geval was. Het ding verschilde niet van de duizenden andere kreeftenboten die overal langs de kust lagen. Nicky en ik klauterden het platform op tot achter een stapel kreeftenvallen en gingen zitten. Met mijn kijker kon ik voorbij de mond van de inham kijken, waar een troep meeuwen op het woest kolkende water zat. Ze lieten zich meevoeren door de razende stroming en aten iets dat aan de oppervlakte dreef. Nicky ging op zijn handen en knieën bij het water zitten en stak zijn hand erin. 'Koud,' zei hij. Daarna kwam hij naast me zitten en ik gaf hem de kijker om mee te spelen.

'Draai maar aan dat wieltje aan de bovenkant,' leerde ik hem. 'Draai het heen en weer tot je iets kunt zien.' Ik liet hem zien hoe het werkte en ik weet niet of hij het snapte, maar hij zat er heel tevreden mee te prutsen.

Ongeveer een kwartier later hoorde ik voetstappen aankomen. Dat moest hem zijn – er lagen geen andere boten. Ik stond op.

'Ah, daar ben je,' zei hij. 'Eerder dan ik.'

'Dit is mijn zoon Nicky. Nicky, dit is kapitein Hobart.'

Nicky's mond viel open. 'Kapitein?'

Hobart grinnikte. Het was het eerste echte teken van emotie dat ik bij hem opmerkte. 'Hallo, knul,' zei hij. 'Wil je wel meevaren in mijn boot?'

Nicky's mond viel nog verder open. 'Is dat uw boot?'

'Ja. Kom maar aan boord.' Ik gaf hem Nicky aan en klom toen zelf aan boord en ging zitten op de overkapping van de motor bij de achtersteven. Hobart stapte op het platform en maakte een touw aan de voorkant van de boot los. Vervolgens stapte hij weer in en startte de motor. Hij wees naar mij. 'Gooi ons eens los daar,' riep hij. 'Maak dat touw los.'

De achtersteven van de boot was aan het platform verbonden door een touw. Ik zocht naar het uiteinde dat aan de boot was bevestigd. 'Aan de andere kant,' zei Hobart. 'Het is om die klamp daar op het platform gewikkeld.' Ik kreeg het touw los. Hobart zette de boot met een plof in de versnelling en duwde de gashendel naar voren. Hij draaide aan het stuurwiel en de boot tufte weg van het platform. Daarna vlocht hij een stuk touw rond een van de spaken van het stuurwiel. Als een soort automatische besturing, vermoedde ik. 'Nicky, we gaan jou een zwemvest aantrekken, oké?' zei Hobart.

Nicky was helemaal betoverd en knikte langzaam. Hobart zocht in een houten kastje en haalde er een kinderzwemvest uit. Er zat een ring aan de achterkant met een stuk touw eraan. Hobart knielde om Nicky het zwemvest om te doen. 'Dit stuk touw hier is een veiligheidslijn,' zei hij. 'Zo kunnen we je niet verliezen, oké?' Hij keek naar mij. 'Sommige kinderen willen dat touw niet, dan voelen ze zich als een hond aan de ketting, maar het is echt noodzakelijk. Als hij overboord zou vallen, zou het zelfs met dat zwemvest aan een zware klus zijn hem weer terug te krijgen. Alleen al zijn gezicht uit het koude water houden zou een enorme opgave voor hem zijn.'

'Jij vindt het niet erg, hè Nicky?' vroeg ik hem. Hij keek me aan, geen flauw idee wat we bedoelden. 'Alles goed?'

Hij knikte weer.

'Wil je achterin gaan zitten of wil je hier blijven staan?'

Na lang nadenken deed hij zijn mond dicht en slikte. Hij keek om zich heen en toen weer naar mij. 'Hier,' antwoordde hij en wees naar de plek waar hij op het dek stond. Ik denk dat hij volkomen overdonderd was. De boot, het water, het lawaai van de motor en de geur van de baai hadden hem in de war gebracht. Ik geloof dat hij deed wat alleen kleine kinderen kunnen: zich helemaal openstellen en alles opzuigen.

Hobart duwde de gashendel nog een stukje naar voren en de boot ging sneller, maar niet veel. Het was een werkboot en het tempo was langzaam of nog langzamer. 'Bedankt dat we mee mochten,' zei ik. 'Ik ben nog nooit op deze manier op het water geweest.'

'Wel, hier is het,' zei hij en omvatte met een kleine handbeweging het water en de eilanden om ons heen. 'Daar is de baai. Het is een hongerige plek. Elk levend wezen dat je daar buiten ziet, is op zoek naar iets eetbaars. In de vaargeul daar zitten dolfijnen.'

'Waar?'

'Voor je uit en dan links, in de geul tussen Lubec en Campobello Island, die komt uit in de baai.' Daarop wees hij naar wat wazige, neongroene vlekken op een sonarschermpje voor hem. 'Dat daar is waarschijnlijk een school haringen. Ik durf te wedden dat die dolfijnen daarop jagen.'

Ik keek langs zijn vinger en een minuut later braken ze door het wateroppervlak met hun gestroomlijnde ronde vormen, bekroond met kleine rugvinnen. 'Ik zie ze. Geweldig.'

'Pappie.'

Ik keek omlaag en zag Nicky door de kijker staan turen. 'Wat is er?'

Hij wees onvast, omdat hij met zijn ene hand de kijker voor zijn ogen probeerde te houden en met zijn andere trachtte te wijzen. 'Ik zie een vogel,' zei hij. 'Daar.'

Ik keek, maar ik zag alleen een rotsachtig eilandje uit het water steken. Bovenop was een klein groen plekje als een gekrompen toupet. Ik vermoedde dat alleen dat stukje bij vloed boven water uit bleef steken. 'Ik zie geen vogel.'

'Tien punten voor mij,' riep hij. 'Hij zit op die rots daar.'

Ik kneep mijn ogen half dicht. 'Ja, nu zie ik iets. Knap gedaan, Nicky. Ik kan niet zien wat het is, hij is te ver weg.'

'We kunnen wel gaan kijken als je wilt,' zei Hobart. 'Kuifaalscholvers gaan graag op die rots staan om hun veren te laten drogen, zodat ze weer kunnen vliegen.'

Nicky overhandigde me de kijker en ik tuurde erdoor. 'Te groot voor een kuifaalscholver, denk ik. Te groot voor een havik zelfs. Grote gekromde snavel. Hebben jullie hier arenden?'

'Zat. Binnen een straal van vijftien kilometer vanaf hier waarschijnlijk wel vijftig zeearenden. Soms zie je er een hele rij van hangen.'

'Hangen?'

'Ja, ze hangen gewoon tegen de wind in, snap je, bewegingloos boven het water.'

Het was een arend, een jonge vogel van datzelfde jaar zonder de karakteristieke witte kop die hij zou krijgen wanneer hij volwassen werd. Hij was echter wel groot, groter zou hij niet worden. Hij werd onrustig door onze komst, kromde zijn vleugels en zocht een andere rots op verder weg. Hobart wees met een ruk van zijn hoofd naar een bebost eiland dat opdoemde aan de andere kant van het eiland waar de vogel zat. 'Daar zit een nest in de sparren,' zei hij terwijl hij aan het stuurwiel draaide en ons de stroming in laveerde. 'Wil je het zien?'

'Nee. Laten we ze maar met rust laten.'

'Oké.'

Ik controleerde nogmaals de voicemail van mijn mobiele telefoon, maar weer niets. 'Hoe lang woon je hier al, Hobart?'

'Mijn familie is hierheen verhuisd toen ik tien was.'

'Meen je dat? Hemel, als het hier nu al zo rustig is, moet het toen wel helemaal uitgestorven zijn geweest.'

Hobart schudde zijn hoofd. 'Daar vergis je je in,' zei hij. 'Er was hier toen nog een hele reeks sardientjesfabrieken in bedrijf.' Inmiddels waren we in de vaargeul tussen Lubec en het grote eiland ten noorden daarvan terechtgekomen en de baai strekte zich nu voor onze ogen uit. De lucht was bewolkt, zodat het wateroppervlak een nevelkleurige weerschijn kreeg. De wind bestookte ons onafgebroken, hij leek op de stromingen in de baai, onophoudelijk, onvoorspelbaar en koud. Hobart wees ons het stadje Eastport aan, verder naar het westen langs de zuidelijke oever van de baai. Vanaf het water zag het eruit als een rij huizen van twee of drie verdiepingen op een richel langs de kust, met een paar werven in het water en nog een paar andere huizen tussen de bomen op de lage heuvel achter het stadje. Ongelooflijk pittoresk, maar vrijwel verlaten. 'Vroeger stonden de visfabrieken zij aan zij langs de waterkant daar. Elke kleine inham had zijn fabrieksgebouw. Ik heb deze baai nog gezien vol met haring, één gigantische school van tien tot twaalf kilometer breed en alles wat haring eet zat er achteraan. Kabeljauwen, koolvissen, grote blauwvintonijnen, dolfijnen, zeehonden, haaien, walvissen...'

'Walvissen? Serieus? Welke soort?'

'Vinvissen,' antwoordde hij. 'En dwergvinvissen. En weet je, de oude bewoners klaagden toen al dat er niets over was. Ze vertelden verhalen over heilbotten zo groot als deze boot en kreeften van meer dan een meter lang in hun netten.'

'Geloof je hen?'

'Ja'

'Wat is er gebeurd dan?'

'Vroeger voeren de vissers uit in houten zeilboten van zo'n vijftien tot twintig meter lang. Ze hadden geen koeling aan boord, alleen zout. Ze gingen vissen op plekken waar ze al eerder goede vangsten hadden gedaan, of waar hun vaders geluk hadden gehad, want meer wisten ze niet. Dat was alle technologie waarover ze beschikten. Tegen het einde, zo'n twintig jaar geleden, lagen er hier complete fabrieksschepen uit de hele wereld net voor de kust waar alles al aan boord werd verwerkt en ingevroren. Er waren ongeveer duizend vissersboten die ze aan het werk hielden en die hoefden niet meer te gissen waar de vis was.' Hij tikte met zijn knokkels op zijn sonarscherm. 'Als er ergens vis was, konden ze die zien en vangen.'

'Jammer. En nu is alles weg?'

Hij haalde zijn schouders op. 'Iemand als jij, die het hier vroeger nooit heeft gezien, denkt nog steeds dat de baai een paradijs is. Vorige week heb ik nog een tonijn gezien die wel haast twee meter lang was. Hij had een troep haringen die inham binnengedreven waar mijn boot was vastgemeerd en hij was ze in het ondiepe water aan het opvreten. Meer dan dertig centimeter diep was het niet. Ik durf te wedden dat hij minstens zeshonderd pond woog.'

'Dat is niet mis.'

'En sommige andere dieren komen hier ook nog wel, koolvissen, af en toe een walvis, zeehonden en dolfijnen. Tienduizend dollar boete voor het afschieten van een zeehond.'

'Waarom zou iemand een zeehond willen afschieten?'

'Dat kan heel verleidelijk zijn als je hem samen met de vis naar boven haalt en hij als je niets doet een gat in je net zal scheuren, zodat je met vijfentwintigduizend dollar aan schade en vangstverlies blijft zitten.' Hij wierp me een blik toe. 'Wil je dit allemaal wel weten?'

'Het interesseert me.'

'Oké. Dat is Lubec, daar aan je rechterhand en daar voor ons uit ligt Eastport. Rechts ligt Campobello Island. Alles wat je ziet aan die kant, is Canada. President Roosevelt had daar een zomerhuis, als je over die brug daar bij Lubec rijdt, kun je het bezichtigen als je wilt. De vaargeul waar we nu in zitten heet Friar's Road.' Hij draaide het stuurwiel naar links, zodat we in de richting van Canada gingen. 'Daar in het water, die rots aan de voet van die steile klippen, dat is Friar's Rock.' Uit de verte leek het inderdaad op een tien meter hoog beeld van een monnik in een pij, een slanke gestalte van steen die uit het water oprees aan de voet van een klip.

'Daar verderop, aan de andere kant van de baai, liggen Deer Island en Indian Island en het water daartussen heet de Indian Road. Eastport is gebouwd op de rand van Moose Island, er loopt een verhoogde weg heen, maar dat weet je al. Die kleine eilandjes langs de zijkant van Moose Island zijn de Dog Islands. Hier in het midden heb je honderddertig meter water, je hebt de Saint Croix die tussen Moose Island en Deer Island doorstroomt, je hebt de stroming door de Indian Road en dan heb je nog de getijden die het water hier in Friar's Road doen rijzen en dalen. Normaal gesproken zo'n zeven tot acht meter hoogteverschil, maar soms veel meer. Ik weet niet hoe dat komt, de maan of de planeten of wat dan ook, maar soms ziet het er ook uit zoals nu, laag tij tot twee meter lager dan gewoonlijk en hoog tij zo'n twee meter hoger dan normaal. Stel je dat voor, tweemaal daags het dubbele van de normale hoeveelheid water die hier in- en uitstroomt. Zie je dat merkteken daar op Deer Island?' Hij wees het aan, een grote witte driehoek op de oever.

'Ja.'

'Aan deze kant is er ook een, precies tegenover die andere, maar we kunnen het vanhier niet zien. Wel, dat stuk tussen de merktekens wordt de Old Sow genoemd. Meestal ziet het water er daar uit als een grote kookpot. Er komen daar kolken water van wel anderhalve meter hoog boven het oppervlak uit. Zomaar, vanuit het niets, uit de stromingen die er rondwervelen. Het ziet er nu al behoorlijk ruig uit daar, vind je niet? Maar het is nu eb, en dan stelt het helemaal niets voor. Bij vloed, zo tussen een uur nadat het water opkomt en een uur voordat het zich weer terugtrekt, kun je hier in het midden van de getijdenstromen echte draaikolken zien. In de veertig jaar dat ik hier ben, was de grootste die ik heb gezien wel acht meter breed en misschien zeven meter diep en die dag was de vloed lang niet zo heftig als de afgelopen dagen. Je kunt die draaikolken horen grommen, zelfs op de oever hoor je het. De laatste paar getijden zijn de ergste die ik me kan herinneren. Ik heb geen idee hoe hoog het water zal komen bij de volgende vloed. Als je hier op het water bent bij vloed, leer je misschien meer over Passamaquoddy Bay dan je wilt weten, jongen.'

'Maar nu toch niet?'

'Welnee. Het is eb, wat je nu ziet is gewoon een beetje beweging.' Wat hij 'een beetje beweging' noemde, zag er in mijn ogen al bedreigend genoeg uit. Op het water dobberende meeuwen scheurden ons voorbij, meegetrokken door de stroom. Als je hier overboord ging, zou het een verschrikkelijke klus zijn je in te halen. En dan maar hopen dat je onderhand niet door iets werd opgevreten.

Op de terugweg zag ik net buiten Bailey's Folly een merkwaardige vogel, zoiets als een meeuw, alleen tien keer groter, hoewel het moeilijk is afmetingen in te schatten tegen een achtergrond van lege oceaan en hemel. Hij had ongelooflijk lange, slanke vleugels en hij vloog alsof hij moe was, met vleugelslagen als de schreden van een marathonloper. Ik kon hem niet goed zien en tegen de tijd dat ik mijn kijker had ingesteld, was hij al te ver weg. Het kan een albatros zijn geweest. Die zie je niet vaak langs de noordelijke Atlantische Oceaan en persoonlijk had ik er nog nooit een gezien. Ik heb me laten vertellen dat er wel eens afgedwaalde exemplaren door de wind worden meegevoerd. Een albatros heeft wind nodig om te kunnen vliegen en daardoor wordt er wel eens een met een storm aangevoerd van het zuidelijk halfrond. Wanneer hij eenmaal hier is beland, kan hij niet meer terug, hij kan niet op eigen kracht over de gebieden met windstilte heenkomen. Je vraagt je af of zo'n vogel zijn partner en alle plekken die hij kent mist. Je vraagt je af of hij beseft dat hij nooit meer naar huis kan.

Ik tilde Nicky op. Ik maakte me wijs dat ik dat deed omdat hij alles dan beter kon zien, maar misschien was het wel omdat ik alles dan beter kon zien, ik weet het niet. Hij sloeg zijn arm om mijn schouder en staarde over het water. Hij had nog altijd die uitdrukking van verwondering op zijn gezicht. Een ogenblik later draaide hij zich om en keek me aan. 'Vind jij boten leuk, pap?'

'Ja, ik vind boten leuk.'

'Ik ook,' zei hij.

Die avond na het eten liep ik naar buiten, want ik kreeg het een beetje benauwd. Ik zei dat ik die dwergooruil nog een keer wilde zien en dat was ook wel zo, maar de echte reden was dat ik het gevoel had dat ik geen lucht kreeg. Het grootste gedeelte van mijn leven had ik in een zekere eenzaamheid doorgebracht. Eigenlijk vreemd, want wanneer je nadenkt over het stadsleven, denk je automatisch aan de onontkoombare druk van al die mensen die dicht op elkaar wonen. De waarheid is echter dat je overal in New York tijdens het spitsuur op straat kunt lopen en toch volkomen alleen kunt zijn. Dat had iets merkwaardig geruststellends, omringd zijn door miljoenen mensen en toch weten dat geen van hen je kan raken, dat geen van hen op de een of andere manier bij je hoort. En toch woonde ik hier nu ergens diep in de rimboe in een prachtig groot huis met slechts drie andere mensen en kon ik het netwerk van onzichtbare zenuwuiteinden voelen dat ons met elkaar verbond. Ik kon daadwerkelijk Eleanors verdriet voelen over dat ding dat in haar buik groeide en over het feit dat het dit leven waar zij en Louis zo hard voor hadden gewerkt zou verwoesten. Ik voelde ook Louis' bezorgdheid om haar en zijn hulpeloosheid en zijn angst. Ik voelde zelfs Nicky's hart, niet klein en hard als het mijne, maar groeiend en zich steeds meer openend in dit huis. Dat was meer input dan ik kon hanteren, ik voelde me als een drenkeling die water binnenkrijgt. En ze vroegen niet eens iets van me, daar lag het niet aan. Eleanor voelde zich iets beter, ze was opgestaan en surfde op internet op mijn laptop. Nicky keek naar de televisie en Louis zat aan de keukentafel, dronk whisky uit een koffiekopje en speelde patience. Eleanor was bleek weggetrokken toen ze hem de fles tevoorschijn had zien halen, maar ze had niets gezegd. Dat ging mij niets aan. Ik sloeg Eleanor gade en dacht aan wat Eddie Gevier me had verteld. Ik vroeg me af of Eleanor zou doodgaan bij gebrek aan die stomme veertigduizend dollar. En daarna begon ik erover te piekeren of ik zelf soms ook de kiem van mijn eigen dood met me meedroeg, ergens diep van binnen, wachtend op de juiste tijd. Zou er soms iets mis met me zijn, iets waardoor ik niet in staat was me om iemand anders te bekommeren dan mezelf? Kort daarop voelde ik dat ik naar buiten moest. Ik moest even alleen zijn, tot ik weer adem kon halen.

Ik bleef even staan bij de Subaru om mijn kijker en wat insectenspray te pakken en zocht toen een comfortabel plekje aan de andere kant van het erf. Ik hield me zo stil mogelijk, ook al maakte dat niet veel uit. Zelfs al bleef ik onbeweeglijk zitten, dan nog zou de uil mijn ademhaling horen. Een uil kan van dertig meter afstand een muis over harde grond horen lopen en met behulp van die zwakke geluiden kan hij de exacte plek bepalen waar die muis zich bevindt. Als ik die uil echt nog eens wilde zien, moest ik goed opletten. Hij kon mij horen, maar ik hem niet. Ik hoopte dat hij niet in mij geïnteresseerd was en gewoon zou doen wat hij wilde doen zonder zich iets van mij aan te trekken. Naarmate het donkerder werd, kwamen er meer insecten. Het insectenwerende middel hield de muggen van mijn gezicht en mijn handen, maar ze streken wel neer op mijn shirt en mijn spijkerbroek en zochten naar dunne plekken. Een mug doorboorde een van mijn sokken en stak me in mijn enkel.

Ik werd nog meer afgeleid. Twee vleermuizen doorkruisten de lucht boven de Subaru en de pick-up van Louis. Ik denk dat ze op de insecten afkwamen die werden aangetrokken door de vage lichten van het huis. Ik sloeg ze gade tot het te donker werd om ze te zien. Het was een heldere avond zonder maan en zelfs met het blauwe licht van Louis' televisietoestel op de achtergrond was het donkerder dan ik ooit bewust had ervaren. De sterren kwamen tevoorschijn, hard en koud en die nacht in Maine leken ze me dichterbij dan ooit tevoren. Eerlijk gezegd had ik nooit aandacht besteed aan sterren. Zelfs toen ik naar het uitkijkpunt ging voor de meteorenregen, vormden ze slechts de achtergrond van wat ik zocht, niet meer dan het behang. Het grootste gedeelte van de geschiedenis leefden de mensen echter heel dicht bij de sterren en ze dachten dat ze iets betekenden. Ze keken omhoog naar boodschappen en voortekenen die hen konden helpen hun eigen levensweg te ontcijferen. Ik had heel gemakkelijk mijn hele leven kunnen leven zonder ooit echt naar de nachtelijke hemel te kijken, laat staan me af te vragen of die een boodschap voor me bevatte. We zijn tegenwoordig zo slim, we weten van alle dingen wel iets af, maar toch kan niemand je vertellen welke stukjes informatie belangrijk zijn.

Ik was niet met mijn gedachten bij Louis en Eleanor, maar er brak een innerlijke stem door. Als ze jouw moeder was...

Ze is mijn moeder niet, dacht ik. Ik heb geen moeder.

Ja, en? Jij hebt het geld, gierige klootzak.

Hé, wacht even, je gaat je niet zomaar op die manier met andermans leven bemoeien. En bovendien, als ik zo'n probleem had, zou niemand zich aandienen om me eruit te helpen. Zo werkt het niet in de wereld. Ik stort wel wat duizendjes in de pot voor het goede doel.

Oké?

De stem zweeg, maar ik voelde het kille gewicht van teleurstelling op mijn borst drukken.

6

Ik had nog steeds niets van Bookman gehoord en ik liep na te denken over een andere manier om uit te zoeken waar de Russen verbleven, toen hij me belde. 'Praat eens met Chris Johnson,' zei hij. 'Hij is een indiaan en woont in het Passamaquoddyreservaat in de buurt van Grand Lake Stream.'

'Denkt u dat hij die kerels kan vinden?'

'Hij weet alles wat er hier in de omgeving gebeurt en zo niet, dan weet hij wel hoe hij erachter moet komen. Je moet hem inhuren en het is voor jou beter als je mijn naam niet noemt.'

'Mag hij u niet?'

'Onvoorstelbaar, nietwaar? Misschien hebben we in het verleden wel eens tegenstrijdige belangen gehad, maar hij heeft een hekel aan gezagsdragers, niet aan mij persoonlijk. Verder is het een hele aardige jongeman. Hij is gids, hij neemt rijke mensen uit New York mee op vis- en jachtexpedities. Hij vraagt honderd dollar per dag, heb ik me laten vertellen.'

'Waar vind ik hem?'

'Ik denk niet dat hij telefoon heeft. Rijd erheen, ga naar de plaatselijke winkel voor visgerei en vraag daar naar hem. Zij verzorgen zijn afspraken, dus ze weten wel waar hij is.'

'Bedankt, meneer Bookman.'

'Vergeet niet wat ik heb gezegd: geen dode Ruskies in mijn district.'

'Ik dump hen wel in Aroostook.'

Bookman ontplofte. 'Verdomme, Manny! Ik zit al met een lijk opgescheept. Ik wil niet nog meer problemen dan ik al heb. Bezorg me dus niet meer last dan ik nu al heb.'

'Maak u geen zorgen, meneer Bookman, ik ben geen gewelddadig man. Wie is er dood?'

'Dat stomme joch dat we hadden opgepakt met de OxyContin. Gisteravond heeft hij zijn eigen braaksel binnengekregen en daar is hij in gestikt.'

'Jezus.'

'Hij was een aardige knul, ooit. Nu is hij dood en wie die hufter ook is die die troep aanvoert, hij kan er nu rustig mee doorgaan.'

'Dat weet ik nog niet. Er wonen hier niet zoveel mensen. Iemand moet weten wie die vent is. Misschien schrikken ze hier zo van dat ze u een naam noemen.'

'Dat zeg ik ook steeds tegen mezelf. Vergeet niet wat ik heb gezegd over die Russen.' Hij hing op.

Ik vroeg Eleanor of ze op Nicky wilde passen. 'Ik schaam me ervoor dat hij zoveel bij jou is en zo weinig bij mij.'

Ze klopte me op mijn hand en glimlachte. 'Ik denk dat je niet beseft hoe gelukkig je bent, Manny.'

'Wel, ik wilde er niet zomaar van uitgaan...'

Ze schudde haar hoofd. 'Je zoontje is een juweel.'

Daarna vroeg ik aan Nicky of hij het erg vond om bij haar te blijven. Ik vermoed dat ik hem als een volwassene probeerde te behandelen. Ik had geen idee hoe je met kinderen hoorde om te gaan. Hij reageerde ook heel serieus. 'Je komt toch wel terug, hè?'

'Natuurlijk kom ik terug.'

Hij knikte ernstig. 'Mag ik de volgende keer met je mee?'

'Dit is geen pleziertochtje. Ik moet een paar dingen regelen. Elke keer wanneer ik ergens voor mijn plezier heenga, neem ik je mee. Goed?'

'Goed.'

'Zul je ondertussen goed naar mevrouw Avery luisteren?'

'Ja.'

'Zul je doen wat ze zegt?'

'Ja.'

Hij liep me achterna de trap op en bleef dicht in mijn buurt terwijl ik een paar dingen uit mijn plunjezak haalde. Daarop volgde hij me weer naar beneden. Jezus, wat voelde ik me lullig. Elke keer wanneer ik hem bij iemand achterliet, werd het erger. Hij gaf me een knuffel voordat ik wegging en dat maakte het nog moeilijker. Ik moest maken dat ik wegkwam voordat ik begon te janken. Mijn God. Ik moest nodig een veilige plek vinden waar ik bij mijn kind kon blijven, waar hij de kans kreeg normaal op te groeien. Dat realiseerde ik me toen ik de Subaru van Louis' oprit afreed. Het was de schuld van Mohammed, die kloothommel uit Brooklyn. Als ik ooit loskwam van hem en zijn zaakjes, ging ik nooit meer terug, dat beloofde ik mezelf.

Er was een winkel in Grand Lake Stream waar naast andere dingen ook visgerei werd verkocht. Ik heb zelf nooit gevist. Vis kun je kopen in winkels of klaargemaakt en al bestellen in een restaurant, toch? Er waren echter een hoop benodigdheden te koop in die winkel, hengels en spoelen en vliegen en speciale kleding, allerlei troep. Soms denk ik dat het aanschaffen van al die spullen de eigenlijke hobby is. Mijn fascinatie voor vogels dient ook geen enkel nut, ik zal er nooit geld mee verdienen, maar zodra ik iets hoor over een nieuw hebbeding, een of andere nieuwe kijker of een beter boek, dan moet ik het hebben.

Ik zocht een vissershoedje uit, zo'n stom ding dat vissers dragen met rondom een rand om de zon uit je gezicht te houden en liep ermee naar de kassa. De man achter de toonbank was de enige persoon in de winkel en hij keek naar een of andere show op een klein televisietoestel. 'Hebt u gevonden wat u zocht?'

'Ik ben eigenlijk op zoek naar Chris Johnson. Hij schijnt de beste gids te zijn in deze omgeving.'

'Hij is heel goed,' antwoordde de man, 'maar u hebt pech. Hij is de Allagash opgevaren met een aantal natuurfotografen die de rivier wilden zien.'

'Verdorie. Dat is heel jammer.'

'Ik kan een andere gids voor u regelen als u wilt.'

'Chris is me bijzonder aanbevolen.' Ik was niet op zoek naar vissen of herten. Ik moest eerst met Bookman overleggen. Met een willekeurige andere gids kon ik niet zomaar in zee gaan.

'Wel,' vervolgde de man. 'Hij is al een dag of tien weg. Ik denk dat hij binnenkort wel terugkomt. Vraagt u het anders eens aan zijn moeder. Zij weet er waarschijnlijk meer van dan ik.'

'Hebt u haar telefoonnummer?'

'Ze heeft geen telefoon, maar ze woont hier in deze straat.' Ik betaalde mijn hoed en schreef de aanwijzingen voor het vinden van het huis van Chris Johnsons moeder op.

Haar huis was omgeven door enorme dennenbomen. Ik had nooit gedacht dat die dingen zo gigantisch hoog konden worden. Sommige takken leken zo groot en zo zwaar dat ze het huis zouden verbrijzelen als een eierschaal, als er ooit een afbrak in een storm. Het huis zelf was heel klein en op de hoeken zag je de cementblokken die het boven de grond hielden. Het was groen, met een roodbruin dak, meer blokhutachtig dan een echt huis.

Aan de ene kant bevond zich een houten terras, met een gasbarbecue in een hoek. Overal lag een tapijt van dennennaalden, op het dak, in de tuin en op het terras. Ik parkeerde de Subaru voor het huis en klopte op de deur.

De vrouw die opendeed, was klein, breed en rond, met een bruine huid, bruine ogen en zwart, in een knot opgestoken haar. Ze had iets oosters. 'Hallo,' zei ze. 'Als je iets wilt verkopen, moet ik je teleurstellen, want ik heb nergens geld voor.'

Ze had een zachte stem en haar accent klonk anders dan dat van de meeste mensen in die omgeving. 'Ik ben geen verkoper. Ik ben op zoek naar Chris Johnson.'

'Die is er niet,' zei ze. 'Kom maar even binnen, dan noteer ik je gegevens, zodat hij contact met je kan opnemen.' Ze hield de deur open. De grote centrale ruimte deed dienst als woonkamer, eetkamer en keuken tegelijk. De muren waren van naaldhout vol knoesten en kwasten en op de vloer lag linoleum met een ovaal voddenkleed erop. Het zag er gezellig uit. Ze wees naar een stoel bij de keukentafel en ik ging zitten. 'Wil je een tocht regelen om te gaan vissen?'

Ik had nog niet nagedacht over een smoes die mijn komst moest verklaren en op dat moment kon ik niets verzinnen. 'Nee, dat niet.' Ze ging tegenover me zitten en wachtte. 'Kent u Taylor Bookman?'

Ze knikte. 'Tuurlijk.'

'Hij zei dat ik naar uw zoon moest vragen.'

'Ik vond al dat je er niet uitzag als een rijke blanke die op forellen uit is.'

'Er zitten hier ergens twee mannen,' vervolgde ik. 'Twee Russen, gangsters uit Brooklyn. Ik bezit iets dat zij willen hebben en dat kan ik niet toestaan. Bovendien vermoed ik dat ze een vriend van mij tegen zijn wil vasthouden. Ze zaten in een motel in Calais, maar daar zijn ze vertrokken. Ze moeten hier ergens een huisje hebben gehuurd, maar dat is alles wat ik weet.'

'Waarom ga je niet naar de politie? Kunnen zij je niet helpen?'

'Ik heb in het verleden niet zulke beste ervaringen opgedaan met de politie.' Dat was in elk geval de zuivere waarheid. 'Ik geloof dat ik eerst meer informatie moet verzamelen voordat ik de politie erbij betrek.'

De uitdrukking op haar gezicht veranderde niet, maar er kwam wel net even een andere klank in haar stem. 'Heeft Taylor

Bookman gezegd dat mijn zoon je zou kunnen helpen deze mannen iets aan te doen?'

Ik schudde mijn hoofd. 'Nee, dat is mijn stijl niet. Wat ik wil doen, is kijken of ik mijn vriend kan bevrijden, maar zo dat zij denken dat hij op eigen kracht is weggekomen. Dan gaan ze achter hem aan en laten ze mij met rust.'

'Een coyote,' zei ze, 'en geen wolf dus. Dat lijkt me niet verkeerd. Wel, Chris komt pas volgende week thuis. Luister eens, als je me zijn dagloon betaalt, zal ik je helpen hen te vinden, maar als je hen kwaad doet, help ik Bookman om jou te vinden. Afgesproken?'

'Het was Bookman die me hierheen heeft gestuurd.' Ze zei niets maar wachtte op mijn antwoord. 'Afgesproken,' zei ik.

'Oké,' antwoordde ze. 'Ik moet eerst even een paar telefoontjes plegen om uit te zoeken waar ze zijn. Heb je een paar kwartjes voor de telefooncel?'

'Ik heb een mobiele telefoon in de auto.'

'Lukt dat hier, krijg je een signaal?' Ze klonk verbaasd.

'Het komt en gaat. Misschien moeten we buiten gaan staan.'

'Oké,' zei ze.

We liepen naar de auto. Op de voorbank lagen mijn kijker en een *Stokes Field Guide*. 'Ben je een vogelkijker, Coyote?' vroeg ze.

'Ik ben nog maar een beginner,' antwoordde ik. Het begon me nu te dagen wat er voor bijzonders was aan haar manier van praten. Ze gebruikte de juiste woorden en ze sprak ze ook goed uit, maar ze deed dat op de manier van iemand die Engels als tweede taal heeft geleerd. Er zat geen spoortje dialect bij, maar er was een vage ondertoon van een andere taal, een andere wereld, een ander leven.

Ze pakte de kijker en bestudeerde de bossen rond haar huis. 'Zijn we dat niet allemaal?' merkte ze op. 'Waar is je aantekeningenboekje? Heb je al eens een roodborstkardinaal gezien?'

'Ik heb geen aantekeningenboek. Waar ziet u die roodborstkardinaal?'

'Je moet een aantekeningenboek hebben. Je moet de datum en de tijd noteren en of het regent, of de vogel stilzit of vliegt, welke kleur de hoofdkenmerken en welke kleur de secundaire kenmerken en de dekveren hebben. En welke kleur de pootjes en de snavel hebben. Dat kun je anders toch nooit allemaal onthouden.' Ze overhandigde me de kijker. 'Daar, in die elzen. Ongeveer een meter boven de grond op een tak, met een zwarte kop, een rode keel en een witte buik. Een roodborstkardinaal, een mannetje.'

Ik zag hem, half verscholen tussen het groen. 'Jezus, die is prachtig.' Ik gaf haar de kijker terug. 'U weet er heel wat van.'

Ze schudde haar hoofd. 'Ik ben hier geboren en getogen. Ik had hem al gezien bij een van de voerplaatsen achter het huis. Ik wist dat hij hier ergens moest zitten. Heb je die telefoon?'

Ik kwam met tegenzin terug in de gewone wereld. 'Ja, ik heb hem.'

Ze leunde met haar achterste tegen de motorkap en pleegde een aantal telefoontjes. Ze had gemakkelijk haar grootmoeder in Texas kunnen bellen, want ze begroette iedereen die de telefoon opnam in het Engels – 'Hallo, Willie,' zei ze tegen de eerste – maar de rest van het gesprek werd gevoerd in haar moedertaal, dat nam ik tenminste aan. Toen ze klaar was, zette ze de telefoon uit en gaf hem aan me terug. 'Handig dingetje,' zei ze. 'Wel, Coyote, ik heb goed nieuws en slecht nieuws. Het goede nieuws is dat ik weet waar ze verblijven. Het slechte nieuws is dat het niet gemakkelijk voor je zal zijn om er dichtbij te komen. Stap in, dan laat ik het je zien.'

We reden weg. Ze bladerde door mijn vogelgids terwijl ik haar aanwijzingen volgde. Ze keek nauwelijks naar buiten. De manier waarop ze een deel van deze omgeving leek te vormen, deed me aan Hobart denken. Ik vroeg me af hoe het voelde wanneer er ergens op de wereld een speciale plek was waar je thuishoorde. 'Vertel eens,' vroeg ik, 'hebt u hier uw hele leven gewoond?'

'Nee,' antwoordde ze. 'Voordat mijn man werd vermoord, woonde ik in Queens.'

Ik reed haast van de weg af. 'Niet waar! Queens?'

Ze glimlachte, maar ik zag aan de blik in haar ogen dat ze me taxeerde. 'Denk je dat ik een soort boom ben die hier is geplant?'

'Oké, ik bedoelde er niets mee. Ik ben gewoon verbaasd, meer niet. Hoe kwam u uitgerekend in Queens terecht?'

'Mijn man was staalarbeider. We zijn naar de stad getrokken omdat hij daar werk kon krijgen. We hoopten wat geld op te sparen zodat we iets konden opbouwen.'

'Wat is er gebeurd?'

'Op een avond heeft iemand hem voor de wielen van de metro geduwd toen hij van zijn werk kwam. Voorbij dat benzinestation daar linksaf.'

'Jezus, wat afschuwelijk.'

Ze haalde haar schouders op. 'Ben je gelovig, Coyote?'

'Nee.'

'Ik ook niet, maar het zou prettig zijn als er iets van waar was, toch? Hier weer links en dan rechtdoor.'

Het was ongeveer een half uur rijden van haar huis. 'Stop daar maar.' We bevonden ons op een smalle tweebaansweg met aan de ene kant bos en aan de andere kant lichtglooiende velden. Ze leken niet bij een of andere boerderij te horen, het waren weilanden zonder koeien waarin hoog geel gras groeide dat zachtjes wuifde in de ochtendbries. Ertussen waren weer van die muurtjes van keien gebouwd. In het veld het dichtst bij ons, stond een of ander stuk landbouwgereedschap weg te roesten. Het leek nog het meest op zo'n ding dat je achter een paard of een trekker bindt om voren in de grond te trekken. Twee sporen in het gras liepen aan de rand van het veld langs een stapelmuurtje en leidden naar een meertje dat ongeveer een kilometer verderop lag. 'Daar is het,' zei ze. 'Aan de andere kant van het water ligt een hut. Dat weggetje dat je daar ziet is de enige toegangsweg. Ik denk niet dat je er ongezien bij kunt komen. Je kunt zelfs nergens je auto verstoppen en er lopend heengaan.'

Ik keek naar de hut door mijn verrekijker. Ik zag aan de buitenkant niets bijzonders. Het was gewoon een huisje aan een meertje op een verlaten plek. 'Ik begrijp wat u bedoelt. Wat ligt er achter dat huisje?'

'Bos,' antwoordde ze, en ze keek me aan alsof ze aan mijn verstand twijfelde.

'Dat zie ik, maar als je ver genoeg naar achteren gaat, kom je uiteindelijk toch wel ergens bij een weg, of niet?'

'Dat denk ik wel,' antwoordde ze bedachtzaam. 'Denk je dat je er vanaf de achterkant kunt komen?'

'Het is een optie.'

'Dat wordt een lange wandeling, denk ik. Oké, keer om en rijd terug in de richting waar we vandaan zijn gekomen.'

De weg die we namen was ongeplaveid en leek haast wel een lichtgroene tunnel, met hier en daar een vleugje geel. Hoge dennen, sparren en tsuga's schermden het grootste deel van het licht af en toen we die weg insloegen, passeerden we een bordje met de waarschuwing dat de volgende vijfenveertig kilometer van de weg slechts een deel van het jaar berijdbaar was en niet werd onderhouden. Ik reed langzaam om te voorkomen dat de Subaru uit elkaar rammelde. Ik zag nergens elektriciteits- of telefoondraden en er waren geen huizen of andere auto's. Ergens onderweg stroomde het bierkleurige water van een beekje enkele centimeters hoog over de weg. Na zo'n veertien kilometer liet ze me stoppen.

'Zoek een plekje om te parkeren,' zei ze. 'Je moet wel helemaal van de weg af gaan, want soms komen hier vrachtauto's met hout voorbij en die rijden in volle vaart. Wat dacht je van daar, achter die eiken daar? Heb je een insectenspray bij je?'

Ik vertelde haar wat ik had. 'Is dat goed? Het ligt achter de bank.'

'Voor deze tijd van het jaar is het goed genoeg. In het voorjaar wordt het een ander verhaal, maar goed. En heb je een kompas?'

'Nee.'

'Dacht ik al. Indianen zoals ik hebben geen stom kompas nodig, maar een stadsjongen als jij moet er wel een bij zich hebben.' Ik zat me nog af te vragen of ze me voor de gek hield toen ze begon te lachen. 'Kom op, Coyote,' zei ze en schudde haar hoofd. 'Pak je kijker en je spray.'

Mijn eerste tocht door dat bos was een ramp. In een oud bos zijn de bomen enorm dik en daarom ook heel hoog. Ze houden bijna al het licht tegen, zodat er niet veel op de bodem kan groeien, behalve wanneer een van die woudreuzen omvalt. Wanneer dat gebeurt, begint er een felle concurrentiestrijd tussen verschillende plantensoorten tot een daarvan wint en het gat in het bladerdak vult, waarna de rest weer afsterft bij gebrek aan licht. Mevrouw Johnson vertelde me dat terwijl ik mijn best deed haar te volgen door een jonger stuk bos dat was dichtgegroeid met een wirwar van ellendige doornstruiken die het allemaal op mij persoonlijk leken te hebben gemunt en hun uiterste best deden mijn gezicht en armen te schrammen of me te laten struikelen. Het struikgewas was haar beter gezind, dat moet wel, want ze had er geen problemen mee, hoewel ze breder was gebouwd dan ik. Ze liep gewoon resoluut door in haar kalme, gestage tempo, terwijl ik haar probeerde bij te houden. 'Je had laarzen mee moeten nemen,' zei ze toen ik op een drassige plek stond, zodat mijn sportschoenen vol blubber liepen.

Na ongeveer een kilometer lieten we het moerassige gedeelte

achter ons en werd het lopen iets gemakkelijker. Af en toe bleef ze staan om me op allerlei dingen attent te maken: stapels pluizige bruine knikkers die volgens haar hertenpoep waren, krabsporen op een boom van een zwarte beer en een vogel die ze determineerde als een oostelijke towie, maar ik zag hem niet. Tegen die tijd had het me waarschijnlijk niet meer geïnteresseerd als de hele populatie van *Sibley* in diezelfde boom had gezeten met naamkaartjes om hun hals. Ik wilde alleen maar een biertje en een lekkere, insectenvrije kroeg om het op te drinken. Ik beloofde mezelf dat ik me nooit in het voorjaar in dat bos zou wagen.

Na wat een eindeloos durende worsteling leek, bereikten we eindelijk de rand van die poel van ellende en konden we halverwege een beboste heuvelrug gaan zitten, waar we met de verrekijker neerkeken op de bewuste hut bij het meertje. We waren er ongeveer vijfhonderd meter van verwijderd. De lange oprit die ik die ochtend vanaf de weg had gezien, eindigde bij het huisje en recht onder ons, aan de voet van de heuvel achter de hut, stond een roestige minitruck die tot zijn assen in de grond was gezakt. Ik staarde door de kijker naar het huisje, maar er was geen teken van leven te bespeuren.

'Wat is dat voor truck?' vroeg ik.

Ze haalde haar schouders op. 'Wat ik heb gehoord is dat iemand die jaren geleden heeft gestolen en hier heeft achtergelaten. Ga je erheen?'

'Nee. Niet nu. Die twee kerels mogen dan uit Brooklyn komen, maar ze zullen zich toch niet zomaar laten besluipen. Ik moet erover nadenken hoe ik dit ga aanpakken en dan kom ik terug.'

'Oké,' antwoordde ze.

* * *

De tocht terug naar de Subaru was niet zo erg als de heenweg, misschien omdat ik nu wist wat me te wachten stond en niet meer het onbekende tegemoet ploeterde. Ik weet niet waarom dat de dingen gemakkelijker maakt, maar het is wel zo. Toch was het een opluchting toen we de Subaru bereikten.

'Denk je dat je deze plek kunt terugvinden? Hier, waar we nu geparkeerd staan?'

'Ja, dat lukt wel. Zo'n veertien kilometer langs deze weg, net voorbij dit groepje eiken.'

Ze glimlachte scheef. 'Niet slecht, Coyote. Heb je ooit eerder een kompas gebruikt?'

'Nee.'

'Oké, ik zal het uitleggen. Dit is je richting, zo.' Ze trok met haar voet een streep op de grond en keek naar de zon. 'Oostnoordoost, min of meer. Dit is de lijn tussen hier en die hut daar. Oké? Dus jij gaat hier staan, je houdt je kompas zo dat de naald naar het noorden wijst en dan zie je exact welke richting het precies is.'

'Oké. Hier gaan staan, het noorden zoeken en dan die richting volgen, ja?'

'Bijna goed. Wat je moet doen is een of twee graden naar het zuiden van deze streep afwijken, want wanneer je dan bij de bovenrand van die heuvel komt waar we zaten, dan weet je dat je een stukje naar links moet gaan.'

'Oh, dat is slim.'

'Op de terugweg doe je hetzelfde. Wijk een of twee graden af naar de ene of de andere kant, dan weet je welke richting je op moet gaan wanneer je de weg bereikt. Anders kom je misschien vlakbij waar je wilt zijn uit, maar ga je lopen zoeken omdat je de auto niet ziet en dan verdwaal je. Verdwalen in deze bossen hier kan je je leven kosten.'

'Oeps. Oké.'

'Mocht je toch verdwalen, probeer dan het water te volgen. Dat moerassige stuk waar we doorheen zijn gekomen wordt een beekje en dat is hetzelfde water dat verderop over de weg stroomt. Weet je nog dat we daar doorheen zijn gereden?'

'Ja, dat weet ik nog.'

'Zelfs al vind je deze weg niet terug, blijf dan het water volgen, dan kom je uiteindelijk altijd wel ergens bij een weg of bij een rivier of zoiets.'

'Oké.'

'Moet ik me zorgen om je maken, Coyote? Ik zou het misschien niet leuk vinden als je hier iets overkwam.'

Ik trok mijn doorweekte schoenen en sokken uit en smeet ze achterin de Subaru. 'Ik red me wel,' verzekerde ik haar.

Het was al laat in de middag toen ik terugkwam in Calais. Ik stopte bij een sportwinkel en kocht een kompas, droge sokken en een paar waterdichte laarzen. Ik begon nu anders tegen dergelijke dingen aan te kijken. Vroeger beschouwde ik winkels met sportartikelen als een plek waar je truien kocht met het merk John Starks erop, maar daar zag ik hier niets van. Dit was het soort winkel waar je spullen kocht die je nodig had om dingen te doen en niet om toe te kijken hoe anderen ze deden. Ik dwaalde er een poosje rond en dacht na of ik nog iets anders nodig had. Een jachtmes had ik al. Ik keek een poosje naar de pistolen, maar ik koos uiteindelijk voor een vest. Het was een netachtig ding, bedoeld voor vissers vermoed ik, maar het had een hoop zakken. Ik overwoog lang en ernstig om toch een pistool te kopen, maar pistolen brengen een paar problemen met zich mee. Een daarvan is dat je de neiging krijgt overmoedig te worden – je vergeet snel dat het gewoon een pistool is en geen toverstaf die alles voor je oplost zodra je ermee zwaait. Een tweede nadeel is dat een pistool de kans dat je zelf wordt neergeschoten aanzienlijk vergroot. Ik was niet van plan iemand neer te schieten en wilde al helemaal niet dat een ander op mij schoot.

Er werkte een jonge knul in de winkel die er uitzag als de Maine-versie van een probleemjongere. Hij had zijn gepommadeerde haar glad naar achteren gestreken, een paar haartjes op zijn kin moesten doorgaan voor een sikje en hij droeg een mes van het merk Leatherman aan zijn riem. Ik stopte hem een tientje toe en vroeg waar ik een paar zware militaire voetzoekers kon kopen.

'Wat wilt u daarmee?' vroeg hij.

'Ik heb ze nodig voor een afleidingsmanoeuvre, meer niet. Niet om problemen te veroorzaken.'

'Oké,' zei hij en gaf me de naam van iemand plus aanwijzingen waar ik hem kon vinden. Hij wierp een blik op zijn horloge, een groot zwart geval met een hoop knopjes erop. 'Het duurt nog wel een uur voordat hij uit zijn werk komt. Zijn broer werkt niet, probeer maar of hij ze u wil verkopen. Zijn broer heet Vince.'

Het kostte me een uur om het huis te vinden en vervolgens deed Vince tien minuten lang alsof hij niet snapte wat ik bedoelde. Ten slotte moest ik een briefje van vijftig onder zijn neus duwen. Vijftig ballen voor een paar rotjes. Vince moet me voor de grootste idioot in het land hebben gehouden. In elk geval dacht hij dat hij beet had, want hij probeerde me ook alle andere munitie die hij in huis had aan te smeren. Weer kwam ik in de verleiding om voor zwaarder geschut te gaan, maar uiteindelijk bedankte ik hem en vertrok met mijn voetzoekers.

Ik volgde dezelfde weg terug naar Calais. Waarschijnlijk was er wel een snellere route, maar het begon donker te worden en ik kon niets op de kaart vinden. Verdwalen wilde ik al helemaal niet.

Maine verbaasde me opnieuw – er was geen echt koffiehuis in Calais. Toen ik er enkele minuten over had nagedacht, begreep ik het echter wel. Je zult in die contreien maar heel weinig mensen bereid vinden om vier dollar te betalen voor een kop koffie, hoe luxe die koffie ook wordt aangekleed. Zestig cent bij McDonald's, en dat was waarschijnlijk al een heel bedrag. En dan moet je er verder niet bij stilstaan dat dat spul om half zes 's middags al vanaf twee uur staat te pruttelen en steeds sterker en smeriger is geworden. Het kon me niet schelen, ik dronk er toch een paar koppen van, want ik vermoedde dat ik zo'n oppepper wel nodig zou hebben. Normaal gesproken zou ik hebben uitgekeken naar iets beters, om niet te spreken van iets dat minder zwaar op de maag lag, maar ik had al genoeg tijd verspild met die voetzoekers.

Onderweg had ik een paar keer geprobeerd Louis te bellen met mijn mobiele telefoon, maar het signaal viel steeds weg. Ik probeerde het opnieuw op de parkeerplaats van McDonald's, maar hij was in gesprek. Vijf minuten later was hij nog steeds in gesprek. Ze zullen zich wel geen zorgen maken, zei ik tegen mezelf. Ze kennen me nu wel en ze zijn dol op Nicky. Ze zouden het vast niet erg vinden hem naar bed te brengen. Ik nam me voor opnieuw te bellen zodra ik in Grand Lake Stream was.

Deze keer was ik beter voorbereid. Ik sloeg het weggetje in en hield de kilometerteller in de gaten. Zo vond ik zonder moeite de plek waar ik slechts enkele uren daarvoor de Subaru had geparkeerd. Ik had mijn nieuwe laarzen en het vissersvest aan. De explosieven en een rol plakband stopte ik in een van mijn zakken, het mes in een andere zak, de zaklantaarn in de derde en zo verder. Ik controleerde de display van mijn gsm, maar er was geen signaal en dus zette ik het ding af en stopte het ook in een van mijn zakken. Ik vond de streep die mevrouw Johnson op de grond had getrokken terug en ik haalde het kompas erbij. Oostnoordoost, ze had helemaal gelijk gehad. Ik behandelde mijn hoedje met insectenspray, zette het op en ging op pad.

Ik kon moeilijk inschatten hoe ver het was. Die ochtend hadden we er zo'n drie uur over gedaan, en net zo lang om weer terug te komen, maar toen had mevrouw Johnson de weg aangegeven en hoefde ik niet om de vijf minuten te blijven staan om op mijn kompas te kijken.

Een schuldgevoel is een raar iets. Ik had er nog niet veel ervaring mee. Ik bedoel, ik had een hoop op mijn geweten, dat geef ik toe, maar ik had er nooit veel last van gehad. Meestal wil je dat anderen hun straf niet ontlopen, maar ben je zelf niet bereid de prijs voor je daden te betalen, dat wil niemand. Wanneer de politie je aanhoudt voor te hard rijden, dan wil je die bekeuring niet, en probeer je er onderuit te komen. Ja, toch? Anderen mogen ze naar de gevangenis sturen, maar jou horen ze hoogstens te berispen en je dan te laten gaan, misschien verstandiger geworden, of in elk geval voorzichtiger, zo niet eerlijker. Het probleem was dat ik moest toegeven dat Rosario in de puree zat vanwege mij. Ik had de zaken anders kunnen aanpakken en achteraf gezien had ik dat misschien ook moeten doen. Misschien had ik Rosario's helft van het geld in die opslagruimte moeten achterlaten. Ik was kwaad omdat hij van plan was me te belazeren, maar kon ik hem dat kwalijk nemen? Hij was ook maar een mens. Ik zag hem steeds voor me zoals hij aan dat tafeltje in de evenementenhal zat, met zijn handen gevouwen alsof hij aan het bidden was en ik wist dat ik iets moest doen. Ik bedoel, ik had mezelf heel goed van deze onzinnige expeditie kunnen afhouden, ik had redenen genoeg om dat te rechtvaardigen, maar ik wilde niet blijven rondlopen met een rotgevoel over wat er met Rosario zou gebeuren.

En dat is grappig, want Rosey was zelf iemand die vreselijk overhoop lag met schuldgevoelens. Hij was katholiek opgevoed en wanneer hij dronken was of zich rot voelde, begon hij te huilen en dan stroomde er een golf van verdriet en berouw naar buiten. Ik was echter opgegroeid onder de hoede van de overheid en ik had totaal geen illusies over een of ander goddelijk vergeldingssysteem dat alles uiteindelijk weer recht zou trekken.

Het werd langzaam donker terwijl de zon rustig zakte. Zodra hij de horizon raakte, leek het echter steeds sneller te gaan. Je kon hem haast kleiner zien worden terwijl hij achter de rand van de wereld verdween. Nu komen inbrekers vaak pas 's avonds in actie, maar zo'n bos ziet er in het donker toch heel anders uit. Ik bleef om de haverklap staan om op mijn kompas te kijken en deze keer moest ik me dwars door een aantal obstakels heen ploeteren waar mevrouw Johnson me eerder die dag omheen had geleid. Ik begon me ook zorgen te maken over mijn zaklantaarn. Als je er goed over nadacht kon mijn leven van dat ding afhangen. Stel dat de batterijen het begaven of dat het lampje kapot ging. Dan zat ik daar in het donker en kon ik mooi geen kant meer uit. Daarom zorgde ik dat ik de zaklantaarn niet liet vallen en zette ik hem alleen aan wanneer het echt nodig was, bijvoorbeeld wanneer ik ergens omheen moest of wanneer ik op het kompas wilde kijken. Maar er zijn in het bos ook allerlei beesten en zo, en niet alleen vogels. Waarschijnlijk waren die beren die de krabsporen hadden achtergelaten waar mevrouw Johnson me op had gewezen nog ergens in de buurt en konden ze me horen stommelen. Ik wist dat zwarte beren niet zo groot zijn als een paard, maar het laatste wat ik wilde, was er een tegen het lijf lopen. Achteraf had ik die sterke koffie echt niet nodig gehad om alert te blijven.

Ik bereikte de top van de heuvel veel sneller dan ik had verwacht. Ik liep tot ongeveer halverwege de helling naar beneden en hield toen links aan, zoals mevrouw Johnson me had uitgelegd. En het klopte: na een paar honderd meter zag ik licht schijnen door de ramen van het huisje. Een golf van opluchting overspoelde me, ik was niet verdwaald, nog niet tenminste.

Ik baande me zo snel als mogelijk was een weg in die richting. Achter de hut stond een buitenplee, een schuurtje van oude planken dat er nogal primitief uitzag. Het rook er ook behoorlijk primitief. Het was me nog niet eerder opgevallen omdat het achter de minitruck stond, zo'n meter of tien van de laatste bomenrij. Zodra ik het zag, bleef ik staan en wachtte een paar minuten. Als er iemand binnen was, moest hij de tijd hebben om weer naar buiten te komen. Er kwam echter niemand en dus bewoog ik me omzichtig naar de hut zelf.

Het licht kwam niet van een elektrische lamp, maar van zo'n gaslamp die kampeerders gebruiken. Het ding zag eruit als een oude stormlantaarn met een hoog lampenglas en aan de onderkant een groen reservoir met een pompje om de druk te regelen van de brandstof die erin zat. Ze zaten alledrie binnen. De man die op Boris Jeltsin leek, zat te slapen op een stoel met zijn hoofd achterover en zijn mond wijd open. De andere Rus, die met het litteken in zijn gezicht, zat aan de tafel bier te drinken en te patiencen, maar hij zag er niet uit alsof hij veel plezier had in zijn spelletje. Rosey was aan een stoel gebonden, zijn hoofd hing omlaag en zijn kin rustte op zijn borst. Hij zag er ook niet zo gelukkig uit. Zijn mond was dichtgeplakt met plakband. De hut was uiterst sober ingericht. Ik liep voorzichtig om het hele huisje heen en keek door ieder raam. Er was slechts één grote ruimte en die bevatte alles. Twee bedden, een gootsteen met een ouderwetse pomp, een koelkast en de tafel waar Littekengezicht aan zat –

dat was alles. Alleen die twee klootzakken en Rosey. Ik sloop terug naar de rand van het bos om erover na te denken.

Kokend van woede ging ik op een rotsblok zitten. Een deel van mij wilde bloed zien, misschien wel een groot deel. Vooruit, vermoord die twee hufters gewoon, wat kan het je schelen, klonk een stem in mijn binnenste. Stom. Blinde woede is een ongeleid projectiel en je weet nooit of het gaat rondcirkelen en uiteindelijk jezelf treft in plaats van de mensen voor wie het was bedoeld. Na een poosje kalmeerde ik en begon ik gericht na te denken.

Littekengezicht was het grootste probleem. Ik durfde te wedden dat Jeltsin zo straalbezopen was, dat ik met een compleet hoempapa-orkest naar binnen kon wandelen zonder dat hij wakker werd. Een vent die zo met open mond lag te snurken, was knock-out, althans tot zijn lichaam hem over vier of vijf uur uit een zucht naar alcohol wakker zou maken. Ik moest een manier bedenken om Littekengezicht naar buiten te lokken, want het leek me dat ik het noodlot zou tarten als ik naar binnen wandelde terwijl ze allebei aanwezig waren, slapend, dronken of niet. Dit was heel iets anders dan inbreken in het huis van een of andere yuppie. Ik liep terug naar de hut en bestudeerde Littekengezicht door het raam.

Hij stond één keer op en verdween uit mijn gezichtsveld, maar keerde terug met een nieuw biertje. Hij leek een hoop vloeistof naar binnen te gieten en plotseling besefte ik dat er vroeg of laat ook weer wat uit zou moeten. Ik kon hem natuurlijk bij de deur opwachten met een flinke steen in mijn hand en hem een dreun op zijn hoofd geven wanneer hij naar buiten kwam...

En dat zou ik ook doen als het noodzakelijk was, maar misschien hoefde het niet. Littekengezicht leek me een vent die veel te veel aan vaste gewoontes was gebonden om ergens willekeurig in het gras te gaan staan plassen. Ik liep terug naar de achterkant van het huisje en verder naar de kleine buitenplee. Het stonk er als een beerput en de grond was een beetje zompig. Ik zette de stank en de gedachte aan waar ik misschien doorheen baggerde uit mijn hoofd en duwde zo zachtjes mogelijk het hele ding achterover. Dat bleek gemakkelijk genoeg, het was helemaal niet zwaar. Ik sleepte het gebouwtje zo'n twee meter naar achteren en zette het weer overeind. Vervolgens liep ik naar de minitruck, waar de grond droger was, en tastte over de bodem tot ik een half dozijn stenen had gevonden die de juiste afmetingen hadden, ongeveer half zo groot als een honkbal. Ik haalde de explosieven en het plakband tevoorschijn en bevestigde een voetzoeker aan elke steen. Twee ervan stopte ik in mijn zakken en de andere vier zette ik naast elkaar achterop de auto. Ik vervloekte mezelf omdat ik had besloten dat ik geen pistool nodig had, maar direct daarna wist ik weer dat ik gelijk had gehad. Ik wilde niet in een vuurgevecht met die twee kerels terechtkomen en bovendien was de kans groot dat minstens een van hen een betere schutter was dan ik. Ik zocht nog een kei die iets groter was dan de andere voor het geval ik Littekengezicht alsnog op zijn kop moest slaan en daarna ging ik terug naar de deur van het huisje en wachtte.

Die vent moest een blaas hebben als een olifant. Ik had geen horloge om en daarom kon ik niet bijhouden hoeveel tijd er verstreek, maar hij dronk nog vier biertjes voordat hij eindelijk opstond om te gaan plassen. Het leek of er uren waren verstreken. Ik zag hem de deur uit komen. Terwijl ik stond te wachten, had ik me zorgen gemaakt dat hij misschien toch een paar passen van de deur vandaan zou lopen en daar in het gras zou plassen en dus hield ik mijn steen in de aanslag, maar hij zette koers naar het gebouwtje en volgde het pad in het donker in het volste vertrouwen dat hem niets kon overkomen omdat hij de weg kende.

Ik zag hem niet in de stinkende beerput vallen, daarvoor was het te donker, maar ik hoorde het wel. Een onsamenhangend gebrul van schrik van iemand die Engels spreekt klinkt anders dan dat van iemand die een andere taal spreekt, maar de betekenis was overduidelijk en op een ander moment zou het komisch zijn geweest. Ik liep de hut binnen en hield Jeltsin in de gaten terwijl ik naar Littekengezicht luisterde. Ik hield mijn mes in de aanslag. Rosey keek op en zag me aankomen. Het lag op zijn gezicht te lezen dat hij dacht dat zijn laatste minuut was aangebroken. De rotzak verwachtte dat ik hem koud kwam maken. Misschien zou ik dat ergens in het verleden wel hebben gedaan, ik weet het niet, maar nu hield ik mijn vinger tegen mijn lippen. Hij knikte en ik sneed de touwen waarmee hij aan de stoel was gebonden door. Jeltsin bewoog zich niet, zelfs niet toen Rosey onderweg naar de deur struikelde, maar toen waren we ook buiten.

Rosey's benen wilden niet zo best meekomen en ik merkte dat hij trilde. Ik voelde zijn angst terwijl ik hem meesleepte langs de achterkant van het huisje. Littekengezicht had zich inmiddels uit de stront weten te werken en rende brullend in de richting van de hut. Waarschijnlijk vloekte hij, maar het klonk in mijn oren nog steeds onsamenhangend. Rosey en ik bleven in beweging en liepen achter het huisje langs. Toen we de truck bereikten, bleven we staan. Rosey's handen waren nog steeds aan elkaar gebonden, maar ik gunde me geen tijd ze los te snijden. Ik kon Littekengezicht in de hut tegen Jeltsin horen brullen. Ik hield mijn mond bij Rosey's oor en fluisterde: 'Beweeg je niet en blijf waar je bent.' Zelf sloop ik naar de achterkant van de truck waar ik de voetzoekers had neergezet, haalde diep adem en stak de vier lonten tegelijk aan. Daarna gooide ik ze snel en met al mijn kracht hoog over de hut heen. Zo'n explosief geeft een geweldige knal, vooral in de stilte van een nacht in Maine. Drie stuks gingen vrijwel gelijktijdig af aan de overkant van het huisje, *paf-paf-paf*, en direct daarop, misschien een seconde later de vierde, *paf*. Als ik niet zo gespannen was geweest, zou ik hebben gelachen. Ik hoorde het gerinkel van brekend glas en vervolgens het staccato geluid van twee halfautomatische vuurwapens die blindelings werden afgeschoten in het donker. Ik kroop achter Rosey en tastte naar het touw waarmee zijn handen waren samengebonden. Ik hoorde de Russen rondrennen in de duisternis, maar ik had geen idee waar ze precies waren en ik moest voorzichtig zijn met het mes, anders zou ik nog een van Rosey's duimen afsnijden. Eindelijk was hij los. Ik ging weer rechtop staan en fluisterde in zijn oor: 'Kun je lopen?'

Hij sloeg zijn armen om zijn borstkas, maar hij knikte.

'Oké dan, deze kant op.'

Ik kon nog steeds een van de Russen aan de andere kant van de hut horen rondstommelen, maar ik wist niet waar de ander was gebleven. Niet veel later vond ik hem echter, of liever hij vond ons, want toen Rosey en ik de rand van het bos bereikten, stond Jeltsin op ons te wachten en richtte zijn pistool op mijn borst.

'Ik wist wel dat je zou komen,' zei hij krassend in het Engels met een zwaar accent. 'Leg dat mes neer, anders schiet ik direct.'

Soms zit het mee en soms zit het tegen. Net als wanneer de politie je de handboeien omdoet – dan moet je erkennen dat het voorbij is en dat verzet het alleen maar erger maakt. Ze hebben je, klojo die je bent, en daar kun je je maar beter bij neerleggen, want de tocht naar het politiebureau wordt er niet anders van wanneer ze je schoppend en schreeuwend moeten afvoeren. Waarom zou je het moeilijker voor jezelf maken dan nodig is? Dat was wat mijn verstand ongeveer een halve seconde lang zei, ook al wist ik heel goed dat die twee hufters me net zo zouden aftuigen als ze dat bij Rosey hadden gedaan, tot ze hadden waarvoor ze waren gekomen. Dat kon ik haast nog accepteren, maar waar ik echt kwaad om werd, was dat ze Rosey en mij zodra ze hadden wat ze wilden snel in een ondiep graf zouden dumpen, zodat Nicky helemaal alleen achterbleef, met absoluut niemand meer die het voor hem opnam. Misschien maakte dat besef me net wanhopig genoeg, ik weet het niet, misschien gaf het me het lef dat ik nodig had om in te zien dat dit de beste gelegenheid was die ik zou krijgen. Dat ik die kerel en zijn pistool op dat moment te lijf moest gaan, want wanneer hij me eenmaal die hut binnen had gebracht en op een stoel had gebonden, zou ik nooit meer zoveel kans hebben als nu, hoe ongunstig de situatie ook leek. Je bent in elk geval beter dan hij, sprak ik mezelf moed in, hij is niet meer dan een bezopen, stomme, primitieve klootzak...

Ik draaide me half om in zijn richting en de woede die ik tot op dat moment had gevoeld, was niets vergeleken met wat er toen door me heen gierde. Ik voelde mijn gezicht erdoor vertrekken, maar Jeltsin merkte het niet, misschien was hij te dronken, of misschien was het te donker. Een van mijn handen hield ik in mijn zak om een steen geklemd waaraan een voetzoeker was geplakt. Ik gooide het mes in zijn richting, ik zag hoe hij zijn hoofd omdraaide om met zijn ogen de glinsterende baan van het ding te volgen en op datzelfde moment keerde ik me helemaal om, trok de steen uit mijn zak en smeet die naar hem toe.

Waarschijnlijk zou ik een goede binnenvelder zijn. De steen vloog als een speer op Jeltsin af en trof hem midden op zijn voorhoofd. Hij viel achterover en vuurde waarschijnlijk in een reflex zijn pistool af. Ik voelde hoe een onzichtbare reuzenhand me omver sloeg. Stom om het op te nemen tegen een pistool, maar soms is iets stoms je beste optie. Ik voelde geen pijn, maar toen ik overeind krabbelde, merkte ik dat mijn linkerarm niet meer meedeed. Ik had geen tijd om ernaar te kijken en bovendien was het toch te donker om veel te kunnen zien. Ik tastte rond naar het mes, want ik wilde geen bewijzen achterlaten waardoor men mij op het spoor kon komen. Daarom was Rosey ook zo bang geweest dat ik hem zou vermoorden. Rosey kwam achter me staan en staarde naar Jeltsin die op de grond lag. Ik voelde gewoon hoe graag hij die Rus in zijn gezicht wilde trappen, maar hij was te ver heen, hij had er simpelweg de puf niet meer voor. Ik vond het mes, raapte het pistool op dat Jeltsin in de modder had laten vallen, stopte de beide wapens in een van de zakken van mijn vest en daarna klommen we samen de heuvel achter de hut op. Ik maakte me geen zorgen of het pistool eventueel was voorbestemd om mij te doden. Ik was er al een keer door geraakt en dus zou het me verder wel geen kwaad doen, dacht ik.

De heuvel leek ineens een stuk steiler dan daarvoor. Ik hoorde nog een paar schoten – Littekengezicht die in het donker om zich heen knalde, maar deze keer schoot hij in onze richting. Ik had terug kunnen schieten, maar ik wist dat ik op die afstand toch niets zou raken. Rosey was ondertussen in de weer geweest met het plakband op zijn gezicht en uiteindelijk kreeg hij het los. 'Mohammed,' hijgde hij, 'Mohammed, je hebt me belazerd.'

'Houd je bek, klootzak.' Ik stompte hem tegen zijn ribbenkast en hij slaakte een kreet van pijn. In de diepte onder ons hoorde ik een hernieuwde stortvloed van gefrustreerd en woedend Russisch: ik vermoedde dat Littekengezicht zijn vriend had ontdekt tussen de bomen. Rosey en ik bleven klimmen om zo snel mogelijk een zo groot mogelijke afstand tussen ons en de Russen te creëren, maar voordat we de top bereikten, moesten we gaan zitten. We hadden allebei een pauze nodig. Rosey's ademhaling klonk hortend en stotend en mijn linkerarm en -schouder brandden van de pijn. Rosey hield zijn arm om me heen geslagen en hij moet het bloed op zijn hand hebben bemerkt.

'Mo, je bent geraakt.'

'Weet ik. Niet zo luid.'

'Sorry. Laat me even kijken. Heb je een lantaarn?'

'Ja.' Ik viste mijn zaklantaarn uit mijn zak en overhandigde het ding aan Rosey. 'Ga onder me staan, anders ziet die hufter daar beneden ons nog.'

'Oké.' Hij kwam recht voor me staan, zette de lantaarn aan en deed hem toen snel weer uit. 'Je bovenarm, een jaap net onder je schouder,' zei hij. 'Mazzel gehad, de kogel heeft je geschampt, misschien anderhalve centimeter diep.' Weer klikte hij de lantaarn aan en uit. 'Je bloedt als een rund. Heb je dat mes nog?'

Ik was niet van plan Rosey mijn jachtmes in handen te geven. 'Nee.'

'Klote. Dan scheur ik de mouw van je shirt af en gebruik dat als verband. Het bloeden moet ophouden.'

'Wacht, wacht.' Onder ons zag ik een licht flikkeren. Ik vermoedde dat Littekengezicht naar Jeltsin stond te kijken. Na ongeveer een minuut begon het licht te bewegen en ging schoksgewijs in de richting van de hut. Waarschijnlijk sleepte Littekengezicht zijn maat naar binnen. 'Oké, nu dan. Probeer geen lawaai te maken.' Rosey was buitengewoon sterk, maar het leek een eeuwigheid te duren voordat hij mijn mouw had afgescheurd en om mijn bovenarm had gebonden. Toen hij de zaklantaarn weer aanknipte om zijn werk te controleren, zag ik het zweet van zijn gezicht stromen.

'Zo zal het wel wat minder worden, denk ik. Sorry, Mo, ik heb mijn best gedaan.'

'Oké,' antwoordde ik. 'Hoe staat het met jou?'

Het duurde even voordat hij me antwoord gaf. Ik luisterde naar zijn hijgende ademhaling. Onder ons kwam het licht de hut weer uit en bewoog zich langzaam in onze richting. 'Ze hebben me flink te pakken gehad, Mo. Mijn ribben zijn aan beide kanten kapot en mijn maag doet zo'n pijn dat ik nauwelijks kan staan.' Hij had een verongelijkte toon in zijn stem. 'Waarom heb je me belazerd, Mo?'

'Waar heb je het over?'

'Je hebt mijn geld gestolen, je bent verdwenen zonder iets te zeggen...'

'Ik heb wel gemerkt wat je met die andere drie kerels hebt gedaan. Dacht je dat ik die flauwekul bij het Omni-hotel niet doorhad? Met die sleutel van de kluis? Bovendien heb ik je nog niet belazerd. Het geld is nog veilig.'

'Oh, man,' hij klonk of ik zijn moeders leven had gered. 'Oh, man. Waar is mijn geld, Mo?'

'Ergens op een veilige plek en daar blijft het tot deze ellende achter de rug is. Maak je geen zorgen, je komt niets tekort. Je krijgt jouw deel.' Dat had ik anders moeten formuleren, want dit waren bijna dezelfde woorden als hij had gebruikt tegen die drie kerels die op de vuilnisbelt waren geëindigd. 'Wat heb je die Russische klootzakken verteld?'

'Wat kon ik doen, Mo? Ik heb gezegd dat jij het geld hebt.'

'Zak. Waarom heb je dat gedaan?'

'Je weet niet wat ze me hebben aangedaan, Mo. Ze hebben me goed te pakken gehad, ik dacht dat ik doodging. Wat moest ik anders?'

'Oké, laat maar.'

Onder ons begon het licht van de Rus de heuvel op te komen, terwijl het langzaam heen en weer bewoog. 'Misschien krijg je nog de kans je geld uit te geven. Die vent volgt het bloedspoor. We moeten hem voor kunnen blijven, als we tenminste geen van beiden buiten westen raken. Ben je klaar?'

'Nee, maar kom op.'

Ik kan niet veel navertellen over die tocht terug door het bos. Ik herinner me alleen dat het het moeilijkste was wat ik ooit in mijn leven heb gedaan. Rosey verloor een paar keer het bewustzijn, zodat ik hem op mijn rug en op mijn goede schouder moest nemen om niet stil te blijven staan. Af en toe zag ik het licht van de zaklantaarn van de Rus, maar uiteindelijk verdween het. Ik denk dat zijn batterijen leeg waren. Ik herinner me ook nog dat ik het eigenlijk wilde opgeven. Daar ben ik niet trots op, maar het ging wel door mijn hoofd – een lekker comfortabel plekje zoeken om te gaan liggen, het verband eraf rukken en het verder maar laten gebeuren. Ik deed het echter niet. Wat me op de been hield, was Nicky, alleen de gedachte aan hem, dat ik hem terug wilde zien, dat ik wilde toekijken hoe hij 's ochtends zijn tanden poetste, dat ik zijn armen om me heen wilde voelen en dat soort dingen. Eigenlijk weet ik wel zeker dat ik huilde, maar het was gelukkig donker en Rosey en ik waren toch overdekt met bloed en vuil en troep, dus het maakte niet uit.

Het leek een eeuwigheid te duren voordat we eindelijk die rottige weg bereikten. Ik liet Rosey in het gras zakken en ging naast hem zitten. Ik begon licht in mijn hoofd te worden en het kostte me moeite te bedenken of ik naar links of naar rechts moest gaan om de Subaru terug te vinden. Even overwoog ik om naast Rosey te gaan liggen voor een dutje, maar iets in me zei dat dat niet verstandig was en dat het wel eens het einde van het spelletje kon betekenen. En dus kwam ik weer overeind en strompelde weg op zoek naar de auto. Het was een roteind, ik vermoed dat ik niet zo zorgvuldig op het kompas had gekeken en er zijn nu eenmaal dagen dat het niet meezit. Ik begon al aan mezelf te twijfelen en vroeg me af of ik niet toch de verkeerde kant was opgegaan. Eerlijk gezegd overwoog ik net serieus om terug te gaan en in de andere richting te gaan zoeken, toen ik het groepje eikenbomen in het oog kreeg waaronder de Subaru nog altijd geparkeerd stond in de vroege ochtendschemering.

Ik had een paar chocoladerepen en een fles mineraalwater onder de bank. Ik at twee repen en dronk wat van het lauwe water, maar toen reed ik weg. Bijna vergat ik de hele Rosario, geloof me of niet, ik reed haast de verkeerde kant uit. Ik deed het niet, maar ik besefte wel dat mijn hoofd het liet afweten. Met één arm reed ik terug naar waar ik hem had achtergelaten. Hij was lang genoeg bij bewustzijn om me te helpen hem op de voorbank te krijgen en zijn gordel om te doen. Gelukkig maar, want bewusteloos leek hij nog het meest op een lijk van honderdtien kilo. Ik weet niet of het me in m'n eentje was gelukt. Rosey is een grote kerel, groter dan ik en hij paste maar net in de Subaru.

Ik herinner me nog dat ik terugreed over die ongeplaveide weg, terwijl ik steeds buiten westen raakte en met een schok weer bijkwam. Door de schrik was ik dan weer een poosje helder. Ik passeerde de winkel met visgerei in Grand Lake Stream die nu dicht en donker was, dat weet ik ook nog. Het laatste wat ik me herinner is dat ik met de Subaru tegen een van die enorme dennen voor het huis van mevrouw Johnson knalde, daarna werd alles zwart.

7

Ik kwam weer bij mijn positieven in een pastelgroene kamer. Er hing een onmiskenbare ziekenhuissfeer – de scherpe geur van ontsmettingsmiddelen, de gedempte stemmen van familieleden die naast de zieken en stervenden zaten. Mijn linkerarm was in verband gewikkeld en er liep een slangetje van de binnenkant van mijn pols naar een fles met heldere vloeistof aan een roestvrijstalen standaard. De zon stroomde naar binnen door een groot raam. Chris Johnsons moeder zat in een stoel naast het raam te lezen. Toen ze me hoorde bewegen, hield ze haar vinger bij de plek waar ze was gebleven en keek op.

'Coyote,' zei ze met een geamuseerde blik op haar ronde gezicht. 'Hoe gaat het?'

'Klote,' antwoordde ik en probeerde te gaan zitten. Tot mijn verbazing kostte me dat heel veel moeite. In mijn hoofd voelde ik een wilde, sprankelende vreugde – ik had het gehaald, het was me weer gelukt, maar mijn blijdschap werd getemperd doordat ik zo zwak was. 'Verdorie,' zei ik, 'waar ben ik?'

'In het ziekenhuis, in Calais,' antwoordde ze.

'Hoe lang ben ik buiten westen geweest?'

'Twee dagen.'

'Oh, Jezus.' Ik had Nicky achtergelaten bij Louis en Eleanor en ze moesten zich alledrie inmiddels wel hevig bezorgd om me maken, maar in elk geval was Nicky veilig. 'Weet Bookman dat ik hier ben?'

'Dat weet ik niet,' zei ze en haalde haar schouders op. 'Ik heb het hem niet verteld.'

'En de dokter dan. Horen dokters schotwonden niet aan te geven bij de politie?'

'Hoezo schotwond? Je hebt een ongeluk gehad, Coyote en daarbij heb je een diepe jaap in je arm opgelopen. Je vriend heeft een paar ribben gebroken. Dat is het officiële verhaal.' Ze glimlachte. 'Je moet ook niet achter het stuur kruipen als je zo moe bent.'

'Hebt u iets gehoord over die twee Russen?'

'Ik weet niets over Russen,' zei ze. 'Ik weet wel dat een of andere arme drommel is verdwaald in het bos en dat hij daar haast is opgevreten door muggen en allerlei ander ongedierte. Hij zag eruit als een speldenkussen, zo zegt men, zijn gezicht en zijn armen waren helemaal opgezwollen. Hij was het zo zat, dat hij is teruggegaan naar waar hij vandaan kwam. En een andere man is gevallen en met zijn hoofd op een rots terechtgekomen, hij heeft een hersenschudding. Hij mag nog nergens heen, want hij ziet alles dubbel.' Ze stond op en legde haar boek ondersteboven op haar stoel. 'Ik ga even doorgeven dat je wakker bent. Hier blijven, oké?'

'Ja, oké. Hoe is het met de Subaru afgelopen?'

Ze schudde haar hoofd. 'Total loss. Mijn neef heeft hem naar de schroothoop gesleept.'

'Verdomme.' Ik keek naast mijn bed. 'Hebben ze hier helemaal geen telefoons of zo?'

Ik zag een geamuseerde blik op haar uitdrukkingloze gezicht verschijnen. 'Daar moet je extra voor betalen.'

'Ja, geweldig. Is mijn mobiele telefoon hier misschien ergens?'

'Je spullen uit de auto zitten allemaal in deze zak.' Ze stak haar hand in een stoffen zak op de grond naast haar stoel en trok de steen met de voetzoeker eraan vastgeplakt tevoorschijn. 'En dit ook. Die blaffer die je bij je had, zit nog in de zak van je vest.'

'Die steen met die strijker eraan was een afleidingsmanoeuvre en het pistool heb ik meegenomen van die kerel die met zijn hoofd op die steen is terechtgekomen.'

'Ik maakte me geen zorgen om dat pistool,' zei ze. 'De enige persoon die is neergeschoten, schijn jij te zijn.'

'Raar hoe dat werkt. Afijn, wat ik nu nodig heb, is een telefoon.'

'Oké.' Er lag een grote papieren zak, zo een die ze in supermarkten gebruiken, in de kast. Ze keek erin. 'Je telefoon,' zei ze en haalde het ding tevoorschijn. 'Hier, ik ben zo terug.'

* * *

Er werd niet opgenomen bij de Avery's. Ik belde tweemaal en liet de telefoon heel lang rinkelen, maar vergeefs. Ik voelde mijn maag samenknijpen. Maak je niet druk, zei ik tegen mezelf. Misschien is Louis aan het werk, misschien zijn Eleanor en Nicky in de schuur bij het paard. Misschien zijn ze gaan wandelen. Misschien werken ze in de tuin.

Maar ik geloofde het zelf niet, ik wist dat Eleanor niet naar buiten zou gaan als ze daar geen verdomd goede reden voor had. Bovendien was ik al een paar dagen vermist. Zouden ze zich niet ongerust maken? Zouden ze niet gek worden van Nicky die om de vijf minuten vroeg wanneer ik terugkwam? Ik probeerde het nog een keer en liet hem heel lang overgaan terwijl er beelden door mijn hoofd begonnen te spoken van iemand die de telefoon wel kon horen, maar er om de een of andere afschuwelijke reden niet bij kon komen. Eleanor bijvoorbeeld, vastgebonden op een stoel zoals Rosey was overkomen.

Verdorie.

Ik controleerde mijn voicemail en zag dat ik een bericht had van Buchanan uit New York en twee van Bookman. Buchanan kon wachten en ik wilde pas met Bookman praten wanneer ik contact had gehad met Nicky en de Avery's. Bij Bookman had ik altijd het gevoel dat ik me op dun ijs bevond en dat wilde ik niet nog erger maken. Gevier woonde naast de Avery's en hij wist vast wel wat er aan de hand was. Het nummer van zijn garage zat in het geheugen van mijn telefoon. Toen het ding voor de zesde keer overging, nam hij buiten adem op.

'Gevier, met Manny. Er is niemand thuis bij Louis. Weet jij soms wat er bij hen aan de hand is?'

'Wel,' antwoordde hij, 'Louis is lekker aan het uitrusten.'

'Hoe bedoel je?'

'Hij zit in de gevangenis. Bookman heeft hem opgepakt voor openbare dronkenschap, geweldpleging met een dodelijk wapen en Joost mag weten wat nog meer.'

'Is dat een geintje of zo? Louis, geweldpleging? Verdorie! Wat is er in vredesnaam gebeurd? Waar zijn Nicky en Eleanor?'

'Wel, Louis heeft Eleanor naar de dokter in Machias gebracht en die stopte haar in het ziekenhuis. Hij is zonder haar thuisgekomen en sinds die tijd is hij dronken. Hij ging naar de bar van de evenementenhal, maar daar wilden ze hem niet meer schenken omdat hij al apezat was en toen liep hij naar zijn pick-up, kwam terug met zijn kettingzaag en zaagde de bar in tweeën.'

'Oh, verdomme. Had hij Nicky bij zich?'

'Ja. Louis heeft een beste jaap in die bar gemaakt, dwars door de glazen bovenplaat en al. Daarna zette hij de zaag op de bar en zei: "Geef me een whisky." En ze deden het nog ook, dat zweer ik.'

'Wanneer was dit?'

'Eergisteravond.'

'Nee, hè! Wat is er met Nicky gebeurd?'

'Dat weet ik eigenlijk niet, moet ik je bekennen. Dat kun je beter aan Bookman vragen, hij heeft Louis gearresteerd.'

Geweldig. 'Heeft iemand een borgsom betaald?'

'Wel, ik geloof dat Hobart, zijn oude partner, dat van plan was, maar Bookman overtuigde hem dat hij dat beter niet kon doen. Hij dacht dat Louis het beste een paar dagen opgesloten kon blijven.'

'Jezus Christus.' Mijn maag kneep samen. 'Ik moet mijn kind vinden.' Toen herinnerde ik me dat ik Hobarts Subaru total loss had gereden en dat ik dus geen auto had. 'Luister, Gevier, ben je er nog in geslaagd mijn auto te repareren?'

'Hij is over een half uurtje klaar,' zei hij. 'Ik moest eronder vandaan kruipen om de telefoon op te nemen.'

'Sorry. Wat kost het me als je die auto hierheen sleept en achterlaat op de parkeerplaats van het ziekenhuis van Calais? Kun je dat vanavond nog doen?'

'Ja hoor. Dat kost me een paar uur. Zeg maar een extra vijftig dollar.'

'Mooi. Wil je dat doen? Doe hem niet op slot en schuif de sleuteltjes onder de mat aan de passagierskant.'

'Oké,' zei hij. 'Komt goed. Ik leg de rekening op de bestuurdersstoel. Ga maar even langs mijn huis en betaal aan Edwina.'

'Gaat zij over het geld?'

'Zij gaat overal over,' zei Gevier. 'Het is haar wereld. Jij en ik, wij zijn maar passanten.'

Daar lag ik dan met de telefoon in mijn hand en dacht aan alle vreselijke dingen die met Nicky konden zijn gebeurd terwijl ik buiten westen was en ook aan alle vreselijke dingen die nog gingen gebeuren wanneer ik met Bookman praatte. Het kon me op slag niets meer schelen wat Bookman van me dacht, behalve dan dat hij het me verrekt moeilijk kon maken om Nicky terug te krijgen als zijn mening over mij negatief genoeg was. Ik voelde me misselijk, maar ik moest hem bellen. En dus toetste ik het nummer van zijn kantoor.

'Sheriff Bookman is er niet,' zei een vrouwenstem. 'Kan ik een boodschap aannemen?'

'Is hij er niet?' Dat kon niet waar zijn. 'Hoe bedoelt u, hij is er niet? Ik moet hem dringend spreken. Is hij thuis? Hebt u zijn privé-nummer?'

'Ik ben bang dat ik u dat niet mag geven, meneer...'

'Hemel. Luister, ik moet hem spreken en hij wil mij ook heel graag spreken, dat verzeker ik u.'

'Misschien kan ik uw nummer noteren, meneer. Dan probeer ik contact met hem te krijgen, zodat hij u terugbelt. Wilt u dat?'

Het was blijkbaar het beste dat ik kon krijgen, in elk geval van haar.

'Prima. Mijn naam is Manny Williams.' Ik gaf haar mijn mobiele nummer. Ik hing op en luisterde de twee berichten af die Bookman op mijn voicemail had ingesproken. Hij zei niet veel, maar vroeg zich droog af waar ik uithing. Hij had het nummer van zijn werk achtergelaten. Ik kon zijn privé-nummer waarschijnlijk wel van Gevier krijgen en ik stond net op het punt hem weer te bellen, toen mijn telefoon ging.

Het was Bookman. 'Jij wilt vast met je zoon spreken,' zei hij.

'Natuurlijk. Is hij daar?'

'Nee.'

'Kom op Bookman, wat doet u me aan. Waarom kwelt u me zo?'

'Dat is precies wat jij met hem hebt gedaan,' antwoordde Bookman kalm. 'Drie dagen heeft dat arme kind nu al niets van zijn vader gehoord en slaapt hij in een vreemd bed...'

'Dat is niet mijn schuld, Bookman, ik ben pas een half uur geleden bijgekomen. Een van die Russen heeft me een paar nachten geleden geraakt met zijn pistool. Ik ben twee dagen buiten westen geweest. Ik had Nicky onder de hoede van Louis en Eleanor achtergelaten, want ik dacht dat ik diezelfde avond weer terug zou komen. Hoe bedoelt u, een vreemd bed? Wat hebt u in godsnaam met hem uitgevoerd?'

'Toen ik Louis met zijn dronken kop in de cel stopte, had hij dat jochie van je bij zich in de auto,' zei hij. 'In zo'n geval is de kinderbescherming van Maine verantwoordelijk...'

'Oh, Jezus Christus! Bookman, wat hebt u gedaan?' Daar zat ik nu net op te wachten. 'De kinderbescherming van Maine?' Ik had hem al een keer ontvoerd, en nu zag ik mezelf het opnieuw doen, maar een verdwenen kind in Maine zou beslist veel meer aandacht trekken dan een verdwenen kind in Bushwick. 'Godverdomme, Bookman! Waarom komt u me niet gewoon doodschieten? Waarom...?'

'Rustig, rustig,' antwoordde Bookman. 'Ik zei dat ze verantwoordelijk zijn, maar ik heb niet gezegd dat ik je zoon heb overgedragen. Nicky is bij de beek aan het vissen, samen met Franklin. Je kunt nu niet met hem praten omdat ze nog niet terug zijn.'

Ik liet me achterover vallen op het bed, overspoeld door een golf van opluchting. Ik veegde mijn voorhoofd af met de voddige kamerjas van het ziekenhuis.

'Oh, Jezus, Bookman...'

'Laat de godsdienst er maar buiten, maar als je daar ligt met een schotwond, waarom ben ik daar dan niet over geïnformeerd?'

'Dat is een lang verhaal.'

'Dat zal best,' zei hij. 'Ik verheug me al op alle details. Wat heb je met die Russen gedaan?'

'Een van hen is naar huis gegaan en de andere sliep als een baby toen ik hem voor het laatst zag.'

'Zo.' Hij dacht er even over na. 'Wanneer kom je uit het ziekenhuis?'

'Morgenochtend ga ik hier weg. Gevier heeft mijn auto gerepareerd en hij zal hem vanavond hier op de parkeerplaats zetten. Waar kan ik u ontmoeten?'

'Ga terug naar het huis van Louis. Bel me wanneer je daar bent. Ik zal dit nummer bellen zodra de jongens terugkomen van de beek, dan kun je zelf met je zoon praten.'

De dokter die bij me kwam was langer en magerder dan mevrouw Johnson, maar hij had hetzelfde zwarte haar en dezelfde bruine huid en bruine ogen.

'Meneer Coyote,' begroette hij me met een grijns. 'Hoe voelen we ons vandaag?'

'Fantastisch,' antwoordde ik. 'Wanneer mag ik hier weg?'

Hij begon het verband om mijn arm los te maken. 'Hebt u haast om weg te komen? U hebt veel bloed verloren, weet u dat?'

'Kunt u dat dan niet aanvullen? Ik moet dringende zaken afhandelen.'

'Dat hebben we al gedaan.' Hij haalde het laatste gedeelte van het verband weg. 'Hmmm,' merkte hij op, 'ik ben bang dat die slang op uw arm nu een blijvend litteken op zijn kop heeft.'

'Daar heb ik meer van gevoeld dan hij.'

'Dat geloof ik graag.' Hij keek op zijn horloge. 'Het is nu bijna vier uur,' zei hij. 'Het is nu toch te laat om zaken af te handelen. Ik denk dat u het beste nog een nachtje bij ons kunt blijven, dan kijken we morgenochtend hoe u zich voelt.'

Ik wilde niet blijven, ik wilde onmiddellijk weg, maar eerlijk gezegd voelde ik me behoorlijk slap. Misschien was het wel verstandig om nog een nacht te blijven. 'Als dat het beste is. Hoe gaat het met mijn vriend Rosario?'

Hij keek me aan. 'Laten we elkaar niet langer voor de gek houden, oké? U hebt een kogel in uw arm gekregen en uw makker werd ernstig in elkaar geslagen. Ik betwijfel ook of hij in de dagen voordat hij hier belandde iets te eten heeft gehad. Er is hier veel meer aan de hand dan iemand die achter het stuur in slaap is gevallen. Mevrouw Johnson is een goede vriendin van me en zij heeft me gevraagd u op te lappen en mijn mond te houden. Daarom heb ik dat ook gedaan, maar het moet er niet op uitdraaien dat u haar bij iets betrekt waardoor ze gevaar loopt.'

'Dat zou ik ook niet willen, dokter. Rosario en ik waren allebei op het verkeerde moment op de verkeerde plek. Hoe eerder ik hem hier zo ver mogelijk vandaan kan brengen, hoe beter het is voor iedereen.' Dat was de zuivere waarheid. Ik moest hem uit de buurt van die Russen zien te krijgen en bovendien wilde ik niet dat Bookman hem een hoop vragen ging stellen.

'Dat zou kunnen, maar vanavond nog niet. Uw vriend had een ingeklapte long en hij moet zeker nog vier of vijf dagen blijven waar hij is. Ik kan u alleen beloven dat ik morgenochtend bij u beiden langskom en dan zal ik zeggen wat ik ervan vind. Oké?'

'Oké, dokter. Bedankt.'

* * *

Mevrouw Johnson kwam weer binnen en pakte haar spullen. 'Ik ga naar huis, Coyote,' zei ze. 'Denk je dat je het nu wel weer kunt redden?'

'Zeker. Ik weet niet hoe ik u moet bedanken.'

'Laat maar,' antwoordde ze. 'Je hebt je aardig geweerd daar in dat bos. Het was een reus van een kerel die je hebt gedragen. Ik ken niet veel mannen die dat voor elkaar hadden gekregen.'

'Angst maakt je sterk.'

Ze schudde haar hoofd. 'Angst maakt je bang, meer niet. Heb je Nicky gevonden?'

'Mijn zoon? Ja. Ik vermoed dat ik in mijn slaap over hem heb gepraat.'

Ze knikte. 'Ja, dat klopt.' Ze keek me emotieloos aan. Waarschijnlijk moest je je hele leven in dit gebied wonen voordat je de gezichten van de mensen hier kon lezen. 'Je hebt over een heleboel dingen gepraat, maar maak je geen zorgen, niemand heeft je gehoord, behalve ik. En ik weet hoe ik moet zwijgen. Bovendien, wanneer je een coyote bent, is het ook onzin je voor te doen als een doetje.' Ze liep weg, maar bij de deur bleef ze nog even staan. 'Volgens mij kun je heel wat verhalen vertellen, Coyote. Als je ooit eens de tijd hebt, wil ik ze heel graag horen.'

Ze liet een leegte achter toen ze weg was. De kamer was plotseling kouder en vijandiger en ik voelde me minder op mijn gemak. Het toilet was ongeveer vier meter verwijderd van mijn bed. Hoewel ik heel slap was, slaagde ik erin er te komen. Eigenlijk viel het me nog mee. Ik voelde echter wel hoe leeg mijn maag was en ik moest ook dringend onder de douche. Toen ik terug naar mijn bed liep, de standaard met die fles zwaaiend achter me aan, kwam er een verpleegster binnen. Een oudere vrouw met grijs haar en een professionele uitstraling. In een oogwenk had ze de fles losgekoppeld van mijn arm, me de douche ingewerkt en een maaltijd besteld. Daarna ging ze voor me kijken waar ik Rosario kon vinden. Ik bereikte mijn bed en voelde me weer mens, maar ik was wel behoorlijk uitgeput door zo'n kleine onderneming.

Ziekenhuiskost blijft ziekenhuiskost. Als je maar hongerig genoeg bent, eet je het wel op. Ik was meer dan hongerig genoeg en toen ik alles op had, begon ik me beter te voelen, in elk geval goed genoeg om naar Rosario's kamer en weer terug te gaan zonder in te storten. Voordat ik echter klaar was met eten, ging mijn telefoon. Het was Bookman.

'Wacht even,' zei hij. Ik hoorde hoe de telefoon van het ene paar handen naar het andere ging en er ademde iemand in het toestel.

'Hoi, Nicky,' zei ik en probeerde niet schuldig te klinken, maar dat voelde ik me wel. 'Ben jij dat?'

'Hoi, pappie.' Ik kon hem maar nauwelijks horen.

'Heb je het naar je zin gehad met Franklin?' Er kwam wel een minuut lang geen antwoord en ik hoorde een vrouwenstem op de achtergrond tegen Nicky zeggen dat ik niet kon zien dat hij knikte.

'Ja,' zei hij uiteindelijk met datzelfde timide stemmetje.

'Gedraag je je wel netjes?' Ik kreeg hetzelfde antwoord op dezelfde toon. God, dit was vreselijk. Ik zou het liefst door de telefoonlijn heengrijpen en mijn armen om hem heenslaan. 'Heb je een vis gevangen?'

'Ik heb een snoek gevangen!' zei hij, nu met het volume dat hij reserveerde voor werkelijk belangrijke gebeurtenissen, zoals weglopende paarden. 'Franklin zei dat het een snoek was en hij was helemaal glibberig, met grote tanden!'

'Heeft hij je gebeten?'

'Nee.' Ik hoorde hem lachen. 'Gekkerd.'

'Hebben jullie hem opgegeten?'

'Nee, we hebben hem weer losgelaten. Franklin zegt dat er te veel graten inzitten.'

'Oh. Oké dan. Ga morgenochtend maar niet vissen. Ik moet vannacht nog hier blijven, maar morgenochtend kom ik bij je. Is dat goed?'

'Oké.' Weer dat zachte stemmetje.

'Lief zijn, hè. Daag.'

Bookman kwam weer aan de lijn. 'Oké, Manny,' zei hij. 'Bel me morgenochtend wanneer je bij Louis' huis bent.'

'Doe ik.' Ik had sterk de indruk dat hij nog iets anders wilde zeggen, maar hij deed het niet. Hij hing gewoon op.

Rosey lag in bed televisie te kijken. Hij zag er bleek uit. Ik ging op de stoel naast zijn bed zitten. Hij moest al langer bij zijn positieven zijn geweest dan ik, want ik kon aan hem zien dat hij te veel tijd had gehad om na te denken. Hij leek verbaasd me te zien toen ik zijn kamer binnenliep, maar daarna nam hij onmiddellijk een verwijtende en nukkige houding aan, diep gekwetst en wantrouwig. Ik vermoed dat ik me net zo zou hebben gevoeld. Het was geen leuke situatie om je in te bevinden: afhankelijk, niet in staat je te bewegen, op onbekend terrein en je maat uit de onderwereld heeft je geld in handen. 'Hoe gaat het, Rosey?'

Hij pakte de afstandsbediening en zette het geluid van de televisie zo hard dat we konden praten zonder te worden afgeluisterd.

'Je hebt me gered,' zei hij met een blik op zijn infuus. 'Ik sta bij je in het krijt.'

'Als je dat maar verdomd goed beseft.'

Hij kromde zijn nek om langs me te kijken, zodat hij zeker wist dat niemand ons afluisterde op de gang. 'En jij bent mij wat schuldig, hufter die je bent. Jij bent mij wat schuldig.' Ik zag hem zijn verongelijkte gezicht weer opzetten, terug naar zijn ware zelf. Hij leek nog het meest op een vrouw die net haar man samen met haar zus in bed heeft betrapt. 'Waarom moest je mijn geld jatten, Mo? Ik dacht dat jij en ik vrienden waren.'

Ik legde mijn hand op mijn borst. 'Rosey, ik kan niet onder woorden brengen hoe het me kwetst dat je dat zo zegt.'

'Oh, krijg de tering...' Hij probeerde overeind te komen, maar zijn ogen gingen wijd open, hij kreunde van pijn en ging snel weer achterover liggen. Hij moest even bijkomen. 'Je bent een ijskoude, weet je dat?'

'Hé, Rosey, houd op met die onzin. Dacht je nu echt dat ik die truc met dat kluissleuteltje niet doorhad? Denk je werkelijk dat ik zo stom ben? En bovendien, ik weet hoe het met die drie kerels die hebben meegedaan is afgelopen. Wees eens eerlijk, Rosey, het zou mij net zo zijn vergaan, waar of niet?'

'Hoe kom je erbij, man? Er viel niet met hen te praten. Toen ik ze de volgende dag ontmoette, waren ze hartstikke onredelijk. Ze eisten een half miljoen de man. Dat kon ik hun niet geven... En dus gaf ik ze iets anders.'

Hij had nog steeds dezelfde gebelgde en verwijtende uitdrukking op zijn gezicht. 'Hoeveel was het, Mo? Kun je me dat dan tenminste vertellen?'

'Een komma acht miljoen.' Ik moest hem in elk geval een beetje belazeren, dat kon ik niet laten.

'Zie je nu wel? Zie je nu wel? Ik dacht ook aan jou, Mo. Als ik die kerels een half miljoen elk had gegeven, wat was er dan overgebleven voor jou en mij, hè?'

'Ik ben diep ontroerd, Rosey. Zo'n vriend als jij heb ik nooit eerder gehad.'

'Ach, donder toch op, klootzak die je bent.' Ik dacht echt dat hij in tranen zou uitbarsten. 'Waarom kom je hier, Mo, je komt me hier gewoon uitlachen, je komt me in mijn gezicht piesen, je weet dat ik hier zo hulpeloos als een baby in dit rotbed lig...'

Ik wachtte even tot hij klaar was. 'Rosey, je bent een slimme vent.'

Hij haalde een paar keer diep adem en liet zijn air van afgewezen minnaar varen. 'Ja, nou en?' Last van valse bescheidenheid had hij in elk geval niet.

'Je ziet me hier voor je zitten. Wat betekent dat?' Hij wilde geen antwoord geven, maar bleef koppig naar de televisie staren. 'Denk eens na, Rosey. Als ik jouw geld wilde houden, kon ik toch gewoon naar buiten wandelen en jou hier gekluisterd aan je bed achterlaten. Waarom heb ik dat nog niet gedaan, Rosey?'

Hij bleef naar het scherm kijken, het wantrouwen lag op zijn gezicht. Dat kwam omdat hij dat had willen doen. Dat vermoeden had ik al, maar nu wist ik het zeker. Hij zou zich er nooit toe hebben kunnen brengen het geld met mij te delen. Hij had me moeten vermoorden. 'Zeg jij het maar, Mo. Leg me uit waarom.'

'Oké, Rosey. Geloof je in karma?'

Hij wierp me een woedende blik toe. 'Ik ben katholiek, Mo, dat weet je best. Ik geloof dat God jou en mij naar de hel zal sturen.'

'Misschien wel. Maar in mijn ogen heb ik drie manieren om daar te komen. Optie een: ik wacht tot je slaapt, oké, en dan kom ik hier terug, stop een portie rattengif in je infuus en dan sterf je een ellendige dood, zodat God je vannacht nog in de hel kan onderbrengen. Oké?' Rosey staarde me met wijdopen ogen aan en keek weer als een beledigde huisvrouw. 'Ik had dat al kunnen doen en dat weet je best. Mogelijkheid twee: ik zou gewoon kunnen verdwijnen en alles zelf houden. Maar dan moet ik de rest van mijn dagen over mijn schouder kijken of je me al hebt gevonden. Dat is geen manier om te leven. Blijft over optie drie. Ik kan jou je deel geven, zodat we allebei onze eigen weg kunnen gaan. De eerste twee keuzes brengen te veel kwaad karma mee en daarom ga ik voor nummer drie. Alles wat jij moet doen is in dit bed blijven liggen en je bek houden.'

Door het flikkerende licht van de televisie zag zijn gezicht er gespannen uit, verscheurd door twijfel en achterdocht. 'Jij wilt me mijn deel geven? Kijk ons eens, Mo. Ik vertrouw jou niet en jij vertrouwt mij niet. Je wilt me nog steeds niet vertellen waar mijn geld is.'

'Als ik dat zou doen, zou je er toch niet af kunnen blijven. Als je meer wist, zou het niet uitmaken hoe veilig het daar ligt. Je zou naar de telefoon rennen en de zaak verknallen. En bovendien, hoe lang zou je het uithouden als die Russen je weer te pakken kregen? Of een paar andere Russen misschien? Kijk eens naar jezelf, man, je gaat de komende dagen helemaal nergens heen.

Tegen de tijd dat je hier naar buiten kunt wandelen, kan ik alles hebben geregeld. Daarna kun je doen wat je wilt. Zolang je maar wegblijft uit New York City kun je sterven als een rijk man.'

Hij trok zijn kamerjas open en keek omlaag naar zijn borst. Hij was van zijn sleutelbeen tot zijn middel in verband gewikkeld. Hij keek me aan, overdacht de zaak en knikte toen kort. 'Wat ga je doen?'

'Dat heb ik al gezegd. Ik ga de zaak regelen. Over een paar dagen, misschien een week, staat je geld lekker wit en wettig op je effectenrekening.'

'Ja, geweldig, geef het vooral aan die waardeloze klootzak van een effectenmakelaar van me.'

'Het komt op je rekening. Hij kan er niets mee doen zonder jouw toestemming.'

Hij wreef met beide handen over zijn gezicht en kreunde omdat het hem zoveel moeite kostte. 'Ja,' mompelde hij. 'Oké dan.' Hij zei het met iets beschuldigends in zijn stem, alsof hij wist dat hij werd belazerd, maar er uit genegenheid voor mij genoegen mee nam.

'Maar je moet wel verdwijnen, begrijp je? Met je geld in je zak, ergens naar een verafgelegen strand of zo.'

'Zoiets als Puerto Rico?' vroeg hij.

'Heb je daar familie?'

'Ja.'

'Geen Puerto Rico dan. Denk toch eens na, Rosey. Je hebt nu een groot dollarteken op je rug. Je moet ergens heengaan waar niemand je komt zoeken.'

Hij ging weer achterover liggen en keek peinzend. 'Ik snap het,' zei hij en dacht even na. 'Daarom ben jij dus helemaal hierheen gekomen. Je wist wel dat al deze ellende zou losbarsten.'

'Hoe wisten die twee moordenaars waar ze me moesten zoeken?'

'Ik geloof dat iemand hier uit de buurt hen heeft gebeld, dat ze je hier konden vinden.'

'Iemand hier uit de buurt? Weet je dat zeker? Heeft iemand hier me verlinkt? Hebben ze dat gezegd?'

'Mij hebben ze geen donder verteld, man, maar ze hadden het steeds over een of andere kerel die had gezegd: "Ik heb gehoord dat jullie naar een vent op zoek zijn, ongeveer zo groot, ziet er zo en zo uit, heeft een kind bij zich, dus kom hem maar halen." Ik had het idee dat die man hun wel de stad, maar niet het huis waar je was heeft genoemd. Misschien had hij het over Eastport, want daar hebben ze heel lang rondgesnuffeld.'

'Eastport? Oké. Wie zijn ze trouwens? Werken ze voor die Russen die we hebben beroofd?'

'Dat denk ik niet, Mohammed. Ik geloof dat ze pas voor het eerst over jou en mij hebben gehoord van iemand uit deze buurt hier, daarna hebben ze een en een bij elkaar opgeteld en zijn ze achter het geld aangegaan. Een van die nieuwe vrienden van je hier heeft rondgebeld tot hij iemand had gevonden die jou het leven zuur wilde maken. Die kerels die we hebben beroofd hebben het op het moment te druk met andere dingen. Bovendien hebben ze geld zat. De *New York Times* heeft het over vijftig of zestig miljoen dollar waarvan de beurstoezichthouder niet weet waar die zijn gebleven. Die kerels hebben nu wel wat anders aan hun hoofd dan jou of mij.'

'Mooi. Dat betekent dat we er nog steeds mee weg kunnen komen. Maar zodra je hier uitkomt, moet je ergens heengaan waar niemand je kent. Als je rijk wilt worden, zul je eerst verstandig moeten zijn.'

Hij knikte. 'Ik ben nooit in Griekenland geweest,' zei hij.

'Vertel mij maar niet waar je heengaat.'

Hij keek me met een bedroefde blik aan. 'En jij gaat me niet vertellen waar jij heengaat.'

'Zo is het. Wanneer die dokter bij je komt, zeg dan dat je je geweldig voelt. Over twee, hooguit drie dagen moet je klaar zijn om te gaan.'

Hij keek omlaag naar zijn ingezwachtelde borst. 'Ik zal je wat zeggen, Mo. Vergeleken met een paar dagen geleden voel ik me ook geweldig.'

'Luister, Rosey, ik denk dat een van die Russen ergens in dit ziekenhuis hier is, dus pas op je tellen. Zorg dat je niet in moeilijkheden komt.'

'Welke?'

'Degene die aldoor dronken was.'

Rosey's gezicht liep rood aan van woede, maar die was tenminste niet op mij gericht. 'En waar hangt die andere uit?'

'Ik heb gehoord dat die andere er genoeg van had en naar huis is gegaan.'

'Oké,' zei hij. 'Kom me maar halen, klootzak die je bent. Ik zal klaar zijn.'

'Goed. Wie is je effectenmakelaar?'

De achterdocht vlamde weer op in zijn ogen. Hij moest er eerst een poosje over nadenken voordat hij me antwoordde. 'Charles Schwab,' zei hij ten slotte. Ik vermoed dat hij had besloten me te vertrouwen.

'Weet je je rekeningnummer uit je hoofd?'

Hij knikte en gaf het me, maar niet van harte.

Tegen de tijd dat ik mijn bed weer bereikte, had ik het gevoel dat de naald van mijn tank aardig naar rood zakte. Alle energie die ik had gekregen door de ziekenhuismaaltijd leek te zijn opgebruikt. Misschien moest ik gewoon een lange nacht slapen.

Buchanans nummer zat niet in het geheugen van mijn telefoon, maar wel in mijn eigen geheugen, hoewel ik er even diep over moest nadenken. Na een beetje wroeten, hoestten mijn hersenen het nummer op. Ik verwachtte niet dat hij op dat late uur nog op kantoor zou zijn, maar ik wilde een boodschap achterlaten, zodat hij me de volgende ochtend kon terugbellen. Het liep echter anders. De telefoon werd opgenomen door een vrouw. 'Wacht even,' zei ze. Een paar seconden later kwam hij zelf aan de telefoon.

'Mohammed,' riep hij. 'Mijn God, wat ben ik blij iets van je te horen.' Zijn stem klonk ongewoon geanimeerd. 'Ik dacht al dat je onze hele, uuuh afspraak, was vergeten.'

'Nee, die ben ik niet vergeten. Ik werd een paar dagen opgehouden. Sorry.'

'Oké, maakt niet uit.' Ik hoorde de opluchting in zijn stem. 'Wil je er nog altijd mee doorgaan? Ben je er klaar voor?'

'Ja, het gaat door. En waar moet ik klaar voor zijn?'

'Wel,' antwoordde hij, 'we moeten nog wat details uitwerken. In de eerste plaats zul je dat geld bij mij in onderpand moeten geven en je moet ook aan de gang met die aandelen waar het om gaat. En natuurlijk moeten we de administratie afhandelen.'

'Oké.'

'Kun je morgen hier komen?'

'Dat zal niet gaan. Maar overmorgen, is dat ook goed?'

'Ja, dat kan,' zei hij, 'maar zorg wel dat je dan komt. We mogen geen risico's nemen door het te lang uit te stellen. Het zou misdadig zijn dit te verpesten, Mohammed. Het gaat er steeds beter uitzien. Een deal als deze komt niet elke dag langs, geloof me maar.'

'Ik zal er zijn. Overmorgen, zullen we zeggen vroeg in de

middag? Ik moet van ver komen. Ik kom dan rond een uur of een.'

'Ik verwacht je.'

Toen dacht ik aan Rosario. 'Luister,' zei ik, 'is het ook mogelijk deze transactie in tweeën te delen en onder twee verschillende namen af te handelen?'

'Wat je maar wilt,' antwoordde hij. 'Maar dat moet je allemaal beslissen voordat je hier komt. Daarna is het te laat om nog veranderingen aan te brengen.'

'Ik zeg het je nu wel.' Ik gaf hem Rosario's naam en rekeningnummer. Als hij deze wijziging vreemd vond, liet hij dat in elk geval niet merken.

'Komt in orde,' zei hij even later. 'Tot overmorgen.'

8

Die ochtend werd ik rond een uur of vijf wakker. Het duurde even voordat ik wist waar ik was en waar Nicky was. Ik miste hem, ik miste hem ongelooflijk. Eigenlijk wilde ik een deal sluiten met God: 'Zorg dat ik hier doorheen kom, laat Nicky en mij ontsnappen naar een veilige plek, dan beloof ik dat ik nooit meer iets zal stelen, werkelijk nooit meer...'

Mijn linkerarm en -schouder klopten en schrijnden, maar daar hadden ze gelukkig een pil voor en die kreeg ik samen met mijn ontbijt. En wat voor ontbijt, allemaal gezonde dingen. Het eerste wat ik wilde doen wanneer ik daar weg was, was ergens iets fatsoenlijks gaan eten, besloot ik.

Toen de dokter kort na negen uur die ochtend langskwam, sprong ik bijna uit mijn vel van ongeduld. Hij bekeek mijn arm, nam mijn temperatuur op en deed al die dingen die dat soort mensen horen te doen, maar ik kon nauwelijks stilzitten. 'Ik heb de indruk dat u nog steeds haast hebt om ons te verlaten,' zei hij terwijl hij zo'n bloeddrukgeval om mijn arm wikkelde.

Eigenlijk wilde ik hem vertellen hoe erg ik Nicky miste en hoe schuldig ik me voelde dat ik dat kind blootstelde aan al deze waanzin en dat ik zo'n beroerde vader was. Ik snakte ernaar het aan iemand te vertellen, maar ik wist dat ik het dan niet droog zou houden en bovendien was hij er niet de juiste persoon voor. 'Ja,' antwoordde ik dus maar. 'Het wordt hoog tijd dat ik hier wegkom.'

'Wel, die arm zal nog een poosje flink pijn doen,' zei hij. 'Ik zal u iets meegeven tegen die pijn en ook nog iets anders tegen infecties. Neem de pijnstillers wanneer u ze nodig hebt en die andere pillen tweemaal per dag tot ze helemaal op zijn. Ik vermoed dat het geen zin heeft u te zeggen dat u rustig aan moet doen.'

'Ik zal braaf zijn, dokter, dat beloof ik. En hoe zit het met Rosey?'

Hij schudde zijn hoofd. 'Zoals ik al zei,' antwoordde hij. 'U zult hem nog een poosje hier moeten laten. Hij mag echt nog niet reizen. Zelfs als zijn long weer in orde was, zou de pijn te hevig zijn, tenzij u hem verdoofde.'

Ik vond dat van dat verdoven nog niet zo'n slecht idee, maar dat zei ik niet. 'Kan ik nog even naar hem toe voordat ik wegga?'

'Natuurlijk. Heeft iemand u schone kleren gebracht?'

Ik schudde mijn hoofd. 'Daar heb ik niet aan gedacht.'

'Van uw overhemd is niet veel over,' zei hij, 'maar we vinden wel iets voor u. De rest van uw kleding is een beetje gehavend, maar u kunt het nog wel dragen.'

'Bedankt,' zei ik. 'Ik wil u nog een vraag stellen die u ethisch gezien misschien in een moeilijke positie brengt. Zeg dus gerust dat ik naar de hel kan lopen, maar kunt u me iets vertellen over een Russische vent met een hersenschudding?'

'Geen idee,' antwoordde hij. 'Geen patiënt van mij.'

Uiteindelijk ging ik niet meer naar Rosario toe. Het had weinig zin, ik had hem alles gezegd wat ik wilde zeggen. En zo liep ik om een uur of elf die ochtend de deur van het ziekenhuis uit met smerige laarzen, een vuile spijkerbroek vol bloedspatten aan de linkerkant en zo'n blauw overhemd met korte mouwen dat dokters dragen. Niemand zei er echter iets van. Mensen uit Maine lijken wat dat betreft op mensen uit New York. Ze laten niets merken. Ook al zijn ze misschien onder de indruk of voelen ze zich geïntimideerd, ze trekken een stalen gezicht.

Er stonden een hoop busjes op de parkeerplaats. Ik dwaalde er rond met mijn papieren zak vol troep tot ik mijn eigen auto vond. Vroeger had dat ding weinig voor me betekend, maar nu vond ik hem heel luxueus, aangenaam en comfortabel, vooral in vergelijking met Hobarts Subaru en de pick-up van Louis. Ik stopte bij de drive-in van McDonald's, zette een kop koffie in de bekertjeshouder, legde wat eten klaar op het handige kleine blaadje en reed door naar de apotheek voor mijn medicijnen. Daarna zette ik met flinke vaart koers naar het huis van Louis. Ik was nog steeds niet gewend aan het feit dat het landschap zo leeg was. Ik kom uit een wereld waar de straten namen en nummers hebben, waar ze zich op een min of meer voorspelbare manier vertakken, waar ze zijn afgezet met huizen en gebouwen en waar de groene ruimtes netjes zijn omheind. Wanneer je verkeerd rijdt, draai je bij de eerstvolgende kruising om en rijd je terug. Zo ligt het echter niet in Maine, althans niet in het gebied waar ik me bevond. De wegen volgen de contouren van het land, ze kronkelen zich rond de heuvels en ze meanderen mee met de rivieren. Misschien gaat het op den duur vervelen, maar voor mij was het nog steeds nieuw en ik keek onderweg dan ook vol verwondering om me heen.

Het huis stond er troosteloos bij zonder Eleanor of Louis. Ik dacht dat ik van het huis was gaan houden, met name van de keuken, maar toen ik daar naast het houtfornuis stond, was het niet meer dan een lege ruimte in een armoedig huis. Het huis zelf was een krakkemikkig oud gebouw dat aan het einde van zijn leven was gekomen, met deuren waar de koude buitenlucht doorheen tochtte, ramen die rammelden in de wind en het geluid van een veldmuis in een kastje. Ik zag het voor me, hoe het over een jaar misschien leeg zou staan, de mensen weg, de geluiden en geuren die de ruimtes tot leven brachten vervaagd tot een steeds schimmiger wordende herinnering in de hoofden van mensen zoals ik, die hier korte tijd hadden doorgebracht en toen verder waren getrokken. Het is altijd een strijd om overeind te blijven in het leven, maar ik heb de neiging dat te vergeten. Ik doe meestal alsof het mijn goddelijk recht is om te gaan en te staan waar ik wil en mijn leven te leiden zoals ik dat verkies. Dit huis was echter niet jong meer en waarschijnlijk allang niet meer in staat tot een dergelijke aanmatigende houding.

Mijn mobiele telefoon had ik in de auto gelaten om op te laden en daarom belde ik Bookman met de telefoon van Louis. 'Ik kom eraan,' zei hij zodra hij mijn stem hoorde en hing op.

Ik wachtte hem buiten op.

Hij stuurde zijn politieauto Louis Avery's oprit op, reed op z'n gemak omhoog en stopte naast Louis' pick-up, waar ik tegen de achterklep leunde. Hij liet zijn raampje zakken.

'Hallo,' zei ik.

Hij tuitte zijn lippen, keek naar mijn verbonden schouder en schudde zijn hoofd alsof hij lichtelijk teleurgesteld was door wat hij zag. 'Stap in,' zei hij. 'We gaan een eindje rijden.'

Ik maakte geen aanstalten. 'Mag ik voorin gaan zitten? Ik heb de pest aan achterin zitten.' Vooral wanneer de deuren geen deurkrukken aan de binnenkant hebben, maar dat hoefde ik er niet bij te zeggen.

Bookman permitteerde zich een licht spottende glimlach. 'Kom op.'

Ik liep om de auto heen en stapte voorin. Bookman zette hem in z'n achteruit, keerde achterwaarts om en reed de oprit weer af. 'Je ziet er niet zo florissant uit,' merkte hij op.

'Ze hebben me iets gegeven tegen infecties,' vertelde ik hem. 'Daar ben ik vreselijk van aan de schijterij.'

'Antibiotica,' zei hij met een knikje. Aan het einde van de oprit stuurde hij de auto in de richting van Route 1. 'Eet wat yoghurt wanneer je klaar bent met die kuur, dan komen er weer goede beestjes in je systeem.' Terwijl hij praatte, ging hij steeds harder rijden en na honderd meter reden we veel sneller dan was toegestaan. Het stopbord bij de kruising met Route 1 bereikten we dan ook in recordtijd. Bookman remde, stopte voor het bord, maar zette vervolgens de motor helemaal af en zat een ogenblik zwijgend voor zich uit te kijken.

'Dat jochie van je,' begon hij terwijl hij recht vooruit staarde, 'heeft niet veel op met uniformen.'

'Weet ik. Trek het u niet persoonlijk aan.'

Hij bewoog zich niet, maar zat een tijd uit het zijraampje te staren.

'Nadat zijn moeder was overleden, heeft de overheid voor hem gezorgd. Sinds die tijd zijn de meeste ontmoetingen die hij met uw soort heeft gehad onaangenaam geweest.'

'O ja?' vroeg hij. Hij draaide Route 1 op en voerde zijn snelheid rustig en weloverwogen op tot honderdveertig. 'Hoezo dat? Had je schoonfamilie hem liever in een pleeggezin dan bij jou?'

Daar moest ik even over nadenken, maar toen herinnerde ik me het onzinverhaal weer dat ik hem had verteld over Nicky's moeder en de Russische maffia. 'Ik weet het niet,' antwoordde ik. Ik had de neiging die man te vertrouwen, maar ik herinnerde mezelf eraan dat ik best een goed gevoel over hem kon hebben, maar dat hij een smeris bleef en dat ik nog altijd een.... nou ja, vul maar in, was. 'Ik zal u de waarheid zeggen,' zei ik, met de bedoeling hem een stukje van de waarheid te vertellen. 'Toen Nicky werd geboren, was ik helemaal nog niet klaar voor een kind. Ik had geen flauw idee wat ik moest doen, maar ik wist wel zeker dat wat het ook was, ik het niet kon. Toen stierf zijn moeder en ik geef toe dat ik daarna een heleboel dingen fout heb gedaan.'

'Zo,' zei Bookman. Hij reed nu honderdzeventig en het leek wel of de auto zweefde. Als het ding vleugels had gehad, zouden we zeker zijn opgestegen. 'En wat is er dan nu veranderd? Ben je er nu wel klaar voor?'

Ja, ja, reken maar. Ik zal vanaf nu alleen nog maar braaf zijn, dat zweer ik. 'Wilt u weten wat het verschil is?'

'Ja, graag,' antwoordde hij.

'Nicky zelf is het verschil.'

'O ja? Hoezo?'

'Vroeger was hij niet meer dan een baby die in zijn broek poepte en huilde en me 's nachts wakker maakte.' Eerlijk gezegd kon ik me niet herinneren dat ik me daar ooit mee had bemoeid, maar ik had er genoeg over gehoord van anderen. 'Maar nu...'

'Ja?'

Ik voelde dat ik op onbekend terrein kwam. 'Nu is hij een persoon. Hij kan denken, oh....' Jezus. Waar kwam dit allemaal vandaan? 'Hij kan denken en hij gelooft dat ik een geweldige vent ben. Dat gelooft hij onvoorwaardelijk. Hij is er heilig van overtuigd dat ik voor hem zal zorgen en dat wat ík doe goed is. Ik voel het gewicht van dat vertrouwen op me drukken, begrijpt u wat ik bedoel? Vooral wanneer ik de neiging heb om, ik weet niet, veel te hard te rijden of zoiets.'

'Kijk eens aan.' Bookman haalde zijn voet van het gaspedaal en de auto lag weer stevig op de weg en begon vaart te minderen.

'Ik geloof niet dat ik de man kan zijn die ik in zijn ogen ben,' vervolgde ik, 'maar ik doe mijn uiterste best.'

'Prettig om dat te horen,' zei Bookman. 'Nu zit je dus in hetzelfde schuitje als wij allemaal.' Hij remde en sloeg rechtsaf een smalle tweebaansweg op die heuvelopwaarts door het bos liep. Ik zag geen enkele andere auto. De bomen hingen laag over de weg en het zicht was slecht, daarom minderde Bookman zijn snelheid dan ook tot zo'n honderdtwintig. 'Ik ben blij dat je geen Ruskies hebt neergeschoten,' merkte hij op.

'Ik denk niet dat het veel verschil maakt,' antwoordde ik. 'Er zijn er nog genoeg daar waar zij vandaan kwamen.'

'En wat is dan jouw oplossing?'

'Ik denk dat ik verder moet trekken. Ergens een rustig plekje zoeken...'

'Ja,' zei hij en tuurde voor zich uit. De bomen verdwenen en er verschenen enkele grote lege velden langs de kant van de weg, zodat er wel ongeveer een kilometer zicht was. Bookman ging dan ook direct weer harder rijden. 'Weet je zeker dat je dit op geen enkele manier legaal kunt aanpakken?'

'Ik heb morgen een afspraak met een notaris in Manhattan,'

vertelde ik hem. Weer een klein hapje van de waarheid. 'Ik weet niet of dat iets zal opleveren.'

'Je kunt het proberen, dat kan geen kwaad,' antwoordde hij. 'Nicky kun je bij ons laten als je wilt.' Hij keek me aan en ik dacht dat ik iets in zijn ogen zag, maar ik kende hem niet goed genoeg om te weten wat het was. 'Franklin en hij zijn dikke vrienden geworden. Je kunt hem dan ophalen wanneer je terug bent.' Hij zweeg even en schudde toen zijn hoofd. 'Ik heb geen idee wat jullie tweeën met Franklin hebben uitgevoerd, maar de afgelopen twee dagen heeft hij meer gezegd dan in de twee jaar daarvoor.'

Ik had niet veel keuze. Het was geen goed idee om Nicky mee terug te nemen naar Manhattan. Ik had er zelfs nog niet over nagedacht wat ik met hem moest beginnen. Dat heb je weer prachtig gedaan, pappa. 'Bedankt,' zei ik. 'Dat is een heel goed idee.'

We vlogen de heuvel op en de bomen werden dunner toen we de top naderden. De weg eindigde bij een T-splitsing. De weg die we insloegen, doorsneed het lege landschap van noord naar zuid. Naar het westen lagen onafzienbare bossen die de ronde, wollige schouders bedekten van wat ooit de ongerepte Appalachian Mountains waren. Ik zag drie haviken zweven op de thermiek en ver naar het westen een kalkoengier of een monniksgier. Ze waren allemaal veel te ver weg om ze goed te kunnen herkennen, zelfs met een kijker. Een gier kun je echter gemakkelijk van een adelaar of een havik onderscheiden, want kalkoengieren of monniksgieren klapperen vrijwel nooit met hun vleugels, ze kantelen van de ene kant naar de andere en maken optimaal gebruik van het kleinste verschil in de luchtstromingen.

Rechts van ons kwam een andere auto de heuvel op. Het was een grote Chevy Suburban, nieuw en glanzend, met vierwielaandrijving. Zo'n ding dat je vaak ziet in New Jersey of zo, maar nauwelijks in dit gedeelte van Maine, tenzij het om toeristen gaat. De bestuurder had ons duidelijk niet in de gaten, want hij vloog over de verlaten weg met een snelheid die weliswaar die van Bookman niet kon evenaren, maar die toch de toegestane limieten ver overschreed. Pas toen hij vlakbij ons was, kreeg hij ons in de gaten. Je zag de neus van de auto omlaag zakken toen de bestuurder op de rem trapte, hoewel hij natuurlijk best wist dat het te laat was en dat hij erbij was. Bookman liet de man echter rustig passeren, sloeg rechtsaf en reed in noordelijke richting.

Ik was verbaasd. 'Gaat u niet achter hem aan? Krijgt hij geen bekeuring?'

'Ik wed dat je denkt dat ik daarvoor leef.' Hij gaf weer gas. 'Ja, toch? Er is hier niemand op de weg, dus als hij honderd wil rijden in plaats van negentig, wat maakt mij dat dan uit?' Hij draaide zijn hoofd naar me toe. 'Vertel me eens, meneer Williams. Wat denk je dat mijn werk is?'

Een gevaarlijke vraag. Ik gaf hem dan ook het antwoord uit het boekje. 'De wet handhaven?'

'Meen je dat? Iedereen negentig laten rijden? Zorgen dat niemand onder de eenentwintig een biertje drinkt, of misschien twee? Dat soort onzin?'

Ik keek hem geïntrigeerd aan. 'Dat is wat ik dacht.'

Hij reed even zwijgend door. 'Ik zal je iets vertellen,' zei hij uiteindelijk. 'De kreeftenvissers hier werken met een erecode. Wist je dat?'

'Ik heb geen idee wat u bedoelt.'

'Stel het je eens voor,' vervolgde hij. 'Je dobbert daar in je kreeftenboot en je trekt je vallen aan boord. Niemand te bekennen, je bent helemaal alleen. Nu heeft elke kreeftenvisser zijn eigen kleuren, zodat hij weet welke boeien van hem zijn. Snap je het? Geen politie om hem te controleren.'

'Dus u wilt zeggen dat niemand kreeften steelt uit de vallen van een ander?'

'Ik wil helemaal niets zeggen. Maar als dat gebeurt, roepen ze mij er niet bij. Dan handelen ze het zelf af.'

'Ja? Hoe dan?'

'De klassieke waarschuwing is het in brand steken van de schuur van de dief. Wanneer dat niet helpt, leggen ze zijn huis in de as. En ten slotte, wel, dat kun je waarschijnlijk zelf wel bedenken.'

'Hoe vaak komt dat voor?'

'Het is voorgekomen, maar de afgelopen jaren niet, niet hier. Maar wat ik je duidelijk wil maken, is dat de dingen hier anders gaan. Alles gaat prima zonder dat ik mijn klauw erop leg, meestal wel. De gewone mensen weten best dat ik hen niet lastig val als het niet nodig is.' Hij schoof heen en weer op zijn stoel. 'Ik ken bijna iedereen hier,' vervolgde hij. 'Ik weet wie negentig rijdt en wie niet. Ik weet wie er wiet kweekt in zijn bosperceel en ik weet wie het rookt. Ik weet dat de pick-up van Louis Avery niet geregistreerd is en dat je volgens de wet maar een beperkte afstand van je schuur verwijderd mag zijn met een landbouwvoertuig. Ik weet echter ook dat Louis doet wat hij kan en dat hij af en toe naar Lubec moet om boodschappen te halen. Snap je wat ik bedoel?'

Ik vroeg me af, en niet voor de eerste keer, hoeveel deze man werkelijk wist over mij. 'Ik voel wat u bedoelt, ja.'

'Mooi zo,' zei hij. 'En dat is nu precies wat ik Hopkins probeer te leren. Ik heb getracht hem uit te leggen dat ik mijn redenen heb voor de dingen die ik doe en voor de dingen die ik niet doe, en voor de manier waarop ik met mensen omga. Met jou bijvoorbeeld en met je zoontje. Maar denk niet dat we niet doen wat we moeten doen als iemand een bedreiging wordt voor anderen.'

'Hebt u daarom Louis in de cel gestopt?'

'Nee,' antwoordde hij en schudde zijn hoofd. 'Nee, Louis heb ik in de cel gestopt omdat hij zonder Eleanor, om hem op het rechte pad te houden, een geweldige lastpak is.'

'Kan ik hem op borgtocht vrij krijgen?'

'Waarom?'

Het was een stom idee, de helft van mijn hersenen wist dat ook heel goed, maar de andere helft had al besloten. 'Hij moet nu niet in de gevangenis zitten, hij moet voor Eleanor zorgen.'

'Ja, dat weet ik wel, maar de rest van ons heeft geen behoefte aan een stomdronken ordeverstoorder.'

'Ik denk dat ik wel weet waarom hij dat deed.'

'O ja?'

'Ja. Ze moet worden geopereerd en dat kan hij niet betalen.'

'Dat heb ik gehoord, ja.'

'Wel, ik denk dat ik hem daar wel bij kan helpen.'

'Zo, zo.' Hij keek me onderzoekend aan. 'Hoe wil je dat doen?'

Ik wilde het niet hardop zeggen. 'Ik kan hem helpen. Vertrouw me maar, oké? Mag hij dan op borgtocht vrij?'

Hij dacht er even over na. 'Oké,' zei hij ten slotte en keek me weer aan. 'Ga hem maar halen als je wilt.'

'Hoeveel is de borgsom?'

Hij schudde zijn hoofd. 'Laat dat maar zitten. Ik zal ze opbellen en zeggen dat ze hem aan jou mogen meegeven. Haal hem maar op.'

Nicky was natuurlijk dolgelukkig toen hij me weer zag. Hij

rende in volle vaart op me af, dwars door Bookmans voortuin en gooide me bijna omver. Ik begon een beetje licht in mijn hoofd te worden en mijn schouder schrijnde en klopte. Ik moest me afkeren om mijn schouder tegen zijn wilde vreugde te beschermen. Franklin kwam ook aanlopen, schudde mijn hand en keek toe terwijl Nicky me opgewonden vertelde over de vis die hij had gevangen en die Franklin weer had teruggegooid. 'Snoeken hebben te veel graten,' bromde Franklin. 'Niet te eten.' Ik was me er vaag van bewust dat Bookman en zijn vrouw naar ons drieën stonden te kijken. Nicky was de belichaming van iets dat Franklin nooit zou zijn en ik voelde een scheut van de pijn die dat veroorzaakte. Ik zat op mijn knieën op het gras in hun voortuin en ik keek om me heen naar hun huis, hun stationcar en hun hond die als een idioot blaffend rondrende. Op dat moment besefte ik dat ik hen iets afnam. Het was hetzelfde verhaal als altijd, wat ik zelf niet had, stal ik van iemand die het wel had. Ik had het gestolen van Louis en Eleanor en nu ging ik het van Bookman en zijn vrouw en van Franklin afnemen. Je hebt geen keuze, zei ik tegen mezelf, maar dat klonk heel erg hol.

Niet een van de autobestuurders die me passeerden, herkende mijn busje en dus zwaaide er ook niemand. Om die reden miste ik de Subaru wel. Ik stopte aan de achterkant van het politiebureau en liep naar binnen zonder Hopkins of iemand anders tegen te komen.

Bookman had zijn belofte gehouden, hij had gebeld en er stond een hulpsheriff op me te wachten. Ik stond achter de man toen we bij de cel kwamen. Ik keek naar Louis door het raampje en zodra we oogcontact hadden, legde ik mijn vinger tegen mijn lippen. Hij knikte kort, alsof hij me begreep. Hij nam het ook verrekt serieus, want er kwam geen woord over zijn lippen tot we buiten het gebouw stonden.

'Het was niet mijn bedoeling.'

'Om die bar in tweeën te zagen?'

Hij trok een grimas. 'Dat bedoel ik niet. Ik bedoel dat andere. Dat ik met een dronken kop met Nicky bij me in de auto ben gaan rondrijden.'

Ik ben altijd heel paranoïde in de buurt van politiebureaus. 'Sssst. Wacht tot we in de auto zitten.' Hij liep de trap af op die weifelende manier die typerend is voor kleine kinderen en oude mensen. Rechtervoet een trede naar beneden, linkervoet ernaast, rechtervoet op de volgende trede, linkervoet omlaag tot op dezelfde trede en zo verder. 'Gaat het, Louis?'

'Beetje stijf,' zei hij. 'Niet genoeg beweging daarbinnen.' Hij bereikte de onderkant van de trap, keek omhoog en kneep zijn ogen half dicht. 'In de cel mijn roes uitslapen leek niet zo erg toen ik achttien of twintig was. Deze keer dacht ik niet dat ik er ooit nog uit zou komen.'

Ik schudde mijn hoofd. 'Alles is erg veranderd sinds die tijd, Louis.'

'Niet genoeg,' zei hij. 'Lang niet genoeg.'

We bereikten de achterkant van het gebouw en hij klom onhandig in het busje. Hij kreunde toen hij de deur dichtsloeg. Ik had niemand gevraagd hoe lang hij in de cel had gezeten, maar ik dacht niet dat hij nog steeds een kater had. Ik vermoedde wel dat hij zich rot voelde, maar dat moest meer te maken hebben met Eleanor dan met alcohol.

'Gaat het goed met hem?' Hij vroeg het zonder me aan te kijken. 'Gaat het goed met Nicky?'

'Ja, prima, Louis. Hij logeert bij Bookman. Franklin en hij gaan elke dag vissen. Hij heeft niets gezegd over wat er met jullie tweeën is gebeurd en ik heb er niet naar gevraagd. Ik vind dat het geen zin heeft het op te rakelen als hij er geen last van heeft. Dan vergeet hij het wel.'

Hij knikte en daarna was hij lange tijd stil. Hij keek uit het raampje naast hem terwijl we Eastport uit reden en hij zei pas weer iets toen we de lange, verhoogde weg bereikten die het eiland verbindt met de vaste wal.

'Mooie auto,' klonk het uiteindelijk en hij wreef over de zachte bekleding.

'Niet slecht,' zei ik.

'Nieuw gekocht?'

'Tweedehands.'

'Contant betaald?'

'Ja. Vijftienduizend.'

'Hmmm.' We reden enkele minuten zwijgend door. 'Ik haat contant betalen,' vervolgde hij ten slotte. 'Ik haat betalen sowieso.'

'Ja, ik ook.'

Vier zilvermeeuwen achtervolgden een vijfde, die zo te zien iets eetbaars in zijn snavel had. Hij dook en wervelde om aan zijn belagers te ontkomen, maar die zaten hem na met een indrukwekkende hardnekkigheid. Ten slotte slaagde een van de achtervolgers erin de vluchtende meeuw zijn buit te laten vallen. Direct schoot een van de andere meeuwen erop af, ving het hapje in de lucht op en ging er zo snel mogelijk vandoor, met de andere vier vlak achter hem aan. De calorieën die elke vogel verbruikte bij deze jacht gingen die van de buit ver te boven en bovendien, waarom slikte de achtervolgde vogel zijn vangst niet gewoon in? Dat zou echter het einde van het spel betekenen. Jij hebt iets, ik wil het hebben, nu heb ik het, pak het dan...

'Ik had een baan kunnen aannemen in de fabriek,' zei Louis. 'Ik had voor de Calders kunnen gaan werken. Dan had ik sociale voorzieningen gehad. Een ziektekostenverzekering en dat soort dingen. Maar ik was egoïstisch en ik wilde niet.'

Ik wist niet wat ik daarop moest antwoorden en dus zweeg ik. Ik had ook geen ziektekostenverzekering, daar had ik zelfs nog niet bij stilgestaan. Het was nooit bij me opgekomen dat ik dat nodig kon hebben. Weer iets wat ik op mijn lijstje moest zetten.

'Ik vond het een slechte deal,' vervolgde Louis. 'Het kostbaarste dat je hebt, je leven, aan een of ander bedrijf geven. En wat krijg je er voor terug. Genoeg geld, maar net genoeg, om een paar van die dingen te kopen die je op je televisiescherm voorbij ziet komen. Diepvriesgroenten. En een nieuwe auto. Snap jij dat?' Hij wachtte mijn antwoord niet af. 'Elke dag van mijn leven doorbrengen in een of andere stinkende fabriek en dan geld in mijn hand krijgen, naar de winkel gaan en dat geld weer overhandigen aan iemand die me daarvoor een zak diepvriesgroenten geeft. Ik kan zelf betere groenten kweken, dank je wel. En Eleanor weet wel wat ze ermee kan doen.' We bereikten het einde van de verhoogde weg, daar waar je kon afslaan naar het Passamaquoddyreservaat bij Point Pleasant. Aan weerskanten van de weg stonden kleine huisjes verspreid over het landschap en een grote rode kerk stak helder af tegen een heuvel.

'Zo redeneerde ik,' zei hij en keek voor de eerste keer sinds we in de auto waren gestapt mijn kant op. 'Ik heb echter niet aan een verzekering gedacht. Ik had niet kunnen denken dat Eleanor zou moeten sterven omdat ik geen veertigduizend dollar bezit.'

'Ik denk dat ik je daar wel bij kan helpen, Louis.'

Hij nam me niet serieus. 'O ja? Heb jij veertigduizend dollar liggen die je toch niet gebruikt?'

'Ik wil een optie kopen op dat stuk land dat je bezit in Eastport. Dat moet toch wel wat waard zijn.'

Hij luisterde nog steeds niet, niet echt. 'Weet je, Sam Calder, die hufter, heeft me vijftigduizend geboden, maar zodra hij hoorde dat ik het geld echt nodig heb, besloot hij dat hij dat land eigenlijk toch niet wil bezitten, en dat hij alleen een recht van overpad wil kopen. Vijfentwintigduizend, meer biedt hij niet. En zijn zoon geeft me er zesentwintigduizend voor. En aan wie ik het ook verkoop, lang voordat ik onder de grond lig, zal er daar iets staan te walmen en te stinken.'

'Misschien wel, Louis, maar niet als je mij er een optie op verkoopt. Ik zal je er vijftigduizend dollar voor geven, net als Calders oorspronkelijke bod.'

Hij keerde zich langzaam naar me toe. 'Je meent het echt, hè?'

Ik knikte. 'Ja.'

'Ben je zo'n rijk man?' vroeg hij me. 'Zo had ik je niet ingeschat.'

'Rijk zijn is een rekbaar begrip, Louis.' Nu was het mijn beurt even na te denken. Ik had mezelf ook niet ingeschat als een rijk man. 'Laat ik het zo zeggen: vijftigduizend voor een optie op jouw land slaat geen al te groot gat in mijn financiën.'

'Ik zou nee willen zeggen,' antwoordde hij. 'Als Sam Calder zijn oliehaven niet kan bouwen, komt er ook geen nieuwe werkgelegenheid.'

'Je bent toch daar aan die baai geweest, nietwaar?'

'Ja.'

'Wil je dat daar volgeladen olietankers binnenvaren? Denk maar eens aan een troep veel te zwaar beladen oude vrachtauto's met slechte remmen die bovenop een steile heuvel staan. De meeste zul je veilig beneden krijgen, maar vroeg of laat zal er eentje aan je aandacht ontglippen.'

'Oh, je hoeft me heus niet te overtuigen. Ik zou de hele staat in vlammen laten opgaan als ik daardoor Eleanor uit dat ziekenhuis kon krijgen. Maar ik wilde niet degene zijn die beslist of die oliehaven wordt gebouwd of niet.'

'Dat hoeft ook niet.'

'Niet?'

'Nee. In de eerste plaats is het niet meer dan een optie. Wanneer er iets anders gebeurt in je leven waardoor je dringend geld nodig hebt, kun je het nog altijd verkopen. Oké? We laten die deal doorlopen totdat je zoon Gerald hier komt wonen, dan kun je het stuk land aan hem geven en mag hij uitzoeken wat hij ermee wil doen. Bovendien is het tegen die tijd misschien veel meer waard dan nu.'

Louis knikte. 'Misschien,' zei hij.

'Er is slechts één voorwaarde,' zei ik.

'Welke?'

'Je krijgt het geld contant.'

Hij keek me aan. 'Hoezo contant?'

'Dat maakt het voor mij een stuk gemakkelijker, Louis. Als ik een cheque uit moest schrijven, zou het heel lang duren voordat ik dat had geregeld. Bovendien kreeg je dan de belasting op je nek.'

'Is het in de computerwereld de gewoonte mensen contant te betalen?'

'Louis, vroeger was je anders, dat heeft Bookman me verteld. Hij zei dat je voordat je gelovig werd een vreselijke lastpost was, maar dat er iets is gebeurd waardoor je bent veranderd. Klopt dat?'

Hij knikte. 'Ja, dat klopt.'

'Wel, ik heb een hoop stommiteiten uitgehaald in mijn leven, Louis, maar ik ben ook veranderd. Ik probeer iets goeds te doen, voor de eerste keer in mijn leven, verdomme. Waarom moet je dat moeilijk voor me maken?'

'Nee, dat doe ik niet,' zei hij. 'Sorry, Manny. Het gaat me niets aan hoe je eraan komt. Ik ben je dankbaar voor wat je wilt doen, ik kan niet zeggen hoe dankbaar.' Hij zuchtte diep en ging wat meer rechtop zitten. 'En hoe kom ik aan dat geld? Wat moet ik zeggen?'

'Ik denk niet dat het iemand iets kan schelen hoe je eraan komt. Zeg maar dat je het in oude koffieblikken onder de grond in je schuur had begraven.'

'Weet je dat ik daar nog nooit aan heb gedacht?' merkte hij op. 'Misschien moet ik daar eens gaan graven, je weet maar nooit wat je vindt.' Het was een poging tot humor, maar de droefheid klonk door in zijn stem. Nooit zou hij meer geloven dat ik programmeur was, nooit meer.

Bij twijfel, raadpleeg een notaris. Er was er een in Lubec, er stond althans een bordje bij zijn huis. Zijn naam was Weaver, en Louis en ik besloten op de terugweg bij hem langs te gaan. Toevallig was Weaver in gesprek met Calder senior en een andere man en daarom moesten we wachten in zijn keuken. Hij zorgde in elk geval voor koffie, of liever, zijn vrouw zette koffie. Ze leek heel aardig, veel opgewekter dan een mens hoort te zijn. Ze was klein, rond en stralend. Overal stonden foto's van haar man en haar samen, als twee boekensteunen. Ik praatte een poosje met haar, want Louis leek nog altijd een beetje verbijsterd. Plotseling drong het tot me door dat alles ook nog niet was opgelost, want hoe zijn financiële situatie ook was, Eleanor lag nog steeds in het ziekenhuis. Mevrouw Weaver probeerde hem erbij te betrekken en vroeg hem hoe het met Eleanor ging, maar Louis had zich teruggetrokken in een wereld van eenlettergrepige antwoorden. Na een poosje gaf ze het op, zodat we in haar keuken zaten te luisteren naar haar echtgenoot die deed wat notarissen doen. Ik kon niet horen wat hij zei, maar zijn stem klonk weloverwogen en verstandig. De man die bij Sam was, had een iets hogere en scherpere stem en Sam zelf klonk overal bovenuit. Al zijn zinnen begonnen of eindigden met 'Godverdomme, Weaver'. Mijn stemming ging met sprongen vooruit, want mevrouw Weaver begon elke keer wanneer Sam in de andere kamer iets zei te giechelen.

'Weet u,' zei ze tegen mij, 'meneer Calder is nooit gelukkig geweest. Je zou toch denken, met al dat geld van hem, dat hij alles kan krijgen wat hij wil hebben, maar ik kan in alle oprechtheid verklaren dat ik hem in die vele jaren dat ik hem nu ken nog nooit heb zien glimlachen.' Ze wierp een snelle blik op Louis, maar die was nog niet aanspreekbaar.

'Geld is blijkbaar niet genoeg.'

'Dat is waar,' antwoordde ze. Ze liet haar stem dalen en leunde over de tafel naar me toe. 'Meneer Weaver en ik bezitten niet veel, maar we genieten van het leven, snapt u wat ik bedoel? We spelen allebei graag golf. Ik leer het misschien nooit echt goed, maar mijn man speelt niet slecht, weet u, hij heeft een vaste slag en hij weet de bal beter op de baan te houden dan alle andere mensen die ik ken. Maar wat ik eigenlijk bedoel, is dat we van het leven genieten. We hebben een timesharinghuisje in North Carolina en daar gaan we elk jaar twee weken golfen. We nemen ook andere vakanties wanneer we het ons kunnen veroorloven, we hebben overal gespeeld van Florida tot Banff en natuurlijk spelen we ook hier in de buurt. Er is een mooie kleine golfbaan in de richting van Campobello Island. Sam neemt echter vrijwel nooit een dag vrij.' Ze leunde nog verder in mijn richting. 'Vertel me eens,' fluisterde ze, 'is zakendoen zo interessant? Kan dat zo leuk zijn dat je niets anders meer wilt? En als dat zo is, waarom ziet iedereen die het doet er dan zo ontevreden uit?'

'Daar weet ik geen antwoord op.' Ik zweeg en samen luisterden we naar Sam die een nieuwe tirade begon af te steken, maar na een heftige start weer inzakte. 'Wat ik wel kan zeggen, is dat ik vroeger veel meer van mijn werk hield dan nu.' Ik keek vanuit mijn ooghoek naar Louis, maar ik had net zo goed Swahili kunnen spreken. 'Vroeger dacht ik dat iets goed kunnen elke prijs waard was. Het heeft veel van een spel, denk ik. Je wilt winnen, ook al levert het geen prijs op. Iets in mij had dat nodig, maar nadat de moeder van mijn zoontje was overleden...'

Ze klakte met haar tong. 'Dat spijt me.'

'Dank u. De laatste tijd heb ik echter veel meer tijd met mijn zoontje moeten doorbrengen en nu vraag ik me haast af wat er zo interessant was aan wat ik daarvoor deed. Weet u, ik heb nooit golf gespeeld. Ik heb zelfs nooit een golfclub in handen gehad. Ik vroeg me echter wel eens af wat mensen die golf spelen denken.'

Ze lachte zachtjes. 'Ja, ik snap best wat u bedoelt,' zei ze. 'Toen mijn man me voor het eerst vroeg mee te gaan, dacht ik dat hij gek was. Ik ben echter toch meegegaan en ik heb samen met hem les genomen. Het was zo raar, in het begin sloeg ik minstens de helft van de ballen compleet mis. Maar weet u wat? Er is maar één goed schot voor nodig. De eerste keer dat ik die driver op de juiste manier zwaaide en die klap hoorde die je hoort wanneer je de bal goed hebt geraakt, stond ik hem na te kijken... En dat was genoeg. Sinds die dag ben ik eraan verslaafd. U zou het eens moeten proberen, ik wed dat u het leuk zult vinden.'

Weer hoorden we Sam Calder dwars door de muren van haar huis brullen. 'Godverdomme nou, Weaver...'

'Dus u denkt dat hij gelukkiger zou zijn als hij golf speelde?'

'Oh, het hoeft geen golf te zijn,' zei ze. 'Maar een mens heeft iets nodig wat hij kan doen omdat hij er zin in heeft. Er moet iets in je leven zijn wat een glimlach op je gezicht brengt.'

Toen ik enige tijd later door het raam keek, zag ik Sam Calder senior en de man die bij hem was door Weavers voortuin stampen in de richting van Sams Mercedes. Ze bleven even staan om naar mijn auto te kijken voordat ze doorliepen. Enkele minuten later kwam Weaver de keuken binnen en zijn vrouw stelde ons aan elkaar voor. Hij bood aan met Louis en mij naar zijn kantoor te gaan, maar dat leek me niet nodig – zijn vrouw zou toch alles te horen krijgen, hoewel ik dat niet hardop zei. Ik legde uit wat Louis en ik van plan waren en het bleek dat hij allerlei voorbeelden van contracten in zijn computer had zitten, zodat hij alleen maar de details hoefde in te vullen en een paar kleinigheden hoefde te veranderen. Ongeveer een uur later tekenden we de papieren en gaf Weaver Louis nog wat advies over hoe hij het beste met het geld kon omgaan zodra hij het in handen had. Weaver rekende honderdvijftig dollar voor de transactie en ik moest een ware strijd leveren met Louis om dat te mogen betalen. Uiteindelijk won ik, maar het was een gevecht.

Toen we terugkeerden bij het huis van Louis, staarde hij naar zijn pick-up met een vreemde uitdrukking op zijn gezicht. Ik dacht dat ik hem wel begreep. Het is mij ook overkomen en in de stad is zoiets nog veel erger. Je bent dronken, je parkeert je auto ergens en de volgende ochtend weet je bij God niet meer waar je dat ding hebt neergezet. Je dwaalt uren, soms zelfs dagen over straat om hem te zoeken en wanneer je hem eindelijk vindt, sta je ernaar te kijken met een gevoel van: verdorie, hier weet ik niets meer van. Maar hij staat er, je sleuteltjes passen, dus jij moet het wel zijn geweest die hem daar heeft neergezet. Het is een raar idee dat jij achter het stuur zat, terwijl er iemand anders reed.

'Kom, Louis,' drong ik aan. 'Alles is in orde.' Hij schudde zijn hoofd en volgde me naar binnen de keuken in. 'Ik moet naar Manhattan,' vertelde ik hem. 'Over een paar dagen ben ik weer terug. Red je het in je eentje?'

Ik keek naar hem terwijl hij daar zwaar ademend naar de muur stond te staren. 'Weet je,' zei hij na een poosje, 'toen ik in die cel zat, had ik het gevoel dat ik daar thuishoorde. Dat ik al die jaren sinds ik voor het laatst achter de tralies heb gezeten, alleen maar aan het acteren ben geweest. Ik deed alsof ik volwassen was, maar dat was niet meer dan uiterlijk vertoon.'

'Je kletst, Louis. Eleanor heeft je nodig, je moet er nu voor haar zijn. Denk je dat je dat kunt?'

Hij knikte. 'Dat komt wel goed.'

Ik liep naar boven en greep een van mijn plunjezakken. De andere, waarin mijn laptop, mijn vogelspullen en het geld zaten, liet ik liggen. Ik haalde er echter wel vijf bundeltjes uit, vijftigduizend. Het leek zo onbeduidend, alsof ik iemand een paar extra sokken overhandigde. Ik liep ermee naar beneden en legde het geld op de keukentafel, waar Louis zat. Zijn vriend de whiskyfles was nergens te bekennen. Hij slaakte een diepe zucht toen hij het geld zag, alsof hij die had ingehouden vanaf het moment dat ik hem afhaalde.

'Manny,' zei hij. 'Ik weet niet wat ik moet zeggen.'

'Je hoeft ook niets te zeggen.'

'Ik snap niet waarom je dit doet,' vervolgde hij.

'Ik heb een hoop fouten gemaakt in mijn leven, Louis. En een paar slechte keuzes.' Ik had altijd eerst aan mezelf gedacht, maar ik voelde dat we daar uren zouden zitten als ik daarover begon te vertellen. 'Misschien maak ik hiermee iets goed.'

'Misschien wel.' Louis' stem klonk omfloerst en hij kreeg die zondagochtendblik in zijn ogen. Hij stond op, liep naar me toe en greep mijn hand met zijn beide handen. 'Ik zal voor je bidden, jongen, voor jou en voor Nicky. Ik zal bidden dat de Heer je vergeeft en dat hij je op het rechte pad houdt.'

'Bedankt, Louis.' Ik werd zenuwachtig van zijn dankbaarheid, want geld betekende nog steeds niet echt iets voor me. Ik gaf hem niet iets waarvoor ik had gewerkt of zo, ik had het gevoel dat het niet meer betekende dan het weggeven van een paar schoenen die me toch niet meer pasten. 'Dat is nooit verkeerd. Als je mijn advies wilt, breng het geld dan naar Weaver en laat hem erop passen voor je. Je kunt het niet gewoon op de balie van het ziekenhuis leggen als je begrijpt wat ik bedoel. Je moet de indruk wekken dat je je eerstgeboren zoon hebt moeten verkopen om het te verkrijgen. Wil je een lift terug naar Weaver? Of wil je soms naar het ziekenhuis in Machias?'

'Ik red me wel,' antwoordde hij. 'Ga jij nu maar doen wat je moet doen. Bedankt, Manny. Bedankt voor alles.'

Ik was haast vergeten Gevier te betalen, maar toen ik mijn plunjezak in de auto gooide, zag ik zijn rekening op de grond liggen aan de passagierskant. Het was geen hoog bedrag, voor mij niet, maar ik vermoed dat geld nooit veel betekent voor een dief. Het had me ook nooit wat uitgemaakt wanneer ik blut was, want ik wist immers hoe ik moest halen wat ik nodig had. Maar neem nu een man als Gevier, die duidelijk intelligent was en zijn vak prima verstond. Kwam er echter een paar maanden, of zelfs maar een paar weken niemand in zijn garage, dan zou hij het al snel heel moeilijk krijgen. Plotseling drong het tot me door dat ik het grootste deel van mijn leven in de luxepositie had verkeerd dat ik me over geld geen zorgen hoefde te maken – alleen maar omdat ik een misdadiger was – terwijl min of meer normale kerels als Gevier en Louis waarschijnlijk een hoop mentale energie moesten steken in gewoon overleven. Aan de andere kant hoefden zij zich weer geen zorgen te maken dat ze achter de tralies zouden belanden omdat ze hun zelfgekozen beroep uitoefenden.

Maar nu ik Nicky had, kon ik me dat ook niet meer veroorloven.

Jezus.

Ik reed naar Geviers huis om mijn rekening te betalen.

Ik verwachtte niet dat hij thuis zou zijn en dat was hij ook niet. Eddie deed de deur open. Ze zei niets en keek me niet eens aan, ze staarde langs me heen naar het busje. Soms heb ik dat effect op mensen, maar ik heb zelf nooit begrepen waarom. Ik grom niet, ik laat mijn tanden niet zien, ik rol niet met mijn spieren en soms probeer ik zelfs te glimlachen. Misschien ligt het gewoon aan mijn lengte, misschien zijn sommige mensen bang voor me om dezelfde reden als ik bang ben voor het paard van Louis.

Oké, ik ben niet echt bang voor dat paard, ik voel me er gewoon niet prettig bij. Hoe dan ook, Eddie had de twee keer dat ik haar eerder had ontmoet geen tekenen van angst vertoond. De eerste keer waren haar vader en Louis in de buurt geweest, maar ik zag niet in waarom dat veel verschil uitmaakte, en bovendien hadden we die keer dat Nicky en ik haar tegenkwamen in Louis' weiland goed contact gehad. Je voelt het echter wanneer mensen bang voor je zijn, je ziet het aan de manier waarop ze naar je kijken, de manier waarop ze zitten, aan alles wat ze doen. Ik zal vertellen hoe het voelt, hoewel ik dat ik nooit zou toegeven als jij en ik ergens met elkaar stonden te praten: het doet elke keer weer pijn. Het is een klap in je gezicht. Je denkt dat je eraan gewend bent, dat je eelt op je ziel hebt en dat ze je toch niet kunnen raken, maar dan zie je die blik weer in iemands ogen en je denkt: toe, zeg, ik ben geen slecht mens en ook al ben ik dat wel, dan weet jij dat nog niet. Maar je wordt weer eens buitengesloten en wat je ook doet, je komt er bij die ander niet in.

Eddie liet me echter wel binnen. Ze stapte achteruit, hield de deur open en wachtte tot ik naar binnen kwam. 'Hij is er niet,' merkte ze op.

'Hij is zeker nog aan het werk? Ik kom alleen maar de rekening betalen.' Ik stak mijn hand met de nota naar haar uit en ze pakte hem met trillende vingers van me aan. Die meid is bang voor me, dacht ik, hartstikke bang. Er moest iets zijn gebeurd, iets dat haar van haar stuk had gebracht. Ik vroeg me af voor wie ze me hield.

'Ik zou het niet kunnen verdragen als hij weer naar de gevangenis moest,' zei ze. 'Ze zouden me ergens heensturen, we zouden worden gescheiden en ik word al beroerd bij de gedachte daaraan.' Ze begon de knoopjes van haar overhemd los te maken. Haar gezicht was vlammend rood en ze keek me nog steeds niet recht aan.

'Houd op, Eddie!' Ze had nu alle knoopjes open en met een beweging van haar schouders liet ze haar overhemd omlaag glijden. Ze droeg geen beha en eerlijk gezegd had ze die ook niet nodig. Ik keerde me af en legde mijn hand op de deurknop. 'Ik moet ervandoor.'

'Waarom laat je hem niet gewoon met rust?' Ik hoorde de paniek in haar stem, die hoog, luid en onaangenaam bijna hysterisch klonk. 'Ik zal alles doen wat je wilt, als je daarna maar weggaat en mijn vader met rust laat.'

Ik draaide me niet om. 'Eddie, trek eerst je overhemd weer aan.'

'Hij heeft niets gedaan. Hij is nu gewoon een automonteur, snap dat dan toch! Hij repareert auto's meer niet.'

Ik hield mijn rug naar haar toe gekeerd. 'Eddie, ik ben niet van steen. Als je je overhemd weer aantrekt, blijf ik hier en kunnen we erover praten.' Ik luisterde naar het geluid van haar ademhaling, boze kleine pufjes.

'Oké,' zei ze ten slotte. Ik keerde me om en daar stond ze, verstijfd, haar gezicht nog steeds rood aangelopen, maar met haar overhemd aan, dichtgeknoopt tot haar kin. En ze maakte tenminste weer oogcontact.

Ik liep haar voorbij. 'Ga zitten,' zei ik. 'Daar.' Ze zakte neer op een stoel en ik ging aan de andere kant van de kamer zitten. 'Eddie, ik heb geen flauw idee waar je het over hebt. Je vader heeft mijn auto gerepareerd en ik kom nu de rekening betalen. Meer weet ik niet.'

Ze wierp me een woedende blik toe. 'Je mag wel ophouden met dat spelletje. Thomas Hopkins heeft me verteld wie je werkelijk bent.'

'O ja?' Mijn maag maakte een vreemde salto, maar niet lang, want in de eerste plaats dacht ik niet dat Hopkins wist wie ik was en bovendien strookte het niet met Eddie's angst om haar vader. 'Wat heeft hij dan gezegd?'

Ze keek me aan, haar gezicht een en al woede en opstandigheid. 'Hij zei dat de drugsinspectie je hierheen heeft gestuurd om een eind te maken aan de OxyContin-handel. Hij zei dat het je niet uitmaakte of je de juiste te pakken kreeg, maar dat je wel wist dat mijn vader vroeger chemicus was en dat je hem ervoor zou laten opdraaien.'

Het was bijna komisch. 'Die klootzak van een Hopkins.' Ik vermoedde dat hij bezig was mensen tegen me op te zetten. 'En jij geloofde hem?'

'Jij vertelt me toch de waarheid niet.'

Misschien niet. 'Luister, Eddie, het allerlaatste wat ik ben, is een of ander soort smeris, oké? Ik kwam alleen maar de rekening betalen. Wanneer dat klaar is, moet ik een paar dagen weg om wat zaken af te handelen, dan kom ik hier terug, haal Nicky op en daarna trekken we verder. Ik heb niets te maken met de drugsinspectie en de hele OxyContin-handel laat me ijskoud.'

Haar gezicht leek ineen te schrompelen. 'Hopkins zei dat je dacht dat mijn vader de chemicus was die had uitgevogeld hoe hij OxyContin kon namaken. Hij zei ook dat er ergens in India een laboratorium is waar ze het nu maken en dat ze het invoeren via Canada.'

Ik haalde mijn schouders op. 'Dat mag dan zo zijn, maar ik vind dat wie een naald in zijn arm wil steken dat zelf maar moet weten. Niet mijn zaak.'

Ze leunde voorover in haar stoel, sloeg haar beide handen voor haar gezicht en begon geluidloos te huilen. Van opluchting, vermoed ik. Na een paar minuten hield ze op met huilen, maar ze bleef haar handen voor haar gezicht houden. 'Je moet me wel een idioot vinden,' zei ze met verstikte stem.

'Nee.'

'Ik ben zo terug.' Ze stond haastig op en stormde de kamer uit. Ik hoorde een kraan lopen en daarna begon ze weer te huilen, duidelijk hoorbaar – boehoehoe, als een klein kind. Ongeveer tien minuten later kwam ze terug. Ze had haar gezicht gewassen, haar haar in een paardenstaart gebonden en haar overhemd in haar broek gestopt. Waarschijnlijk had ze ook een gietijzeren onderbroek aangetrokken.

'Het spijt me,' zei ze verlegen terwijl ze naast haar stoel bleef staan. 'Ik dacht...' Ze gebaarde met een wapperende hand naar de deur, waar ze had gestaan toen ze haar hemd had uitgetrokken. 'Ik was bang voor je, weet je...'

'Ga zitten,' zei ik. 'Laten we nu de draad weer oppakken, oké? Laten we gewoon verder gaan of zo. Kan dat?'

Ze wierp me een snelle blik toe, bloosde weer en keek opzij. 'Oké,' zei ze terwijl ze ging zitten. 'Tuurlijk.'

'Je moet wel heel veel van hem houden.'

'Ik heb alleen maar mijn vader.' Haar gezicht betrok. 'Waarom zou Hopkins dat allemaal over jou zeggen?'

Ik vertelde haar het hele verhaal van Hopkins en mij, toen mijn auto kapotging en ik langs de weg stond, de winkel waar hij zijn vriendin had mishandeld, de aanklacht die ik had getekend voor Bookman, de knokpartij bij de evenementenhal, Hopkins' schorsing naar aanleiding van die knokpartij, kortom, alles. 'Ik verwacht dat hij binnenkort 's nachts mijn banden zal laten leeglopen,' zei ik. 'Ik heb hem problemen bezorgd, of hij denkt dat ik dat heb gedaan, en nu wil hij iets terugdoen. Op dit moment kijk ik nergens van op wat hem betreft.'

'Wat een hufter,' zei ze. 'Luister, het spijt me. Ik zit de laatste tijd zo in de stress, ik probeer te beslissen wat ik moet doen en ik maak me zorgen over wat er met mijn vader zal gebeuren als ik toch wegga, snap je en nu dit weer... Ik zou het niet kunnen verdragen als hij weer naar de gevangenis moest.'

'Ik begrijp het, geloof me maar.'

Ze keek me aan. 'Als Nicky in mijn schoenen stond, zou je hem dan dwingen om te gaan studeren? Zul je dat doen wanneer hij oud genoeg is?'

Daar had ik nog niet over nagedacht. 'Ik weet het niet, ik vermoed dat ik wel zou willen dat hij ging studeren. Niet om hem weg te sturen, niet om van hem af te komen, maar weet je, ik heb een hoop fouten gemaakt in mijn leven en ik wil niet dat Nicky dezelfde maakt. Ik wil iets beters voor hem. Ik weet zeker dat jouw vader ook iets beters voor je wil dan wat hij je kan geven.'

Daar dacht ze over na. 'Weet je nog wat je zei toen ik je vertelde dat ik hier niet pas?'

'Wat zei ik dan?'

'Ik zei dat ik in New York ook niet zou passen en toen maakte je een grapje. Je huilde als een wolf en toen antwoordde je dat je me binnen tien minuten van het tegendeel kon overtuigen.'

'Oh, ja.' Ze zat me aan te kijken. 'Oké dan. Eitje. In de eerste plaats heb je nauwelijks een accent, dus daar hoef je je al geen zorgen om te maken. In de tweede plaats, gebruik nooit de naam Edna. Nicky had gelijk. Noem jezelf Eddie. Oké? Eddie Gevier.

Gooi die flanellen overhemden weg, maar houd deze nu nog maar even aan, ja?' Ze grijnsde naar me. 'Draag altijd en overal een zwarte spijkerbroek en tennisschoenen, die ouderwetse Chuck Taylors zijn prima. En een zonnebril, geen sieraden. T-shirts, in de winter een zwart leren jasje. Oké? Zo kom je het eerste jaar wel door. Blijf weg van plekken waar je niet hoort. Gebruik geen drugs en drink niet meer dan twee biertjes. Vertel niemand ooit iets over jezelf. Je staat er alleen voor, dus pas goed op jezelf. Als je uitgaat, ga dan samen met een troep andere meiden. Houd je mond dicht en ga in de buurt van de deur zitten. Stop je geld niet in je portemonnee, bewaar het in je broekzak. Ga nooit uit met een jongen die nog minder geld heeft dan jij. Geloof nooit een jongen die je allerlei onzin vertelt.'

'Bedoel je dat mannen klootzakken zijn?'

'Dat weet ik wel zeker.' Ik keek haar aan. 'Mannen doen en zeggen vrijwel alles om een vrouw uit de kleren te krijgen.'

'Jij niet,' zei ze. 'Je had alle gelegenheid en je maakte er geen gebruik van.'

'Daar mag je niet op afgaan, dat was een moment van zwakte.'

Ze kwam overeind en ik deed hetzelfde. Ze keek toe hoe ik de bankbiljetten uit mijn portemonnee haalde en telde. Ik overhandigde ze aan haar. 'Bedankt,' zei ze, 'dat je niet, je weet wel...'

Ik keek haar aan en bleef denken aan wat ik had gezien. God, daar kon ik echt niets aan doen. 'Laat maar. Houd je echt zoveel van hem?'

Haar gezicht rimpelde, ze deed drie stappen in mijn richting en sloeg haar armen om me heen. Het was een kuise omhelzing, alleen maar armen en schouders, niet de complete overgave die je krijgt wanneer ze je werkelijk willen. 'Kom,' zei ik en klopte haar op de rug. 'Begin nu niet weer.'

'Oké.' Ze maakte zich van me los. 'Ik moet het echt doen, hè? Gaan studeren, bedoel ik.'

'Het is jouw beslissing.'

'Ik weet dat het stom zou zijn om het niet te doen. Maar het lijkt me zo vreselijk om weer alleen te zijn.'

'Ik snap wat je bedoelt. Een semester houd je het echter wel uit. En dat geldt ook voor je vader. Ik moet weg, Eddie, ik wil vanavond nog in Boston aankomen. Red je het nu weer?'

Ze knikte en stopte het geld in haar zak. 'Tot ziens.'

Ik belde met mijn mobiele telefoon naar Bookmans huis. Bookman zelf was er niet, maar zijn vrouw nam op en ik praatte een poosje met haar. Ze zei dat ze het heerlijk vond om Nicky in huis te hebben, ook al was het maar voor een paar dagen, en hoe leuk het was voor Franklin. Ik hoorde een mengeling van vreugde en droefheid in haar stem – haar blijdschap dat Franklin iemand had om mee te spelen en haar verdriet omdat ze werd herinnerd aan de beperkingen van haar zoon. Ze liet Nicky aan de lijn komen en hij toeterde in mijn oor over de gele baars die hij had gevangen en dat je gele baarzen ook niet kon eten, en hoe dat beest je probeerde te steken met zijn vinnen wanneer je hem alleen maar van het haakje wilde afhalen om hem te laten gaan. Franklin had een rivierbaars gevangen, een hele grote, maar die hadden ze ook weer losgelaten. 'Je moet wormen gebruiken, pappie. Die moet je aan het haakje steken. Denk je dat dat pijn doet?'

'Dat denk ik niet, Nicky. Ik geloof niet dat wormen iets voelen.' Hij praatte nog een poosje door, maar toen wist hij niets meer. Hij moest me beloven dat hij lief zou zijn en ik luisterde naar hem toen hij de telefoon neerlegde. Ik moest mezelf er weer aan herinneren waarom ik dit deed; Nicky bij anderen achterlaten en wegrijden.

Van de telefoonservice kreeg ik Thomas Hopkins' nummer en ik liet hen hem opbellen. Zijn antwoordapparaat stond aan. Ik luisterde naar Hops stem die 'U weet wat u moet doen' zei en daarna volgde de pieptooon. Ik dacht aan het onzinverhaal dat hij tegen Eddie Gevier had opgehangen, maar ik kon geen goede boodschap bedenken om in te spreken voor die zak en dus hing ik op. Het werd echter wel hoog tijd dat ik met hem praatte, want er stond te veel voor me op het spel om mijn hoofd te moeten breken over Hop en zijn stompzinnige kwajongensstreken.

Niet ver ten noorden van Portland begon ik achter het stuur in slaap te vallen. De tweede of derde keer dat het gebeurde, ging ik bij de eerste de beste afrit de snelweg af en dronk ergens een paar koppen koffie. Ik weet niet waarom, maar ik wilde daar niet blijven overnachten.

De koffie was uitgewerkt voordat ik Massachusetts bereikte. Misschien was het toeval, of misschien was het gewoon omdat ik wist waar het was, maar ik kwam terecht in hetzelfde motel waar Nicky en ik die eerste nacht van onze reis naar het noorden hadden geslapen. Een andere kamer, dat tenminste wel. Ik vroeg me af hoe het met Nicky ging, wat hij had gegeten, of hij al sliep en dat soort dingen. Voor iemand die altijd had gedacht dat hij zijn zaakjes op orde had, waren mijn spullen aardig verspreid geraakt, dat moest ik toegeven. Mijn geld was in New Jersey, mijn kind in Maine en ikzelf was in Massachusetts. Ik kreeg het gevoel dat ik de controle begon te verliezen. Ik had de neiging Nicky weer te bellen, maar ik deed het niet. Wat kon ik hem vertellen wat ik hem een paar uur geleden niet had gezegd? Nicky, ik zal het beter doen, dat beloof ik je... Dat zou hij niet begrijpen en bovendien was ik degene aan wie ik dat moest beloven.

Ik heb nooit veel opgehad met bidden. Net als Huckleberry Finn vond ik dat het me nooit iets opleverde en dus hield ik ermee op. Ik dacht altijd dat ik het allemaal aardig doorhad, waarom mensen bepaalde dingen doen, waarom het oké was dat ik was wie ik was en dat soort dingen, maar zodra er een paar dingen veranderen, zie je de zaken plotseling totaal anders. Ik zag huizen tegen de heuvel achter het motel, doodgewone huizen met bomen eromheen, waar doodgewone mensen woonden. Ik probeerde me voor te stellen dat Nicky en ik in zo'n huis woonden, het busje geparkeerd op de oprit, Nicky die naar school ging, ik het gras aan het maaien...

Man, wat een beeld, wat een leven. Wat een wereld.

9

Door de pijn in mijn schouder werd ik vroeg wakker. Ik voelde me alsof ik een kater had, maar dat kon niet, want ik had de vorige avond niets gedronken. Ik denk dat ik gewoon medelijden had met mezelf, maar hoe hard je ook wenst dat de dingen anders zijn dan ze zijn, je schiet er niets mee op. Rottigheid blijft rottigheid, hoe je het ook probeert te verpakken.

Ik verliet het motel en reed weg. Onderweg stopte ik nog een keer ergens voor een werkelijk afgrijselijk ontbijt. Ik was inmiddels nog maar een paar uur van mijn doel verwijderd. Het eerste waaraan ik merkte dat ik in de buurt van New York kwam, was het verkeer. Ongeveer een uur van Manhattan begon het me echt op te vallen. Niet dat ik nu direct verwachtte dat de mensen naar me zouden zwaaien zoals ze dat deden in Maine, maar Jezus nog aan toe. Er is vast een zekere grens aan de hoeveelheid auto's op de weg, kom je boven die grens dan gaan mensen rare dingen doen. Zoals een vrouw in een grote rode Ford Excursion die blijkbaar haar afslag had gemist en die daarom haar leven en dat van de kinderen die ze bij zich in de auto had in de waagschaal stelde. Ze gokte erop dat ik snel genoeg zou reageren terwijl ze dwars over twee rijbanen vloog en me finaal sneed om de afslag alsnog te bereiken. Deze keer lukte het haar gelukkig, maar ik zag wel een beeld voor me van een verkreukelde auto vol dode kinderen ergens in haar toekomst. En het rare was dat dat nog niets was vergeleken met de geflipte kunsten die ik mensen vroeger heb zien uithalen met hun auto's en die ikzelf ook heb uitgehaald, maar toen ik hier woonde, dacht ik er nooit over na. Toen vond ik dat het gewoon zo hoorde.

Wat me nog meer opviel, was dat ik niemand kende. Ik herkende niemand in de andere auto's en de vrouw bij het tolpoortje van Triborough Bridge was een vreemde voor me. Ik reed door en niemand had enige reden om ooit nog aan me te denken, tenzij ik op de een of andere manier het nieuws van zes uur haalde.

Vroeger vond ik dat een prettig anoniem gevoel, maar nu wist ik dat niet meer zo zeker. Ik zou er echter ook weer aan kunnen wennen als ik maar lang genoeg bleef, dat voelde ik wel.

Ik passeerde Triborough Bridge en nam de snelweg naar het zuiden langs Manhattans East Side. Het is een prachtige weg die helemaal tot het zuidelijkste puntje van Manhattan langs het water loopt en daardoor een schitterende gelegenheid biedt voor zelfmoord. Je moet er echter wel op het juiste moment komen. Tijdens het spitsuur, dat allang geen uur meer is, maar ongeveer drie uur 's ochtends en minstens zo lang 's avonds, zit de weg totaal verstopt met auto's en is er niets aan. Dan zit je voornamelijk te wachten. Maar kom er op het juiste moment en de weg is de droom van elke adrenalinefreak. Je kunt er met hoge snelheid overheen scheuren alsof de wereld van boter is en jij een warm mes bent. Ik zeg niet dat het moet of zo, begrijp me goed, maar als je het doet, doe het dan in de auto van iemand anders, want wanneer je een bepaalde snelheid te boven gaat, geldt het zerotolerancebeleid wanneer je een fout maakt. Ik weet nog dat ik ooit eens in iemands Camaro op die weg reed met een adembenemende snelheid en dat ik bij een gedeelte kwam waar de weg naar rechts buigt en dan een tijdlang op hoge pijlers ligt. Ik schoot de rechterrijbaan op om langs een bestelbusje te komen terwijl ik rechtsaf die bocht omging. Op dat moment zag ik dat er een of andere kloothommel met panne op mijn weghelft stond. Het was te laat om te stoppen, te laat om weer terug te duiken achter dat busje, te laat voor wat dan ook, het enige wat ik kon doen was het gaspedaal nog dieper indrukken en erop gokken. Ik miste hen allebei, maar vraag me niet hoe, alles wat ik me kan herinneren, is dat de man die achter zijn kapotte auto stond plotseling moest rennen voor zijn leven. Dat beeld van hoe hij over het hek vloog, staat in mijn geheugen gegrift. Mijn God, wat een spurt. Ik kreeg er maandenlang een kick van. Pas de laatste tijd begon ik me af te vragen hoe het met hem was afgelopen, want vanaf die plek is het een flinke afstand tot de grond.

Daar was het nu te druk voor en bovendien zou ik zoiets in mijn busje niet willen proberen. Oké, vroeger wel, maar nu niet meer. Wanneer je jong bent, heb je te veel rebelsheid in je bloed en wanneer je oud bent niet genoeg. Ik weet niet wie dat heeft gezegd, maar ik weet wel dat je voelt hoe je verandert naarmate je ouder wordt, als je oplet tenminste. Ervan uitgaande dat je die krankzinnige jaren overleeft, de jaren waarin je bloed te wild stroomt en te heet is en je je niet kunt inhouden. En wanneer je eenmaal voelt dat je volwassen begint te worden, moet je het voorbijgaan van die gekte dan betreuren, of moet je God danken dat je het hebt overleefd? En was ik nu anders omdat die tijd voorbij was, of vanwege Nicky en Bookman en Louis en Eleanor en al die anderen? Ik hoefde me deze keer echter geen zorgen te maken dat ik te veel in de verleiding zou komen. Ik bleef op de linkerbaan rijden achter een caravan die steeds tien meter verder reed en weer stopte, zodat ik ook tien meter verder reed en stopte, net als de man achter mij en de man daarachter enzovoort, enzovoort.

Wanneer je ongeveer ter hoogte van de negenenzestigste straat komt, kun je zien waar de rivieren de Harlem en de East River samenkomen bij Hell Gate. Daar ligt een piepklein eilandje midden in het water en niet lang daarna zie je Roosevelt Island opdoemen. Roosevelt Island lijkt wel een groot oorlogsschip dat midden in de rivier voor anker ligt. Aan de noordkant is zo'n negentig procent van het eiland volgebouwd met flats en andere gebouwen, maar het zuidelijke puntje is wild en met groen overwoekerd. Er staat daar een oud stenen gebouw dat langzaam verdwijnt onder het onkruid en dat wel iets heeft van het kasteel van koning Arthur. Het was echter het ziekenhuis waar Typhoid Mary nog heeft gelegen, dat heeft iemand me eens verteld. Net ten zuiden van Roosevelt Island ligt een met vogelpoep overdekte rots die bekend staat als U Thant Island. Ik deed er bijna een uur over om van Hell Gate naar U Thant Island te komen, waar een grote groep aalscholvers stond met uitgespreide vleugels om ze te laten drogen. Het zijn donkerbruine, vettige vogels die wel iets hebben van eenden. In plaats van over het water te vliegen en omlaag te duiken wanneer ze een vis zien, zitten ze diep in het water, zodat alleen hun nek er bovenuit steekt, en duiken ze onder om achter de vissen aan te zwemmen. Eigenlijk is het verbazingwekkend wanneer je erover nadenkt. Die vogel kan sneller zwemmen en beter manoeuvreren dan een vis, zo zie je maar. Mensen in Maine hebben me verteld dat ze wel eens aalscholvers vinden in hun kreeftenvallen. Zo'n vogel gaat achter zijn prooi aan en kan er niet meer uit. Ik weet echter niet of dat verhaal waar is.

Ik begon me af te vragen waar ik mijn auto zou dumpen, maar toen herinnerde ik het me weer: deze is van mij, ik kan hem niet dumpen, ik moet hem ergens parkeren, verdorie. En dat niet alleen, ik moet me ook zorgen maken over de spullen die ik bij me heb. Toen ik een kind was, sloeg ik gewoon iemands voorruit kapot om een aantrekkelijke zonnebril te stelen, maar het was niet meer zo grappig nu het andersom was.

Terugkomen in New York is als opnieuw omgaan met een oud vriendinnetje. Er valt weinig nieuws te ontdekken, maar aan de andere kant, je bent op bekend terrein en je vraagt je af of ze misschien toch de juiste voor je is. Achtentwintig jaar had ik daar gewoond, behalve wanneer ik in het prikkeldraadhotel verbleef, en ik was overal geweest, van Rikers tot Lincoln Center. Ik had eerlijk gezegd nooit verwacht dat ik er nog eens weg zou gaan, maar nu bekeek ik alles met andere ogen. Ik ging van de snelweg af bij Houston en stopte bij Katz voor een broodje rookvlees. Ik was niet langer dan tien minuten binnen, maar toch had ik al een bekeuring voor fout parkeren. Welkom thuis, idioot, hier is alvast een cadeautje. Vijfenzestig dollar.

Ja, hoor. Kom het maar halen.

Uiteindelijk kwam ik terecht in de Holiday Inn aan de zevenenvijftigste straat in de West Side. Een beetje een verlaten stuk van Manhattan, hoewel dat misschien vreemd klinkt. Hoe kan het ergens verlaten zijn wanneer er elke dertig centimeter een of andere klootzak staat? Het is echter wel ver van het uitgaanscentrum en van alles wat daarbij hoort en dat paste me prima. Ik voelde me een stuk beter toen mijn plunjezak op mijn kamer achter slot en grendel lag en mijn auto in de garage stond. In een stoel in de lounge belde ik Buchanan.

'Mohammed,' zei hij met opgewekte stem. 'Wil je naar mijn kantoor komen of zullen we elkaar ergens anders ontmoeten?'

'Laten we elkaar maar ergens anders ontmoeten,' zei ik. Plotseling moest ik echter aan die film denken waarin Tommy Lee Jones achter Harrison Ford aanjaagt en direct verloor ik mijn belangstelling om naar buiten te gaan. Die kerels waren me helemaal naar Maine gevolgd en hadden me door het bos achterna gezeten. 'Wat dacht je van de Holiday Inn in de zevenenvijftigste straat? In de West Side. Zeg maar aan de balie dat je voor de Baker-groep komt.'

'Oké,' antwoordde hij. 'Ik moet even wat dingen bij elkaar zoeken. Geef me anderhalf uur.'

* * *

Ik huurde een vergaderkamer. Het hotel sloofde zich uit en zette twee kannen koffie klaar, een met gewone en een met cafeïnevrije koffie, schalen met koekjes en donuts en twee lange tafels met papieren tafellakens en lekkere zachte stoelen eromheen. Ik dronk een paar koppen cafeïnevrije koffie terwijl ik wachtte en at alle Deense maanzaadkoekjes op. Probeer die maar eens ergens ten noorden van Bangor te vinden.

Michael Timothy Buchanan klopte aan, deed de deur op een kiertje open en stak zijn hoofd naar binnen. 'Wow,' zei hij zodra hij me zag. 'Heel professioneel. Koffie en donuts. Dat is de enige reden waarom mensen tegenwoordig nog naar vergaderingen gaan, weet je.' Hij kwam nu helemaal binnen en deed de deur achter zich op slot. 'Heb je die andere deuren gecontroleerd?'

'Ja, volgens mij zijn we veilig.'

Hij keek me aan. 'Koudwatervrees?'

'Nee. Hoezo?'

Hij ging zitten en legde zijn koffertje voor zich op tafel. 'Jij en ik hebben eerder zaken gedaan, maar niet met een dergelijke hoeveelheid geld. Het is in zo'n situatie niet ongebruikelijk dat mensen zich zorgen gaan maken. Dat ze om garanties en zekerheden gaan vragen. Deze transacties vereisen een bepaalde hoeveelheid vertrouwen, zo zitten ze nu eenmaal in elkaar. Ik raak altijd een aantal transacties kwijt omdat de betrokken partijen op het allerlaatste moment ontdekken dat ze dat vertrouwen niet kunnen opbrengen, zodat de zaak wordt afgeblazen.'

'Dat begrijp ik. Wil je koffie?'

Hij knikte.

'Gewoon of cafeïnevrij?'

'Wat is het nut van cafeïnevrij?' vroeg hij honend. 'Waarom zou je?' Ik schonk koffie voor hem in en zette het kopje voor hem neer met een kannetje koffiemelk ernaast.

'Ik heb je al langgeleden nagetrokken, Buchanan. Beangstigend, zo gemakkelijk als dat gaat, vind je niet? Ik weet waar je woont. Ik ken je sofinummer, ik weet hoeveel inkomstenbelasting je vorig jaar hebt betaald en ik weet hoeveel je huis waard is. Ik denk niet dat je aan de haal gaat met minder dan twee miljoen. En ik denk ook dat je beseft dat ik je weet te vinden als je dat wel doet.'

Hij zuchtte. 'Internet?'

'Ja, gedeeltelijk. Mensen die bij banken en kredietinstellingen werken zijn net zo gemakkelijk voor de gek te houden als alle anderen. Gewoon een paar telefoontjes.'

'Je bent je roeping misgelopen, Mohammed. Dus het gaat door?'

'Ja.'

'Mooi,' zei hij en deed zijn koffertje open. Ongeveer twee uur later, zo tegen het einde van de middag, waren we klaar. Hij had alles geregeld zoals ik hem had verzocht, de helft op mijn naam en de andere helft op naam van Rosario. Voor mezelf tekende ik met mijn rechterhand en voor Rosario met mijn linkerhand. Buchanan glimlachte wrang toen ik dat deed. We spraken af elkaar de volgende ochtend te ontmoeten in Hackensack, New Jersey, bij de opslagruimte waar ik het geld had ondergebracht. Hij vertrok zijn gezicht bij het idee – mijn hemel, New Jersey – en hij ging weg zonder te groeten.

Die avond belde ik Hops nummer opnieuw, net voordat ik naar bed ging. Ik gebruikte de telefoon van het hotel voor het geval hij nummerweergave had, hoewel ik eigenlijk niet precies wist waarom dat iets uitmaakte. Ik kreeg dezelfde korte boodschap, dezelfde pieptoon en ik luisterde naar de stilte tot zijn antwoordapparaat afsloeg.

10

De volgende ochtend vertrok ik uit het hotel en reed naar New Jersey. Er kwam een vreemd soort opmerkzaamheid over me, ik heb geen idee waar dat gevoel ineens vandaan kwam, maar plotseling bekeek ik de stad als een toerist. Mijn hele leven lang had ik er deel van uitgemaakt, alsof New York City de enige plek ter wereld was waar ik thuishoorde, de enige plek waar ik mezelf kon zijn. Die ochtend veranderde dat en overal waar ik kwam, bekeek ik de vertrouwde straten en gebouwen met nieuwe ogen en vroeg ik me af of het ooit weer zou worden zoals het was. Wanneer je ergens zo lang woont, bouw je een diepgaande kennis op over waar alles is en hoe alles werkt, maar die ochtend had ik het gevoel dat ik op de een of andere manier van alles afscheid nam. Zoiets als wanneer je het uitmaakt met een vrouw: je weet dat je haar gaat verlaten, maar datgene waardoor je verliefd op haar werd, heeft ze nog steeds en daarom kijk je iets bewuster naar haar, iets intenser, en probeer je de herinnering in je geheugen te griffen; haar lange haar of haar zachte stem of haar volmaakte kont, want je staat op het punt een definitieve stap te nemen en je vraagt je af of de dingen ooit nog hetzelfde zullen zijn. Ik draaide de West Side Highway op en ik zweer dat de Hudson River er nog nooit zo mooi had uitgezien. Voor de eerste keer in mijn leven merkte ik op dat het vloed was. Het water stond hoog en in de vroege ochtendzon zag het er blauw en warm uit, net zo ongerept als op de dag dat Henry Hudson voor het eerst met zijn boot hier langsvoer. Toen ik de haven aan de negenenzeventigste straat passeerde, voelde ik iets aan me knagen. Ik had zeilboten nooit een blik waardig gekeurd, maar die ochtend zagen ze er zo schitterend en volmaakt uit, alsof ze zojuist door God waren geschapen. Ik benijdde die gelukkige wezens die aan boord woonden, omringd door schoonheid en vrijheid en koele herfstlucht. Het was maar een illusie en dat wist ik ook wel, daarom krijgt een dromer uiteindelijk ook dat nare gevoel in zijn maag; omdat hij wel weet dat die man in die zeilboot zich gewoon zorgen maakt over zijn pomp en zijn motor en het effect van het zoute water op zijn bedrading. Bovendien moet die arme drommel ook gewoon zijn bed uitkomen en naar zijn werk gaan, net als iedereen. En dat weet je best, net zoals je weet dat je het je niet kunt veroorloven je door een of andere droom te laten meezuigen, maar soms ziet zo'n beeld er zo verdomd prachtig uit.

Er was veel minder verkeer toen ik de stad uitreed, vooral in vergelijking met de drommen auto's die de stad probeerden in te komen. Ik voelde me vreemd onvast, alsof ik een van die zeilboten was in de haven die ik zojuist was gepasseerd, en iemand had me losgesneden. Deze stad was het enige waarmee ik echt vertrouwd was, dit ene kleine hoekje van de wereld, de enige plek waar ik wist hoe ik moest overleven en nu keerde ik deze stad de rug toe en reed weg. Dit was wat Eddie Gevier de vorige dag moest hebben gevoeld, deze merkwaardige sensatie dat de dingen van hun plaats schuiven, dat je op het punt staat je los te maken van de enige veilige plek die je kent. Hoe hard je in je hoofd ook tegen jezelf zegt dat veiligheid en zekerheid illusies zijn, het wordt een heel ander verhaal wanneer je ze loslaat en merkt dat ze toch wel erg comfortabel waren, voor zover je dat van illusies kunt zeggen.

Ik was vroeg. Buchanan zou pas om tien uur komen en daarom reed ik nog een poosje rond. Toen ik ergens een gezondheidscentrum zag, ging ik naar binnen en liet een dokter naar mijn arm kijken. Hij liet zich niet voor de gek houden en begon luidkeels te lachen toen ik zei dat ik de wond bij een auto-ongeluk had opgelopen. 'Ja hoor,' zei hij. 'Probeerde de bestuurder van die andere auto u soms te onthoofden? Afijn, ik zie geen teken van infectie, de wond lijkt normaal te genezen.' Hij liep met me mee naar de balie en drukte me op mijn hart beter uit te kijken en de antibioticakuur helemaal af te maken.

Ik haalde ergens een kop koffie, nam die mee naar de opslagruimte en wachtte op Buchanan. Hij had de vorige dag een fraaie speech gehouden, maar als er iets mis zou gaan, zou dat hier zijn, op de plek waar het geld werd overgedragen. Het pistool dat ik van de Rus had afgepakt, had ik in Maine achtergelaten, opgerold in mijn vest, maar ik kende een vent in Canarsie die wapens verkocht. Ik was echter niet van plan weer helemaal terug te rijden de stad in om er een te halen en bovendien was het daar te laat voor. Daarnaast is het aanschaffen van een pistool het tarten van het noodlot. Ik heb altijd geloofd dat een inbreker die een pistool bij zich heeft, vooral een beroepsinbreker en niet een of andere stomme puber, het ongeluk over zichzelf afroept. De bedoeling is dat je handig genoeg bent om binnen en weer buiten te komen voordat iemand het in de gaten heeft. Ik ken wel inbrekers die zodra ze een huis zijn binnengedrongen eerst naar de keuken lopen om een groot mes te pakken. Dat heb ik ook nooit gedaan. Op dat moment besefte ik dat ik zelfs geen inbreker meer was. Eerlijk gezegd miste ik het een beetje, maar lang niet zoveel als ik Nicky miste.

Buchanan was ongeveer een half uur te laat. Er kwam een grote zwarte limousine aanrijden die stopte bij het hek van de opslagruimte en ik zag de bewaker mijn kant op wijzen. De kluis die ik had gehuurd had het formaat van een inloopkast en lag bijna aan het einde van een rij soortgelijke ruimtes op de begane grond. Op zo'n zeven meter afstand was een identieke rij kluizen. Achter mijn rug stond een ijzeren hek met prikkeldraad aan de bovenkant. Kortom, ik bevond me daar aan het einde van een doodlopende steeg en ik kon geen kant op. De limousine stopte bij het begin van de steeg en blokkeerde de ingang. Ik stapte uit mijn busje en wachtte. De chauffeur van de limo stapte ook uit – de idioot had zelfs witte handschoenen aan – en deed het achterportier open. Buchanan stapte uit, keek om zich heen en liep naar me toe, zodat de auto bleef staan waar hij stond. Hij droeg een dun attachékoffertje in zijn hand.

Als Rosario erbij was geweest had hij beslist wel een wapen gedragen en niet alleen dat, hij zou een paar keer door de voorruit van de limo hebben geschoten om te laten merken dat het hem ernst was. Mijn hart bonsde luid in mijn borstkas, ik had het gevoel of mijn hele lijf ervan schudde. Instinctief voelde ik dat ik moest maken dat ik wegkwam, maar ik deed het niet. Ik liep naar mijn kluis, stak de sleutel in het slot en deed de deur open.

Buchanan en ik stapten naar binnen. Ik aarzelde even, niet meer dan een halve seconde, om een blik achterom te werpen naar de limo, maar het ding bleef op zijn plek staan met gesloten deuren. Ik besloot dat de situatie veilig genoeg was. Buchanan kon niet weten of ik gewapend was of niet en degene in de auto kon niet zien wat zich in de kluis afspeelde. Goed beschouwd liep Buchanan net zoveel risico als ik, maar als hij al nerveus was, liet hij dat niet merken.

Aan het plafond van de ruimte hing één enkel kaal peertje. Ik trok aan het touwtje en Buchanan hield zijn hand boven zijn ogen om ze te beschermen tegen het felle licht. Na enkele ogenblikken raakten zijn ogen eraan gewend en keek hij naar de twee grote groene tassen die op de lange, tegen de muur geschoven tafel lagen. Het hele gebouw stond vlakbij de rivier de Hackensack. Dat water is biologisch actief, zoals men dat noemt, dat wil zeggen dat het leven erin zich herstelt, maar dat neemt niet weg dat het stonk als een open riool.

Buchanan trok de twee ritsen open. Eerst telde hij het aantal bundels en daarna trok hij één bundel uit elke tas, een dikke en een dunne en telde beide bundels. Hij telde het geld op de manier zoals ze dat doen langs de racebaan, zijn vingers en de biljetten bewogen sneller dan mijn ogen konden volgen. Hij scheen tevreden met het resultaat, stopte de bundels terug waar hij ze vandaan had gehaald en ritste de twee tassen weer dicht. Zonder het zich bewust te zijn, gaf hij een klopje op de tweede tas en vervolgens pakte hij zijn attachékoffertje, legde het op de tafel en maakte het open. Er zat een kleine laptop van Sony in. Ook die maakte hij open, het ding stond al aan.

'Ik ben zo vrij geweest de transactie hierop te zetten,' zei hij terwijl hij naar het scherm keek en niet naar mij. Mijn effectenrekening verscheen in beeld. 'Je hebt geld verdiend met Pfizer,' zei hij. 'Wist je dat zij Pharmacia opkopen?'

'Dat staat al een hele tijd in de kranten.'

'Wel, gisteren hebben ze de definitieve toestemming gekregen,' zei hij. 'Je hebt een aardige kleine reserve. Kijk maar even mee. Dit zijn de aandelen die je koopt, het zijn incourante fondsen. En hier zie je hoeveel je koopt. Alles wat je hoeft te doen, is deze transactie goedkeuren, dan dump je alles wat je nu bezit en van de opbrengst koop je de nieuwe aandelen.'

'Ik hoef dus alleen maar op OK te drukken?'

'Dat is alles, ja.'

'Ben je on line?'

Hij knikte. 'Draadloos.'

'Hoe doe je dat? Heb je een gsm-verbinding via je modem?'

Hij schudde zijn hoofd. 'Te langzaam en te onbetrouwbaar. Dit heet Express Network. Dat heb ik van Verizon. Het heeft een snelheid van ongeveer honderdvierenveertig kb. Het gaat prima zolang ik maar niet te ver buiten Manhattan kom. En jij weet wel hoe vaak ik dat doe.'

Ik liep naar de laptop, keek naar het scherm en gebruikte de cursor om het OK-symbool aan te klikken. Twintig seconden later veranderde het scherm. Mijn transactie verscheen in beeld en er werd gevraagd of ik een bevestiging wilde uitprinten. Buchanan haalde een zilveren pen en een schrijfblok tevoorschijn uit de binnenzak van zijn colbert, schreef het bevestigingsnummer op en overhandigde me het papiertje. Hij keek me enkele ogenblikken recht aan.

'Log in bij je eigen provider,' zei hij. 'Controleer je rekening zelf. Je moet zelfs bevestiging kunnen krijgen via je e-mail, dat kun je ook checken.' Ik deed het allebei en daarna zocht ik de website van *Playboy*. Daar kon hij niet mee sjoemelen, dacht ik en bovendien had hij nooit van tevoren kunnen weten dat ik die site zou kiezen. Ik haalde mijn schouders op.

'Oké,' zei ik.

Buchanan stapte de steeg in, stak zijn linkerhand op en bewoog zijn vingers. Een seconde later hoorde ik een autodeur dichtslaan. Buchanan stapte de kluis weer binnen, sloot zijn laptop en borg hem weer op in zijn koffertje. Er verschenen twee potige kerels achter Buchanan. Als het toch een val was, zag het er niet best voor me uit. Eén man had ik misschien aangekund, maar geen twee. Het waren echter geen zware jongens, zo zagen ze er niet uit, een van hen was zelfs al wat grijs aan de slapen. Ik vermoedde dat het gepensioneerde smerissen waren. Hoe dan ook, ze keken niet naar mij of naar Buchanan. Ze grepen allebei een tas, zetten zich schrap onder het gewicht en liepen naar buiten. Buchanan keek hen niet na. Hij zwaaide met zijn hand om mijn aandacht te trekken.

'Je geld is nu bij mij in onderpand,' zei hij met een lichte grijns. 'Het College ter beoordeling van Medicijnen zal over drie dagen een persbericht laten uitgaan. Als je een goede raad van me wilt, luister dan: dit bedrijf waar je je zojuist hebt ingekocht is veel te klein om de productie en distributie van dit nieuwe medicijn aan te kunnen, om maar niet te spreken van een verkoop- of promotieapparaat. Er kunnen nu twee dingen gebeuren. Ze gaan fuseren met een van de grotere farmaceutische bedrijven, of ze gaan verkopen. Wat jij moet doen is even wachten tot de prijs flink is opgedreven en dan de helft van je aandelen verkopen. Als ze worden overgenomen, zal de aandelenprijs gigantisch omhoog schieten. Wees niet te inhalig en verkoop niet alles in één keer. Kun je me volgen?'

Mijn hoofd duizelde er nog van. Ik had net staan toekijken hoe twee kerels die ik nog nooit eerder had gezien met zo'n twee miljoen dollar de deur uitwandelden. Alle rekeningnummers en saldo's en websites van de hele wereld konden niet op tegen een dergelijke ingrijpende ervaring. 'Ja,' antwoordde ik. 'Ik snap het.'

Buchanan kwam naar me toe en legde zijn hand op mijn schouder. Mijn niet-verbonden schouder. 'Mohammed,' zei hij nadrukkelijk. 'Je hebt een goede deal gesloten. Over een kleine week zul je pas merken hoe goed. Je hebt nu de gelegenheid om ergens heen te gaan en een plezierig, rustig en normaal leven te leiden. Verpest het niet.' Daarop greep hij zijn attachékoffertje en liep naar buiten. Ik bleef waar ik was en luisterde hoe de deur van de limousine dichtsloeg en hoe het grind kraakte onder de wielen. Een rustig, normaal leven? Hoe zou dat zijn?

Ik ging terug naar mijn auto en dacht erover na. Ik herinnerde me het meer in het bos, die plek waar Nicky en ik hadden gewandeld. Alle dingen die toen onbereikbaar hadden geleken, lagen nu binnen mijn mogelijkheden. Toch was het een beangstigende gedachte, ik denk omdat ik wel besefte dat ik alles wat ik kende de rug zou moeten toedraaien als ik er een succes van wilde maken. Als overlever laat je nu eenmaal niet zo gemakkelijk het gereedschap vallen dat je hebt gebruikt om te overleven, hoe louche dat gereedschap ook is. Overleven was vanaf dat moment echter niet meer mijn enige doel, daar zat hem de kneep. Ik wilde meer. Ik belde Bookmans huis vanuit mijn auto. Zijn vrouw nam op en we praatten een paar minuten met elkaar. Ze zei dat de jongens al hadden gegeten en dat ze nu samen naar de beek waren, met de hond erbij. 'Je hebt zo'n schat van een zoontje,' zei ze uit de grond van haar hart.

'Ik hoop dat hij niet lastig is geweest,' antwoordde ik.

Ze lachte. 'Hij leert Franklin zoveel, gewoon door om hem heen te zijn en door voortdurend tegen hem te kletsen. We hebben jarenlang therapieën betaald, maar die hebben nooit zoveel effect gehad als je zoon heeft.'

Ik was blij dat te horen, zei ik en ik vroeg haar om tegen Nicky te zeggen dat ik de volgende dag terug zou zijn. Daarna startte ik de auto, overhandigde de sleutel van mijn kluis aan de bewaker bij het hek en reed weg in noordelijke richting.

Toen ik Route 84 in Connecticut had bereikt, belde ik Hop. Ik was verrast toen hij de telefoon opnam – zo was ik gewend geraakt aan zijn antwoordapparaat. Het bracht me even van mijn stuk dat ik hem direct aan de lijn kreeg en daarom zei ik in eerste instantie niets.

'Wie is daar?' vroeg hij. Ik kreeg het gevoel dat hij al wist dat ik het was, of misschien klonk hij altijd chagrijnig aan de telefoon.

'Hier is de vriendelijke ambtenaar van de drugsinspectie. Wat is verdomme je probleem, Hoppie? Waarom moest je zo nodig Edna Gevier doodsbang maken met dat kletsverhaal van je? Wat wilde je daarmee bereiken?'

'Je had hier nooit moeten komen.' Hij snauwde de woorden in het toestel. 'Waarom ben je niet gebleven waar je thuishoort? Bemoei je met je eigen zaken en sodemieter op uit mijn leven. Je hebt de verkeerde voor je.'

'Dat is nu precies wat ik van plan ben, Hop, maar daarbij hoef jij me geen moeilijkheden te bezorgen.'

'Jij weet niet wat moeilijkheden zijn,' zei hij en hing op.

Misschien had ik Bookman moeten bellen, ik weet het niet. In elk geval deed ik dat niet. Tegen Bookman klagen over Hops kleinzielige streken leek zo kinderachtig en ik denk dat ik niet wilde dat Bookman me een zeurpiet vond. Bovendien scheen hij nog steeds te denken dat hij Hopkins op andere gedachten kon brengen. Ik was er zelf verbaasd over dat het me zoveel uitmaakte wat Bookman van me dacht. En hoeveel kwaad had Hops verhaal goed beschouwd eigenlijk aangericht? Hij had Eddie flink laten schrikken en mij een kleine kick bezorgd, hoewel ik me wel schuldig voelde als ik eraan dacht hoe ze daar zonder overhemd in de keuken had gestaan.

Maak je niet druk, zei ik tegen mezelf. Laat los. Over een paar dagen is het allemaal voorbij.

Het was mijn bedoeling die avond nog Louis Avery's huis te bereiken, maar tegen de tijd dat ik klaar was met Buchanan, was het bijna twaalf uur 's middags en het is een heel eind rijden. Toen ik bij Mass Pike aankwam, was ik doodop. Ik hield het nog vol tot de grens tussen Maine en New Hampshire, maar toen stopte ik bij een klein motel langs Route 1. Er was een restaurant bij, met grote ramen die uitkeken over een zoutwatermoeras. Na het eten ging ik op het terras achter het restaurant zitten en daar bleef ik tot het donker werd. Er vloog een stern over het kanaal dat midden door het moeras liep, maar ik kon niet onderscheiden of het een noordse stern was of een visdiefje. Hij bleef boven een bepaalde plek hangen en schoot dan omlaag naar zijn buit, wat dat ook was. Een hoop sterns zijn op dezelfde manier gekleurd als zilvermeeuwen, grijs op de bovenkant van de vleugels en wit op het lichaam, maar ze hebben een klein zwart keppeltje en een lange, gevorkte witte staart. Ze zijn prachtig zoals schilderijen dat soms kunnen zijn – alles wat je er eventueel aan verandert, maakt ze minder volmaakt.

Ik weet niet waarom, maar ik voelde me prettiger in Maine. Ze moeten daar iets in de lucht stoppen waardoor je er weer terug wilt komen.

11

Een blik op de kaart van Maine maakt duidelijk dat het zuiden en het oosten het dichtst bevolkt zijn. Ten zuiden van Portland krioelt het werkelijk van de steden, dorpen, wegen, grote dumpzaken, wegrestaurants, stranden, benzinestations, buitenhuizen van voormalige presidenten en enorme standbeelden van Paul Bunyan langs de weg. Dat is niet werkelijk Maine, niet het echte Maine, niet meer, het lijkt meer op het noorden van Massachusetts. Het is best leuk om er eens heen te gaan, je kunt er logeren in een of ander motel waarvan de muren zijn bekleed met ruw vurenhout, je kunt er een broodje kreeft eten en je kinderen kunnen in de branding spelen. Als je geluk hebt, word je misschien zelfs gebeten door een verdwaalde mug, zodat je vakantie iets authentieks krijgt. Het is ook een mooie rit, mits je geen haast hebt. Ik had echter wel haast en daarom bleef ik helemaal tot Bangor, Route 95 volgen.

Het is verleidelijk Bangor het midden van de staat te noemen, maar die stad ligt eigenlijk iets ten zuiden van het midden. Het is echter wel de uitvalsbasis en ten noorden en ten westen ervan ligt heel veel dunbevolkt gebied. Route 95 gaat verder na Bangor, maar niet recht naar het noorden. De weg wijkt iets af naar rechts en passeert bij Houlton de Canadese grens. Houlton is echter nog ver verwijderd van het noordelijkste puntje van de staat. Als je daar wilt komen, kun je het beste vliegen, want het is een eindeloze rit. Ik heb me laten vertellen dat ze daar aardappelen telen.

Bij Bangor ging ik van Route 95 af en nam Route 9, wat voor het grootste deel een tweebaansweg is die grofweg de kust volgt, maar dan wel zo'n vijftig tot zestig kilometer landinwaarts. Het was een langere rit naar het huis van Louis op die manier, maar wel een snellere, want direct langs de kust loop je een groter risico dat je vast komt te zitten achter een of andere grote, trage vrachtauto. Route 9 laat je ook het echte Maine zien. Dichte bossen, bruinachtige rivieren, geen dumpzaken en geen standbeelden van Paul Bunyan. Ik zag één lifter die de andere kant op wilde. Hij had zijn T-shirt uitgetrokken en zwaaide er wild mee om zijn hoofd in een poging de muggen te verjagen. Ik stopte, liet hem mijn antimuggenspray gebruiken en bood hem een lift aan, maar hij sloeg het af, want hij wilde naar het zuiden. Hij had genoeg gezien, denk ik. Waarschijnlijk was hij op weg naar Kennebunkport. Onderweg zag ik veel bordjes met 'overstekende elanden' en ik lette goed op, maar zag geen enkele eland.

Mijn telefoon lag op de stoel naast me. De afgelopen paar uur had ik geen signaal kunnen krijgen, maar bovenop een hoge heuvel ongeveer vijfentwintig kilometer voor het einde van Route 9 zag ik iets flikkeren en daarom stopte ik en belde het ziekenhuis in Calais.

'Ik wil graag met een van uw patiënten spreken,' zei ik tegen de vrouw die de telefoon opnam. 'Zijn voornaam is Rosario en zijn achternaam Colón. Hij ligt bij u met een ingeklapte long. Kunt u me doorverbinden met zijn kamer?'

'Ik weet wie u bedoelt, meneer,' antwoordde ze, 'maar ik ben bang dat hij niet meer in dit ziekenhuis is.'

Wat een vreemde manier om dat te zeggen. 'Niet in dit ziekenhuis? Hoe bedoelt u? Hij is toch niet de pijp uit?'

Ze schraapte haar keel. 'Ik ben bang dat ik niet meer informatie voor u heb, meneer. Als u me uw naam en telefoonnummer geeft, kan ik vragen of iemand u terugbelt...'

Ja, vast wel. Ik verbrak de verbinding en dacht een poosje na over deze ontwikkeling. Ze had mijn telefoonnummer al of ze kon er in elk geval gemakkelijk achterkomen. Ik dacht niet dat dat veel uitmaakte, het is geen misdaad om iemand te bellen. Bovendien moesten allerlei mensen ons samen hebben gezien toen ze ons binnenbrachten. De vraag was: wat had Rosey gedaan? Hij moest iets hebben uitgevreten in dat ziekenhuis en wel iets ernstigs, want die vrouw aan de telefoon wilde het me niet vertellen.

Die verdomde Rosario. Ik had kunnen weten dat hij niet tegen wachten kon. Godver, alles wat hij hoefde te doen, was rustig blijven liggen. Ik had erop gegokt dat hij nog ziek genoeg was. Ik had gedacht dat dat erger zou zijn dan zijn paranoia, zodat hij veilig in bed zou blijven. Ik had hem daar achtergelaten zonder geld en zonder kleren. Wat kon ik nog meer doen? Hem aan het bed vastbinden? Maar hij kon het niet opbrengen me te vertrouwen en was op zoek gegaan naar een ontsnappingsmogelijkheid. Ik wist het.

Bookman zou in elk geval weten wat er was gebeurd, maar ik wilde niet met hem spreken. Ik probeerde Louis te bellen, maar er werd niet opgenomen en dat had ik ook eigenlijk wel verwacht. Hoogstwaarschijnlijk was Louis in Machias en probeerde hij zijn zonden op te biechten aan Eleanor. Ze zou hem vergeven, dat wist ik zeker, ze hield veel te veel van hem om dat niet te doen, maar ik wist ook zeker dat ze hem ervoor zou laten zweten. Ik belde uiteindelijk toch Bookmans huis en praatte een paar minuten met mevrouw Bookman, maar Nicky was met Franklin ergens buiten en haar man was ook niet thuis.

Ik stapte uit de auto en liep een poosje heen en weer door het onkruid, terwijl ik mezelf vervloekte. Een spotvogel vloog naar de top van een dode boom en zong me toe. Hij zong hard en uit volle borst. Terwijl ik naar hem stond te kijken, spreidde hij zijn vleugels, sprong al zingend recht de lucht in, sloeg met zijn vleugels en kwam weer neer op de boom zonder ook maar een noot te missen. Maar ja, hij had ook niets anders aan zijn kop dan zingen en andere spotvogels uit zijn territorium verjagen. Geen wonder dat hij gelukkig was.

Wie kon ik in hemelsnaam bellen? Eastport en Lubec lagen zo ver van Calais verwijderd dat de meeste mensen daar waarschijnlijk niet hadden gehoord wat er zich had afgespeeld in het ziekenhuis van Calais. Het had dus weinig zin te proberen Hobart of Roscoe of een van de andere mensen die ik daar kende te bellen.

Ik was rond zeven uur die ochtend uit het motel vertrokken en ik was nu zo'n vijf uur onderweg. Ik had echter nog speling. Misschien kostte het me een uur extra of zo, maar aan het einde van Route 9 kon ik naar het westen rijden in plaats van naar het oosten en met mevrouw Johnson gaan praten. Misschien wist zij een oplossing.

Het was niet ver; van het einde van Route 9 naar het huis van mevrouw Johnson in Grand Lake Stream. Het leek althans niet ver. Ik deed er ongeveer een half uur over en dat is niet slecht wanneer je het vergelijkt met de duur van een metrorit van Park Slope naar het stadscentrum. Je neemt Route 1 in noordelijke richting en dan sla je een smalle tweebaansweg in die dwars door het bos loopt. De rit lijkt langer dan hij is, want wanneer je eenmaal op die weg zit, valt er eigenlijk niets te zien behalve bomen. Het lijkt haast of je teruggaat in de tijd, of misschien is het niet dat, maar meer een gevoel dat je een reis maakt naar een hele bijzondere plek die slechts een vage gelijkenis vertoont met de wereld waar je vandaan komt. De banden van mijn auto maakten een hypnotiserend, dreunend geluid waardoor de stemmen in mijn hoofd tot zwijgen werden gebracht. Na een poosje passeerde ik het eerste bordje, dat bordje waarop 'U bevindt zich nu in ....' staat, maar er was nog steeds niets, alleen maar bos. Enige tijd later kwam ik langs een kampplaats en ten slotte bereikte ik een brug over een riviertje, de winkel met sportvisbenodigdheden en niet veel meer eigenlijk. Een paar verspreid liggende gebouwen die het moesten hebben van de visfanaten die hier zo nu en dan heenvliegen om hun hobby uit te oefenen.

Er was wat schade aan de dennenboom die ik met de Subaru had geraakt, maar het stelde niet veel voor in vergelijking met de puinhoop die ik van Hobarts voertuig had gemaakt. Er ontbrak een reep schors, misschien vijfentwintig centimeter lang en vijf tot zeven centimeter hoog. Het kale hout was een beetje vuil van de klap en er droop kleverig dennensap uit. Ik parkeerde mijn busje naast een GMC-pick-up op mevrouw Johnsons erf. Er kwam een lange jongen naar buiten, hij was nog een stuk langer dan ik, maar mager en pezig, met lang donker haar, donkere ogen en spieren als koorden. 'Hallo,' zei hij en stak zijn hand naar me uit.

'Chris Johnson?'

'Ja.'

'Is je moeder in de buurt?'

Hij knipperde met zijn ogen van verbazing. 'Ze is bij iemand verderop in de straat,' antwoordde hij. Hij was nieuwsgierig, dat merkte ik wel, maar hij vroeg niets. 'Wil je dat ik haar ga halen?'

'Denk je dat ze nog lang wegblijft?' vroeg ik. 'Kan ik op haar wachten?'

'Tuurlijk,' zei hij. 'Ze is waarschijnlijk zo terug. Wil je koffie? Een biertje?'

'Nee, dank je. Ik hoef niets. Ze zeiden dat je in de Allagash was, maar niemand heeft me uitgelegd wat dat is.'

'Allagash Wilderness Waterway. Nooit geweest?'

'Ik heb er zelfs nog nooit van gehoord.'

'Wat jammer,' zei hij. 'Je moet er zeker heengaan. Op het moment is het er een beetje druk, we hebben elke dag wel andere kano's gezien, maar dan nog...' Hij schudde zijn hoofd. 'Ik heb foto's. Wil je ze zien? Dat is veel beter dan wanneer ik het probeer te beschrijven.'

We zaten de foto's nog te bekijken toen zijn moeder aan kwam lopen. Ze wierp een onverschillige blik op het busje, maar toen zag ze mij samen met haar zoon. 'Hallo, Coyote,' zei ze. 'Kom je me een paar van je verhalen vertellen?'

'Ik kom u iets vragen. En ik ben u nog geld schuldig.'

'Dat klopt. Mooie zakenvrouw ben ik, nietwaar?'

Chris keek naar mij en toen naar zijn moeder. Ik vermoed dat hij ons een merkwaardige combinatie vond en misschien was dat ook wel zo. Hij schudde zijn hoofd en onderdrukte een glimlach. 'Ik ga weer naar binnen,' zei hij. 'Leuk je ontmoet te hebben, Manny.'

'Dat is wederzijds. Bedankt dat je me de foto's hebt laten zien.'

Ik vertelde mevrouw Johnson dat Rosario het ziekenhuis had verlaten.

'Dat is die man die je door het bos hebt gedragen,' zei ze. 'Heb je die mobiele telefoon nog?'

Ik haalde het ding uit de auto en ze pleegde een paar telefoontjes waarbij ze net als de eerste keer die onbekende taal sprak. Alles wat ik kon verstaan, waren de namen en af en toe een Engelse zin. Ik had geen andere keus dan wachten en daarom leunde ik met mijn rug tegen het busje en probeerde me te ontspannen. Aan de overkant van de weg was een troep cederpestvogels aan het fourageren in een bosje jeneverbesstruiken. Eerst zag ik er maar een paar en dacht ik dat het vrouwtjeskardinalen waren – pestvogels hebben een soortgelijke kuif en ook hun subtiele roodbruine kleur lijkt sterk op die van kardinalen – maar hoe langer ik keek, hoe meer ik er ontdekte. Het waren er minstens twintig of dertig en kardinalen vormen nooit zulke grote groepen. Pestvogels echter wel; op bepaalde tijden van het jaar vergeten ze hun territoriale impulsen en fourageren ze in troepen. Ik vraag me af of ze dat doen omdat ze van elkaars gezelschap genieten. Ornithologen en andere deskundigen zullen roepen dat dat flauwekul is, dat vogels het begrip 'genieten' niet kennen, dat bij hen alles een kwestie is van instinct. Volgens mij weten zij het echter ook niet. Ze denken alleen maar dat ze het weten.

Mevrouw Johnson zette het toestel uit en gaf het me terug. 'Herinner je je mijn vriend de dokter nog?'

'Ja,' antwoordde ik. 'Natuurlijk.'

'Wel, hij zegt dat die vriend van jou totaal gestoord is. Gisterochtend kwam hij zijn bed uit, maakte zich los van alle slangetjes en machines, ging naar het laadplatform van het ziekenhuis en stal een stationcar.'

'Een stationcar?'

Ze schudde haar hoofd. 'Mijn vriend de dokter zegt dat ze een inloop-koelruimte hebben achter het platform en wanneer er iemand sterft in het ziekenhuis, leggen ze gewoon een laken over de dode heen, binden een kaartje om zijn grote teen, rijden hem naar de koelruimte op een brancard en laten hem daar achter. Wanneer de man van de begrafenisonderneming hem komt halen, parkeert hij zijn auto met de achterkant naar het laadplatform, gaat naar binnen om de benodigde formulieren in te vullen, brengt zijn brancard naar de koelruimte, waar ze de dode van de ziekenhuisbrancard overbrengen op zijn eigen brancard en daarna laadt hij in en rijdt weg. Net alsof hij een lading diepvrieshamburgers heeft afgehaald.'

Ik verwachtte dat ze verder zou gaan, maar dat deed ze niet, ze stond naar de grond te staren en haar hoofd te schudden. Een losgebroken Rosario. Ik was blij dat Nicky bij de Bookmans was. 'En wat is er nu gebeurd? Heeft Rosario een of andere begrafenisauto gestolen?'

'Oh ja,' zei ze en keek op. 'Sorry. De man van de begrafenisonderneming had net zijn auto volgeladen toen je vriend hem vond. Je vriend had een mes en hij liet de man wegrijden. Hij nam hem zijn kleren af en zette hem uiteindelijk in zijn onderbroek op straat. Het lijk liet hij achter op de parkeerplaats van McDonald's. Daar heeft de politie het gevonden, de brancard met het lichaam erop. Oh, dat vergeet ik haast, herinner je je die Rus nog, die man die zijn hoofd stootte tegen een steen? Ze hebben hem dood aangetroffen in zijn bed in het ziekenhuis. Mijn vriend zegt dat het erop lijkt dat hij is gewurgd.' Ze klakte met haar tong. 'Wat denk je dat er met je vriend is gebeurd, Coyote? Heeft hij zijn verstand verloren?'

'Nee.' Ik keek haar recht aan. 'Hebt u ooit iemand gekend die er zo van overtuigd was dat iedereen hem besodemieterde dat de gevolgen bijna onvermijdelijk waren?' Ze knikte. 'Het is net als wanneer je nieuwe banden voor je auto moet kopen, maar je bent er zo van overtuigd dat de man van de garage je zal belazeren, dat je er met een grote bek binnenkomt en bij voorbaat trammelant maakt over elke dollar die het je gaat kosten. Zo dwing je die man gewoon je ook werkelijk te belazeren. Snapt u wat ik bedoel?'

Ze knikte. 'Hij roept de boze geesten op. Geloof je in geesten, Coyote?'

'Nee.'

'Wees maar niet zo zeker van jezelf. En wat gaat hij nu doen?'

'Hij is op zoek naar iets waarmee hij macht krijgt over mij. Hij denkt dat hij me zal moeten dwingen hem zijn geld te geven. En het enige dat hier iets voor me betekent, is mijn zoon Nicky.'

'Dan kun je hem maar beter gaan halen,' zei ze.

'Hij is op een veilige plek.'

Ze schudde haar hoofd. 'Ga hem halen.'

'Ik ben onderweg. Luister, volgens mij ben ik u vierhonderd dollar schuldig, die zal ik u eerst geven.'

'Ik ben maar een dag met je onderweg geweest. Dat is honderd dollar.'

'Jawel, maar u hebt twee dagen bij me gezeten in het ziekenhuis en als u die dokter niet had gekend, was mijn leven een stuk ingewikkelder geworden. Ik ben u dus drie dagen plus een fooi schuldig.'

Ze bleef haar hoofd schudden. 'Honderd dollar,' zei ze vastberaden.

'Mevrouw Johnson?'

'Ja?'

'Alstublieft.'

Ze staarde me wel een minuut lang aan. 'Oké dan. Maar dan moet je wel terugkomen en me vertellen wat dit allemaal betekent.'

Tot mijn verbazing bleek het busje zonder problemen honderdzestig te kunnen rijden. Het hele stuk terug naar Route 1 hield ik het gaspedaal ingedrukt. Ik kwam slechts twee andere auto's tegen en die gingen de andere kant op. Ze leken te kruipen. Het werd een stuk moeilijker toen ik eenmaal weer terug was op Route 1 en naar het zuiden reed, want daar was veel meer verkeer. Niet veel toeristen, voornamelijk nummerplaten uit Maine, gewone auto's en pick-ups en veel grote vrachtwagens die boomstammen vervoerden. Bovendien moest iedereen natuurlijk langzamer gaan rijden om door Calais te komen en waren er ook nog enkele verkeerslichten en zo. Maar ik denk achteraf niet dat het iets uitmaakte. Ook al had ik de hele rit terug met hoge snelheid kunnen rijden, dan had het me nog te lang geduurd. Zodra ik Calais achter me had gelaten, werd Route 1 een tweebaansweg die de loop van de rivier de Saint Croix volgt naar Passamaquoddy Bay. Er zijn niet veel mogelijkheden om te passeren en ik kwam vast te zitten achter een vrachtauto en dat was maar goed ook, vermoed ik. De bestuurder reed behoorlijk hard, niet hard genoeg voor mij natuurlijk, maar terwijl ik nog zocht naar een gelegenheid om hem in te halen, werden we gepasseerd door een politieauto die in noordelijke richting reed. Dat herinnerde me eraan dat Bookman dan wel de sheriff van dit district mocht zijn, maar dat hij niet de enige autoriteit in dit gebied was. Er bestaat ook nog zoiets als staatspolitie en zelfs plaatselijke politie en dus matigde ik mijn snelheid een beetje en bleef braaf achter de vrachtauto.

Ik snapte wel dat Rosario peentjes zweette vanwege zijn geld. Ik begreep zelfs waarom hij die Rus om zeep wilde brengen, vooral na de manier waarop de Rus hem had mishandeld. En het lag niet in Rosario's aard iemand te vertrouwen, zelfs mij niet. Misschien kon hij het een paar uur of een halve dag volhouden en wanneer we samen een klus deden, beheerste hij zich misschien wel een paar dagen, lang genoeg om te kunnen doen wat we moesten doen, maar dat was dan ook de absolute limiet. Zelfs nadat ik zijn leven had gered en hem door het bos had gedragen, was hij er nog van overtuigd dat ik hem zou besodemieteren, tenzij hij een of ander zwaard van Damocles boven mijn hoofd kon laten zweven. Het was ook mogelijk dat hij zich zo gewoon meer op zijn gemak voelde, ik weet het niet. Sommige mensen vertrouwen je nu eenmaal alleen wanneer ze een pistool tegen je hoofd houden.

Hoe meer ik erover nadacht, hoe meer ik ervan overtuigd raakte dat Rosey Buchanans transactie voor ons allebei zou gaan verzieken, dat was het probleem. Hij trok veel te veel aandacht en vroeg of laat zou hij in handen vallen van de politie. En wanneer dat gebeurde, zou hij weer de rol van de verongelijkte partij spelen en hun vertellen dat ik hem zijn geld afhandig had gemaakt. Dan zouden ze gaan zoeken en van daar was het maar een kleine sprong naar de beurstoezichthouder en dan was ik weer blut. En wat nog erger was: Bookman had Nicky al. Ik begon de dingen bij elkaar op te tellen. Eerst was er de oorspronkelijke roofoverval en geld stelen is nu eenmaal tegen de wet, ook al steel je het van misdadigers. En dan waren er die drie dode kerels op de vuilnisbelt, de politie zou zeker proberen mijn medeplichtigheid aan die moorden te bewijzen. Daarnaast had ik Nicky ontvoerd en ik wist niet of ze dat als kidnapping zouden beschouwen, maar in elk geval zouden ze het tegen me gebruiken. En nu kwam daar nog die vermoorde Rus in het ziekenhuis van Calais bij, om maar niet te spreken van het lijk dat Rosey op de parkeerplaats van McDonald's had gedumpt.

Geen zorgen voor nu, zei ik tegen mezelf. Alles wat je nu moet doen, is bij Nicky zien te komen, daarna kun je verder beslissen.

Ik reed Bookmans oprit op. De hond werd knettergek, hij rende luid blaffend op het busje af en liet zijn tanden zien. Toen ik de deur op een kiertje opendeed, stoof hij achteruit en begon in cirkels te rennen en zoveel lawaai te maken als een hond maar kan maken. Stom mormel. Hij was bang, denk ik, maar hij deed zijn uiterste best om zijn werk te doen. De voordeur van Bookmans huis ging open en hij kwam naar buiten, liep de treden van de veranda af en kwam naar me toe. De hond was banger voor hem dan voor mij en zijn kringen werden groter. Hij vermeed elk contact met Bookman en bleef blaffen.

Bookman leek niet zo onverstoorbaar als gewoonlijk. 'Scruffy!' brulde hij tegen de hond. 'Kom hier!' De hond hield onmiddellijk op met blaffen en rennen. Hij drukte zijn buik zo plat mogelijk tegen de grond en kroop naar Bookman toe, zijn oren plat tegen zijn kop gedrukt. 'Koest nu!' schreeuwde Bookman en wees in de richting van de achtertuin. 'En donder op!' De hond keek naar hem, wierp nog een blik op mij en krabbelde op dezelfde manier achteruit in de richting van de achterkant van het huis. Op de hoek stopte hij, ging in het gras liggen en hield ons in de gaten. Bookman draaide zich naar me toe en keek me aan, terwijl hij zichtbaar moeite had zijn zelfbeheersing terug te vinden. Ik zou als volgende aan de beurt zijn. 'Verrekte hond,' zei hij, maar ik wist niet zeker of hij mij bedoelde of Scruffy.

Achter hem ging de voordeur weer open en mevrouw Bookman kwam naar buiten met Nicky's plunjezak. Bookman hoorde haar wel, maar hij keerde zich niet om. In plaats daarvan liet hij zijn schouders zakken, keek recht omhoog naar de hemel, zuchtte diep, wachtte even en ademde ten slotte weer uit. Zijn vrouw liep hem voorbij, kwam naar me toe en duwde me Nicky's plunjezak in mijn handen.

'Ik zal hem zo missen,' zei ze. 'We zullen hem allemaal missen. Vooral Franklin.' Achter haar staarde Bookman naar de grond en schudde zijn hoofd. Ze keerde zich naar hem toe en keek hem aan. Het was duidelijk dat ze samen hadden besproken wat ze zouden doen wat Nicky en mij betreft, maar het was net zo duidelijk dat mevrouw Bookman haar eigen conclusies had getrokken waarover ze niet meer in discussie ging. Als ik iets heb geleerd over vrouwen, dan is het wel dat je hun niet kunt vertellen wat ze moeten doen, vooral sympathieke vrouwen niet.

Ze luisteren gewoon niet, met name wanneer ze denken dat ze iets weten wat jij niet weet. Ze wendde zich weer tot mij, stak haar hand uit en gaf me een kneepje in mijn arm. 'Dat kind wordt een bijzonder mens,' zei ze. Daarna draaide ze zich om en liep terug naar haar huis. Voor haar man bleef ze even staan. 'Taylor,' zei ze vastberaden, 'ga hen halen.'

Hij had een zweem van een glimlach op zijn gezicht. 'Ja, schat,' zei hij. Ze wierp hem een indringende blik toe en ging naar binnen. Bookman staarde me aan totdat hij de voordeur hoorde dichtslaan. 'Vrouwen,' zei hij. 'Als mamma niet tevreden is, is niemand gelukkig.'

Ik durfde niet te glimlachen. In plaats daarvan wendde ik me af en stopte Nicky's plunjezak in mijn auto, terwijl ik in stilte de godinnen bedankte die voor me in de bres waren gesprongen. 'Kom mee,' zei Bookman. 'Ze zijn aan het vissen aan de andere kant van de heuvel.' Hij keek me aan. 'Luister,' vervolgde hij. 'Dat jochie hoort bij jou. Begrijp je me? Het probleem is dat er zoveel mensen zijn die het beter denken te weten dan jij. De overheid, de leraren op school, de dominee, ze willen je allemaal vertellen wat het beste is voor je kinderen. Als je ook maar een greintje verstand hebt, breng je dat kind zo ver mogelijk hier vandaan. Als je blijft rondklooien, raak je hem kwijt.'

'Ik snap het.'

We liepen langs de auto's naar de achterkant van Bookmans huis. Hij bleef even staan toen we bij de plek kwamen waar zijn hond in het gras lag en wees met zijn vinger naar het dier. 'Blijf,' zei hij. De hond staarde hem indringend aan met zijn grote bruine ogen. 'Blijf, verdomme.'

Achter Bookmans huis lag een keurig gemaaid gazon, met daarachter een veld met hoog, geel gras. Een stapelmuurtje gaf de zijkant van zijn terrein aan en langs de grens stonden enkele hoge esdoorns, samen met een aantal kleinere bomen en struiken. We volgden een pad langs de muur dat langzaam tegen een heuvel achter het huis omhoog liep.

'Weet je hoe ik aan die verrekte hond ben gekomen?' vroeg Bookman.

'Geen idee.'

'Iemand moet langs het huis zijn gereden en hem uit het raampje hebben gesmeten toen hij nog een puppy was. Franklin heeft dat stomme beest gevonden. Het was gewond, uiteraard, en Franklin was pas tevreden toen ik ermee naar de dierenarts ging.' Hij schudde zijn hoofd. 'Het heeft me meer dan honderd dollar gekost om een mormel van tien cent op te lappen, maar Franklin was gek met die rothond en mijn vrouw wilde het zo en niet anders.' Hij liep even zwijgend door. 'Dus nu zit ik ermee opgescheept,' vervolgde hij, 'maar er gaat geen dag voorbij of ik heb wel een keer een visioen over hoe hem af te schieten of te verdrinken. Begrijp je waar ik heen wil, Manny?'

'Ik denk het wel.'

'Jij en dat rotbeest hebben veel gemeen.'

'Ik dacht al dat u dat bedoelde.'

'Die hond werkt tenminste nog voor de kost. Hij blaft wanneer er iemand komt die hij niet kent. Goed beschouwd is hij alle ergernis net waard. Maar er is een grens, als je begrijpt wat ik bedoel.'

'Ja, ik begrijp het.'

'Ik heb gehoord wat je voor Eleanor Avery hebt gedaan,' zei hij.

Dat was ik door alle gebeurtenissen totaal vergeten. 'Oké.'

'Je blijft me verbazen,' vervolgde hij. 'Eerst door beter te zijn dan ik dacht en dan door slechter te zijn. Waarom heb je me niets verteld over die andere kerel? Degene die al die problemen heeft veroorzaakt in het ziekenhuis van Calais?'

'Ik probeerde hem kwijt te raken,' antwoordde ik. 'Om precies te zijn wilde ik hem vanochtend ophalen. Ik was van plan hem vandaag nog op een vliegtuig te zetten, maar toen hoorde ik dat hij allerlei rotzooi heeft getrapt terwijl ik in Manhattan was.'

'Hoe heet hij?'

Ik overwoog even om een valse naam op te geven. Als de

politie Rosey te pakken kreeg, dan zou het grootse plan dat Buchanan en ik in elkaar hadden gezet zeker mislukken. Ik kon het echter niet. Niet na wat er zojuist was gebeurd. Ik bezat nog wat geld in mijn plunjezak in Louis' huis, daar kon ik voor gaan. Als ik Nicky maar mocht houden. 'Rosey,' antwoordde ik daarom. 'Rosario Colón.'

'Heb je enig idee wat meneer Colón nog meer van plan is?'

We hadden de top van de heuvel bereikt en het veld liep voor onze ogen omlaag. De stapelmuur, de bomen en het pad door het hoge gras liepen geleidelijk af naar een beek in de verte, misschien een paar honderd meter van ons verwijderd. Er stond een enorme beukenboom achter in het veld, direct naast het weggetje dat langs de beek liep. De stam was aan de onderkant minstens een meter breed. Met een luide kreet vloog een raaf op uit de beuk, alsof hij tegen zijn vrienden wilde zeggen: 'Pas op, bleekgezichten in aantocht.' Onder de boom stond een groene stationcar geparkeerd met een van de achterportieren wijd open. Naast de auto stond Rosario en hij hield Nicky vast bij zijn haar.

12

'Verdomme,' zei Bookman. Ik liet hem staan en rende af op wat ik zag. Vanuit de verte hoorde ik Nicky's hoge geschreeuw en zag ik hem spartelen in Rosario's armen. Niet dat dat enig effect had, want Rosey gooide hem achter in de stationcar en smeet de deur dicht. Hij draaide zich om en liep naar de bestuurdersplaats, maar daarbij moet hij een beweging hebben opgevangen, want hij keerde zich helemaal om en keek in mijn richting. De afstand was te groot om het zeker te weten, maar ik dacht dat ik een grijns op zijn gezicht zag. Ik meende de triomf te herkennen in de manier waarop hij stond en in mijn richting keek. Ik rende zo hard als ik kon, maar ik was te ver weg. Hij had meer dan genoeg tijd en dat wist hij. Ik ook, maar ik bleef doorrennen. Wat moest ik anders? Ik hoorde Bookman achter me schreeuwen en ik hoorde een pistoolschot. Hij kon niet rennen, hij was van middelbare leeftijd en hij had geen conditie, maar hij deed wat hij kon. Het pistoolschot was echter niet meer dan een loze bedreiging, want hij was te ver weg om iets of iemand te raken en bovendien zou hij nooit het risico nemen Nicky te treffen.

Langs de oever van het beekje kwam Franklin aansjokken tot achter Rosey. Hij liet de twee vishengels die hij droeg vallen en sloeg zijn harige arm om Rosey's keel. Ik kon niet harder rennen, ik kon niets anders doen dan doorgaan. Houd hem vast, Franklin, dacht ik, houd hem vast... Het mocht niet zo zijn. Hoe massief hij er ook uitzag, Franklin was een zachte ziel, een klein jongetje. Rosey wurmde zich los, draaide zich om en stootte zijn elleboog tegen Franklins kaak, zodat Franklin neerzakte in het gras aan de kant van de weg.

De deur aan de andere kant van de auto vloog open en Nicky schoot eruit en rende zo hard als hij maar kon weg. Rosario keek wild om zich heen. Nicky verdween in het hoge onkruid langs de oever en ik kwam steeds dichterbij. Rosario was niet bang voor mij, maar hij moest beseffen dat ik hem kon tegenhouden tot Bookman kwam en hem neerschoot. Er bleef maar één kans over en die greep hij. Hij zeulde Franklins logge lichaam de stationcar in, liep rustig om de auto heen, stapte in en reed weg. Tien seconden later had ik de weg bereikt, net op tijd om hem nog een keer te zien remmen voordat hij uit het zicht verdween. Ik bleef voorover geleund staan, met mijn handen op mijn knieën.

'Verdomme!'

Ik zag weer voor me hoe Nicky uit de auto sprong en verdween in het struikgewas. Ik was buitengewoon trots op hem, ook al had die vindingrijkheid niets met mij te maken en was zijn snelle reactie zuiver het gevolg van het feit dat hij al op hele jonge leeftijd op zijn tellen had leren passen. Maar toch... 'Nicky! Nicky, kom maar tevoorschijn. Kom maar, hij is weg.' Hij kwam echter niet, hij bleef waar hij was. Achter me kwam Bookman hijgend en puffend de heuvel af. Terwijl hij naar adem hapte, probeerde hij te praten.

'Was.. dat... die... kerel? Was dat... hem?'

Hij klonk alsof hij een hartaanval had. 'Ja, dat was hem. Geef me uw sleutels.'

'Huh?'

'Geef me uw autosleutels. Ik ren terug naar uw huis en haal de politiewagen. Probeert u ondertussen Nicky te voorschijn te lokken.'

Hij knikte met rood aangelopen gezicht, viste zijn sleutels uit zijn zak en overhandigde ze aan mij.

Het was lang geleden sinds ik in een auto als Bookmans politiewagen had gereden. Crown Vics zijn niet meer zo populair tegenwoordig, vooral niet in de stad, omdat ze lastig te parkeren zijn, maar je vraagt je af waarom we die grote Amerikaanse sleeën de rug hebben toegekeerd. Detroit voorziet die politieauto's ook van een hoop extra's, zoals stabilisatiestangen, een goede sterke motor en uitstekende banden. Ik scheurde zijn oprit af en liet een aantal rokende, zwarte strepen achter op de weg voor zijn huis. In Detroit zouden ze het kunnen als ze wilden – aan een auto als de Crown Vic die aandacht besteden die ze nu verspillen aan iets wat toch niet opkan tegen de BMW 3-serie van volgend jaar. Houd toch op met imiteren, probeer niet langer iets te zijn wat je niet bent, maar doe waar je goed in bent. Geef mij maar een nieuwe

Goat, zet er een goede vering onder en geef hem vierkante koplampen en ABS-remmen.

Wanneer je afleiding nodig hebt, is alles goed genoeg. Ik wilde niet nadenken over Rosey en Franklin en ook niet over wat ik had besloten te doen toen ik die heuvel weer oprende, want ik had er direct al een rotgevoel over. Maar je eigen kinderen gaan voor, is dat niet zoals het hoort te zijn? Moest ik niet in de allereerste plaats voor Nicky zorgen? Alles wat ik moest doen, was hem terug zien te krijgen, Franklin was niet mijn probleem. Zijn vader was de sheriff van het district, Jezus nog aan toe. Bovendien zou Rosey hem waarschijnlijk geen kwaad doen wanneer hij eenmaal besefte dat ik was verdwenen. Hij zou begrijpen dat het geen zin had Franklin bij zich te houden en dat hij hem beter kon laten gaan. Hij zou hem dumpen en zich uit de voeten maken. Ik bedoel, hij zou hem ergens achterlaten waar hij kon worden gevonden, toch? Er zou Franklin niets overkomen.

Ik scheurde over het weggetje langs de beek, gaf een ruk aan de handrem en voerde een schitterende draaimanoeuvre uit om Bookman heen, zodat de auto weer in de richting stond waarin Rosey was verdwenen. Ik sprong uit de auto en liet de deur open.

Bookman was nog steeds buiten adem. 'Hij wilde niet komen,' pufte hij. 'Niet voor mij. Hij zit daar verderop langs de beek ergens.' Hij stapte in de politiewagen en smeet de deur dicht. 'Manny,' zei hij nog. 'Die Rosario, is dat een ongeleid projectiel? Is dit een impulsieve actie, of zit er een of ander plan achter?'

Het maakte me bijna misselijk hierop te moeten antwoorden. 'Hij is veel te slim om dit zomaar te doen. Hij heeft een of ander plan, hij heeft ergens een schuilplaats, daar durf ik om te wedden.'

Bookman keek me nog een halve seconde indringend aan en scheurde toen weg.

* * *

Het duurde nog vijftien tot twintig minuten voordat ik Nicky had gevonden. Ik kon hem niet kwalijk nemen dat hij me niet vertrouwde – het kind had veel te veel meegemaakt sinds die dag dat ik hem meenam van de stoep voor Bushwick Houses. Hij zat verstopt achter een groepje frambozenstruiken. Ik kon hem niet bereiken, maar zodra hij me zag, kwam hij bleek en geschrokken naar me toe. Eerst zei hij niet veel, maar even later kwamen de vragen.

'Wie was die man, pappie?'

'Een slechte man, Nicky, maar hij is weg nu.'

'Waar is Franklin?'

'Franklin is oké, Nicky. Kom, we moeten weg.'

'Heeft die man Franklin pijn gedaan, pappie?'

Ik wilde niet tegen hem liegen, maar alleen omdat ik niet zeker wist hoeveel hij had gezien. 'Wel, hij heeft Franklin tegen de grond geslagen, maar ik denk dat het niet ernstig is. Kom nu, Nicky, we moeten weg.' Hij leek te kalmeren en samen klauterden we tegen de oever van de beek op tot we weer op de weg stonden. Ik maakte echter een tactische fout, want ik nam dezelfde weg terug als ik was gekomen en ik vergat Franklins hengels. Toen Nicky ze in het gras zag liggen, werd hij wild.

'Pappie!' gilde hij en begon te huilen. 'Pappie! Wat is er met Franklin gebeurd? Waar is Franklin, pappie?'

Oh, Jezus. 'Ik geloof dat hij met Rosey is meegegaan, Nicky. Ik geloof dat hij met die man is meegegaan.'

'Gaat die hem pijn doen, pappie?' Hij keek me niet aan, hij bleef maar naar de hengels staren die langs de weg lagen.

'Welnee, het komt allemaal in orde, Nicky. Kom, we moeten nu echt weg, Nicky.'

Hij bewoog zich niet, maar keek met een wit snuitje naar me op. 'Ga je hem halen, pappie? Ga je Franklin halen?' Hij twijfelde voor de eerste keer aan me. Ik hoorde het aan zijn stem. Hij wist wat het juiste was, maar hij wist niet zeker of ik dat wel zou doen. Zijn vertrouwen in mij was niet meer onvoorwaardelijk.

Ik knielde tot mijn gezicht op gelijke hoogte was met dat van hem. Het waren niet zijn tranen waar ik niet omheen kon, niet echt, het was die twijfel in zijn stem, het was dat onuitgesproken oordeel. Misschien had ik het uiteindelijk toch niet gedaan, ik weet het niet. Misschien had ik toch niet mijn kind en mijn geld gegrepen en was ik gevlucht, zodat Bookman er in z'n eentje voor opdraaide.

Ik was er echter wel klaar voor. Ik hoefde alleen Nicky maar in mijn auto te zetten, mijn spullen op te halen bij Louis en de benen te nemen. Terwijl ik daar op mijn knieën lag en mijn zoon in de ogen keek, besefte ik dat hij het zich zou herinneren als ik dat deed. Dat het zijn beeld van mij voor de rest van zijn leven zou kleuren, ongeacht welke goede dingen ik verder ooit nog deed.

Ja, maar... Ik hoorde mijn innerlijke stem aandringen. Elke minuut extra die ik hier bleef hangen, verminderden mijn kansen. Elke seconde die voorbij tikte, gaf Bookman de gelegenheid zijn oordeel te wijzigen over wie ik was en kon hem doen besluiten dat het bij nader inzien toch beter was Nicky over te dragen aan de pleegzorg. En ik had het, weet je, ik had het allemaal voor het grijpen. Ik had Nicky en ik had het geld, ik hoefde alleen maar weg te rijden. Niemand in de hele wereld lette op me, alleen mijn zoon.

'Ik ga hem halen, Nicky, dat beloof ik je.' Misschien was het de juiste beslissing, ik wist het niet, maar ik ontkwam niet aan het gevoel dat ik flink had gewonnen in Las Vegas en dat ik mijn winst niet naar me toe graaide en vertrok zoals ik zou moeten doen, maar dat ik alles weer terugduwde – mijn leven met Nicky, het geld, zelfs mijn vrijheid – en dat ik wachtte tot die croupier met zijn uitdrukkingloze gezicht de roulette opnieuw liet draaien. Tegen de tijd dat we Bookmans huis bereikten, schaamde ik me echter voor wat ik had willen doen. Bedankt dat u op mijn kind hebt gepast, mevrouw B en, o ja, die maat van mij heeft zojuist Franklin ontvoerd, maar hij is eigenlijk best aardig, hoor, ik denk dat het allemaal wel goed afloopt en neemt u me niet kwalijk nu, maar ik moet ervandoor...

Tot mijn verbazing was Louis thuis. Ik had eigenlijk verwacht dat hij in het ziekenhuis in Machias zou zijn, bij Eleanor. 'Hallo, Louis. Hoe is het met haar?'

Hij knikte. 'Het komt wel goed. Ze gaan haar morgen opereren, dankzij jou.'

'Schei uit, Louis, ik ben blij dat ik kon helpen. Ik moet nu naar boven om mijn spullen te halen. Blijf jij even hier Nicky, oké?'

Ik was binnen een paar minuten klaar met pakken. Ik wist niet hoe het zou aflopen met Franklin, maar ik wilde klaar zijn om hem te smeren zodra hij veilig was. Dat is een oude truc: als je denkt dat je er haastig vandoor zult moeten gaan, zorg dan dat je benzinetank vol is en zet je auto met de neus naar buiten op de oprit, zodat je onmiddellijk kunt wegrijden. Nicky vertrouwde me nog niet helemaal, want hij had het hele verhaal aan Louis verteld terwijl ik boven was. Louis keek me met een vreemde blik aan toen ik weer naar beneden kwam met mijn bagage.

'Waar heeft Nicky het over, Manny? Is er iets met Franklin gebeurd?'

'Ja. Er zit al een poosje een kerel achter me aan. Rosario heet hij. Hij probeerde Nicky te grijpen, maar Nicky ontglipte hem en daarom nam hij Franklin mee.'

Je hoefde niet briljant te zijn om dat te begrijpen. Ik wachtte af tot het tot Louis doordrong. 'Oké,' zei hij ten slotte. 'En wat doen we nu?'

'We wachten tot Rosario ons belt,' antwoordde ik. 'Hij wil Franklin geen kwaad doen, hij wil alleen maar zijn geld. Hij neemt wel contact op.'

'Heeft hij mijn telefoonnummer?'

'Nee, maar hij heeft het nummer van mijn mobiele telefoon.' Ik zocht naar het toestel, maar toen herinnerde ik me dat ik het ding in mijn auto had laten liggen. 'Ik ga mijn mobiel even halen,' zei ik. Ik nam mijn tassen mee en smeet ze in de auto.

Er stonden drie berichten op mijn voicemail. Ik luisterde naar het eerste terwijl ik terugliep naar Louis' keuken. Het was van Bookman, hij had een radioboodschap ontvangen over de achtervolging van een of andere wegpiraat ergens ten westen van waar wij waren. Hij was onderweg om te controleren of het om Rosario ging. Het tweede bericht was van Rosey zelf, en hij klonk alsof hij elk moment kon ontploffen.

'Neem godverdomme die telefoon op, Mo, neem die telefoon op... Verdomme, Mohammed! Neem godverdomme die telefoon op!' Hij ging steeds harder schreeuwen. 'Doe me dit niet aan, Mo, klootzak! Neem godverdomme die telefoon op, Mo!'

Het derde bericht was ook van Rosey. Hij klonk bijna schaapachtig deze keer. 'Oké, oké, de voicemail, ik weet dat je me niet hebt gehoord. Maar ik bel je vanavond terug, hufter, en dan kun je maar beter opnemen, verdomme. Heb je me gehoord?' Hij klonk alsof hij buiten stond en hij schreeuwde een beetje om het omgevingslawaai te compenseren. 'Je kunt maar beter met me praten, Mohammed, ik heb die verdomde debiel hier en hij ziet er niet zo best uit. Ik wil hem niet vermoorden, Mo, maar je weet godverdomme best dat ik dat ga doen, dus neem op vanavond. Ik bel je misschien...' Hij zweeg even, ik vermoedde om op zijn horloge te kijken of zoiets. Ik hoorde een laag dreunend geluid op de achtergrond, het klonk haast alsof hij in een bus zat, het was het gestage gebrom van een of andere motor. Maar geen bus bij nader inzien, want het klonk niet als een dieselmotor. Daarnaast was er echter nog een ander geluid, lager en dieper, misschien twee seconden lang. 'Ik bel om acht of negen uur vanavond,' vervolgde hij. 'En zorg dat je godverdomme opneemt, Mo. Ik wil mijn geld, klootzak.'

Louis staarde me aan. 'Was hij dat?'

'Dat kun je wel zeggen, ja.' Ik wiste de eerste twee berichten. 'Doe me een plezier, Louis, luister eens naar de achtergrondgeluiden tijdens dit bericht en vertel me of ze jou ergens aan herinneren.' Ik riep het bericht weer op en gaf de telefoon aan Louis.

'Hij klinkt niet zo gelukkig,' merkte Louis op.

'Dat doet er nu niet toe, Louis, wat is dat lawaai waar hij overheen schreeuwt?'

'Buitenboordmotor,' antwoordde Louis.

'Wat? Zit hij op een motorboot?'

'Buitenboordmotor,' zei Louis en knikte. 'Wacht even, dat is de misthoorn langs de Indian Road.'

Ik kon hem niet volgen. 'Wat?'

Louis gaf me het toestel terug. 'Laat nog eens horen, dan weet ik het zeker,' zei hij. Ik deed het en keek toe hoe hij weer naar het bericht luisterde. 'Ja,' beweerde hij. 'Dat is een buitenboordmotor. De Indian Road is de vaargeul aan de Canadese kant, aan de andere kant van Eastport. Hij loopt tussen Campobello Island en Deer Island, geloof ik. Dat lage geluid is de misthoorn daar. Die kun je horen wanneer je de veerboot neemt naar Deer Island.'

Ik kon er niet bij. Die verrekte Rosario, hij was uit het ziekenhuis vertrokken zonder geld, met een kamerjas en papieren pantoffels aan, verdorie, en nu zat hij op een boot? Die kerel had zijn hele leven in Brooklyn doorgebracht, wat wist hij nu van boten? 'Oké, Louis, bel het kantoor van de sheriff alsjeblieft en kijk of ze een bericht kunnen doorgeven aan Bookman, want het ziet ernaar uit dat hij achter de verkeerde aanjaagt. Ik denk dat ik naar Eastport ga. Daar kan ik misschien uitvinden wat ik verder moet doen.'

'Ja, misschien wel,' antwoordde hij. 'Maar weet je, Manny, als deze vent zich ergens binnen gehoorafstand van die misthoorn schuilhoudt aan de Canadese kant van de baai, dan kun je een half jaar naar hem zoeken zonder hem te vinden.'

'Verdomme, Louis.'

'Zo is het nu eenmaal,' zei hij. 'En er is nog iets. Die kerel had zelf geen boot, dat kan niet. En ook al had hij er een, hoe weet hij dan waar hij zich moet verschuilen? Ik denk dat hij hulp heeft van iemand, Manny.'

Ik dacht aan de laatste dingen die ik tegen Bookman had gezegd voordat hij wegreed in zijn politiewagen. 'Je hebt gelijk, Louis. Ik geloof dat hier een vooropgezet plan achter steekt. Hij heeft eerst een schuilplaats uitgezocht en toen is hij op zoek gegaan naar Nicky en mij.'

'Hoe heeft hij dat dan gedaan?' vroeg Louis. 'Hij had niet veel tijd.' Hij schudde zijn hoofd. 'Hoe wist hij waar hij jou moest zoeken?'

'Ik weet het niet. Ik heb een poosje gedacht dat Bookman erachter zat, omdat hij de enige is die iets weet van waar ik voor op de vlucht ben.' Ik keek naar Nicky en vroeg me af of hij iets, en zo ja hoeveel, snapte van dit alles en hoe voorzichtig ik moest zijn met wat ik zei. 'Hij had me klem op die dag dat ik naar zijn kantoor ben geweest, maar hij besloot me te laten gaan. Ik geloof dat hij genoeg informatie had om iemand in New York te bellen en het hele circus in beweging te zetten, maar ik geloofde niet dat hij het werkelijk zou doen. Het probleem is echter dat er verder niemand genoeg van me afweet.'

Louis schudde zijn hoofd. 'Nee. Bookman was het niet, dat is niet zijn stijl. Misschien gooit hij je in de achterbak van zijn auto en rijdt hij een paar uur met je rond om je wat bereidwilliger te maken, maar hij zal nooit een ander op je spoor zetten. Bookman doet niet aan dergelijke praktijken. Maar ik durf te wedden dat hij Hopkins heeft verteld wat hij wist.'

'Hopkins! Waarom zou hij dat in godsnaam aan Hopkins vertellen?'

'Hop is zijn sterleerling. Hij probeert Hoppie nu al een paar jaar te leren hoe hij zich moet gedragen. Ik zie het voor me hoe Bookman Hop heeft verteld waarom hij de dingen op een bepaalde manier aanpakt in een poging hem het licht te doen zien. Het probleem is dat je de manier waarop iemand is opgevoed niet kunt veranderen. Ik verwed er mijn huis om dat Hoppie slim genoeg was om uit te vogelen hoe je je in de nesten had gewerkt en dat hij gek genoeg is om er iets mee te doen.'

'Die hufter! Die...'

'Wacht even.' Louis stak zijn vinger op. 'Het heeft geen zin te keer te gaan als een bronstig hert. Blijf hier wachten.' Hij liep naar zijn eetkamer en ik hoorde hem de telefoon opnemen. 'Hallo, Brenda,' zei hij, maar daarna liet hij zijn stem zo ver dalen, dat ik hem niet meer kon verstaan. Enkele minuten later hing hij op en kwam terug naar de keuken. 'Brenda zegt dat Hop niet aan het werk is. Ze zegt dat hij thuis is.'

'Prachtig!' Ik draaide me om om te gaan.

'Wacht even,' zei Louis. 'Een ogenblikje nog.'

'Wat is er dan?'

'Je bereikt niets als je probeert het uit hem te slaan,' merkte Louis op. 'Je moet hem zo ver zien te krijgen dat hij je helpt. Je vangt meer vliegen met stroop dan met azijn, weet je.'

'Ja, fantastisch.'

'Bovendien weet je volgens mij niet eens waar Hop woont.'

'Waar woont hij dan?'

Hij moest een kaart voor me tekenen. Het was maar twaalf kilometer van Louis' huis naar de stacaravan van Hop, maar de route was ingewikkeld en de aanwijzingen waren te onoverzichtelijk om ze zonder kaart te onthouden. Toen vond ik de plek echter zonder problemen. De stacaravan zelf was oké. Als een caravan alles was wat hij zich kon veroorloven, wie was ik dan om daarover te oordelen. De locatie was echter een ander verhaal. Hops caravan stond een meter of drie van een ongeplaveide weg, aan de overkant van een bosbessenveld dat als een wilde haag van lage struikjes doorliep tot een bomenrij in de verte. Achter de stacaravan was de zijkant van een heuvelrug omgewoeld door iemand die het onderliggende zand had afgevoerd, en achter de zandgroeve was het bos verdwenen, zodat er nu alleen lage jonge bomen uitstaken boven een ondoordringbare massa struikgewas en onkruid. Ik was verbaasd over de geestelijke armoede van iemand die een dergelijke plek uitkoos om te gaan wonen, vooral in zo'n dunbevolkte streek met zoveel aantrekkelijke alternatieven.

Ik parkeerde mijn auto achter de pick-up in het zand tussen de caravan en de weg. Ik keek omhoog naar Hops schotelantenne en dacht aan Louis' woorden over hoe ik de zaak moest aanpakken, toen de deur van de caravan openging en Hop naar buiten kwam. Hij droeg geen uniform, maar hij had een pistool in zijn hand en dat was op mij gericht. Zijn blauwe ogen begonnen al te genezen, ze waren niet meer gezwollen, maar hij had nog een verband op zijn neus en zijn gezicht vertoonde allerlei kleuren. Alles bij elkaar zag hij er allerbelabberdst uit.

'Godverdomde klootzak,' zei hij. Hij klonk kwaad, maar het was onmogelijk dat van zijn geruïneerde gezicht af te lezen. Hij keek naar beide kanten van de weg, maar het pistool bleef op mij gericht. 'Ik zou je kop eraf moeten schieten, hier op mijn eigen terrein.' Ik zag zijn kaakspieren werken. 'De enige reden waarom ik het niet doe, is omdat ik geen tijd heb een lijk te verstoppen.'

'Waarom ben je zo kwaad op me Hop? Als jij me niet zelf was aangevallen die avond bij de evenementenhal, had ik je nooit aangeraakt.'

Hop kwam het trapje voor zijn caravan af en ging ernaast staan. 'Die knokpartij kan me geen barst schelen,' zei hij. 'Maar je moest zo nodig een klacht tegen me indienen, nietwaar? Dit zou allemaal niet zijn gebeurd als jij je met je eigen zaken had bemoeid. Ik heb Brenda nooit kwaad gedaan, niet echt.' Hij keek weer naar beide kanten van de weg en zwaaide toen met zijn pistool naar me. 'Naar binnen, hufter. Naar binnen.'

'Vergeet dat maar.' Ik bewoog me niet. 'Bovendien was het Bookman. Hij dwong me om aangifte te doen. Hij had een stok nodig om je te slaan en daarom drong hij erop aan. Je denkt toch niet dat ik anders ook maar één voet in dat politiebureau had gezet?'

'Godverdomme!' Ik denk dat het op dat moment pas tot hem doordrong hoe Bookman hem had gemanipuleerd. Hij hield het pistool niet langer op mij gericht, niet precies tenminste, maar hij zag er wel uit alsof hij dolgraag iemand wilde vermoorden. Of in elk geval iemand wilde raken met zijn pistool en ik was de enige kandidaat. Ik maakte geen kans tegen hem, niet met mijn gewonde schouder. Hij hoefde alleen maar zijn pistool neer te leggen en me aan te vallen en dat zou het einde van alles betekenen. Dat gebeurde echter niet. Hij begon te trillen en na een minuut liep hij leeg als een lekgeprikte ballon. Zijn schouders zakten omlaag en hij liet zijn pistool naar de grond wijzen. 'Godverdomme,' herhaalde hij, maar zonder enige felheid. 'Bookman zei... hij zei dat je een hekel had aan mannen die vrouwen slaan...' Opnieuw keek hij de ongeplaveide weg af, maar nu lagen er angst en verslagenheid in zijn ogen. 'Verdomme, hier heb ik geen tijd voor,' zei hij en schudde zijn hoofd. 'Ik moet weg. Wat moet je van me?'

'Ben jij de kerel die me heeft verlinkt aan die Russen?'

'Als je met me wilt praten,' antwoordde hij, 'kun je beter binnenkomen. Ik moet pakken.'

Binnen in Hops stacaravan stonk het een beetje, maar ik zei er niets van. Er lag een volgepropte koffer op de grond bij de deur en een tweede lag open op een bank. Hij keek achterom naar mij, liet zijn pistool in de koffer vallen en ging nog meer troep halen. 'Waarom heb je me verlinkt, Hop?'

Hij wroette in zijn keukenkastjes.

'Jij verpestte mijn leven, rotzak! Voordat jij verscheen, ging alles prima, maar plotseling keert Bookman zich tegen me, laat mijn vriendin me niet meer in haar buurt komen en barsten mijn vrienden in lachen uit wanneer ze me zien.' Hij wees naar zijn neus. 'Mijn gezicht wordt nooit meer zoals vroeger. Bookman zei dat je uit handen van de Russische maffia probeerde te blijven, maar hij zei niet waarom. Ik ken iemand bij de New York Police Department en zodra ik het woord "Rus" liet vallen, wist hij wie ik moest bellen. Ik dacht: als ik die kerels bel, komen ze hier naartoe en zodra jij ze maar ruikt, ga je ervandoor en ben ik je mooi kwijt.'

Dat verklaarde de komst van de Russen. 'Ken je een man die Rosario Colón heet?'

Hop kwam zijn keuken uit met nog twee pistolen en een doos munitie in zijn handen.

'Twee avonden geleden kwam hij hier. Hij zei dat jullie samen vijf miljoen dollar van een stel Russische gangsters hebben gestolen. Is dat waar?'

'Vijf miljoen? Geloof je dat zelf?' Ik had geen enkele behoefte verantwoording af te leggen aan deze onbenul. 'Zij hadden mijn kind. Ik haalde mijn zoon terug en tussen de bedrijven door heb ik wat geld meegenomen, maar vijf miljoen, daar lijkt het in de verste verte niet op.'

'Zal best,' antwoordde Hop terwijl hij zich omdraaide en uit het raam keek. 'Weer een leugenachtige klootzak.'

'Wat heeft Rosario je geboden?'

Hopkins keek weer naar mij. 'Hij zei dat hij me een miljoen in contanten zou geven als ik hem een schuilplaats bood en als ik hem hielp jou in de val te lokken. Daarna veranderde hij het in een half miljoen.'

Ik besloot op mijn intuïtie af te gaan. 'Je had vast geen idee dat hij Franklin zou grijpen in plaats van Nicky.'

'Ik had geen idee dat hij een van hen zou grijpen! Hij wilde jou, dat was alles wat hij zei.' Hij keek weer uit het raam. 'Ik heb alles bij elkaar maar één telefoontje gepleegd, het is nooit mijn bedoeling geweest dat dit allemaal zou gebeuren. Ik heb hun niet eens verteld waar je was, ik heb hun ook je naam niet gegeven of zoiets. Ik heb alleen maar gezegd dat de vent die ze zochten hier ergens in de buurt was. Ik dacht dat ze je hier zouden komen zoeken en dat je dat snel in de gaten zou hebben en zou verdwijnen. En dat is alles.' Hij keek omlaag naar de pistolen in zijn handen. 'Wanneer Bookman hoort dat ik hierbij betrokken ben, vermoordt hij me. Ik overdrijf niet, zelfs al krijgt hij Franklin levend terug, dan ben ik nog zo goed als dood. Ik ga ervandoor, nu.'

De wet van de onvoorziene gevolgen had ons allebei ingehaald. 'Rosario zal je sowieso nooit betalen, denk dat maar niet.'

'Misschien niet.' Hopkins liet de pistolen en de doos munitie in de koffer vallen en deed het ding dicht. 'Hij heeft me ook niet verteld dat hij die Rus in het ziekenhuis heeft vermoord, dat hoorde ik pas later. En hij heeft niet gezegd dat hij Franklin zou meesleuren als gijzelaar. Dat wilde ik niet.'

'Waar houdt hij Franklin vast?'

'Waarom zou ik jou dat vertellen? Krijg de tering jij. Deze ellende is jouw schuld. Ik moet ergens anders helemaal opnieuw beginnen en jij denkt dat ik jou zal helpen? Krijg de tering, klootzak. Ik heb je al een dienst bewezen door je geen kogel door je kop te jagen. Meer vertel ik je niet.'

God, je maakt het me wel moeilijk. 'Luister, ik denk dat ik zo'n tachtigduizend dollar over heb, die zijn voor jou als je me vertelt waar Franklin is.'

Verscheurd keek hij weer door het raam. Hij schudde zijn hoofd. 'Je vindt hem nooit, zelfs al vertel ik je waar hij is en ik heb geen tijd het je te laten zien. Ik heb zelfs geen tijd om te wachten tot je het geld haalt. Zodra Bookman me inhaalt, ben ik dood. Snap je dat soms niet of zo?'

'Kom op, Hopkins, doe één keer in je leven iets goeds. Ik zal Louis Avery bellen, dan kun je hem vertellen waar het is. Het geld ligt in mijn auto.' Hij keek naar zijn koffer, waarin zijn wapens lagen, maar ik hoefde me geen zorgen te maken. Hopkins was verslagen, hij zou het nooit meer tegen me opnemen. Ik raapte zijn koffer op. 'Kom, pak jij die andere koffer. Mijn telefoon ligt ook in de auto. Jij vertelt het aan Louis, ik geef je het geld en dan zijn we allebei weg.'

'Vooruit dan. Schiet op.'

Ik pakte mijn telefoon, belde Louis en gaf het toestel aan Hopkins. 'Louis,' zei hij. 'Herinner je je dat kamp dat mijn vader vroeger had aan de Canadese kant, op Deer Island? Wel, daar is hij. Ik heb hem mijn boot gegeven om heen en weer te gaan.' Een minuut later gaf hij de telefoon terug aan mij.

'Hallo, Louis.'

'Hallo. Ik geloof dat je het goed hebt gedaan.'

'Misschien. Dat merken we wel zodra we Franklin terug hebben. Ken je die plek? Weet je wat hij bedoelt?'

'Zeker,' antwoordde Louis. 'Ik zal Hobart bellen om ons erheen te brengen. Weet je nog waar zijn boot ligt?'

'Ja, dat wel, maar dit wordt misschien ruig, Louis. Ik voel me een stuk beter wanneer ik weet dat Nicky veilig bij jou is. Kent Hobart deze plek ook?'

'Ik begrijp het,' gaf hij toe. 'Hobart ging daar vroeger vaak heen om te kaarten met Hops vader. Ik zal hem bellen dat hij je bij zijn boot moet ontmoeten. Weet je zeker dat je je nog herinnert waar die ligt?'

'Ja, dat herinner ik me. Ik bel je zodra ik iets meer weet.'

Ik maakte de achterkant van mijn auto open en viste de papieren zak met het geld eruit. Hopkins pakte hem aan en keek erin. 'Weet je,' zei hij, 'ik zou je dit teruggeven als ik daardoor mijn leven terugkreeg zoals het was. Nu ben ik niets meer dan een gewone misdadiger.'

'Nee, dat ben je niet. Als je maar half zo snugger bent als Bookman denkt, kun je nog altijd worden wat je wilt zijn.'

Hij staarde me aan en een seconde lang meende ik iets van zijn oude bravoure in de houding van zijn schouders te zien. 'Weet jij veel,' zei hij. 'Zet die verdomde auto van je opzij.'

13

De mist verscheen uit het niets, of misschien kwam hij recht uit de hemel vallen. Het ene moment was er niets aan de hand en tuften we op een grijze dag over een grijze zee, en het volgende ogenblik kon ik de kust, de eilanden en zelfs de vogels niet meer zien. Het enige wat ik zag, was zo'n vijfentwintig tot dertig meter water door een bewegend gordijn van grijze mistflarden, meer niet.

Ik stond naast Hobart en keek toe hoe hij de boot bestuurde. Hij leek de mist niet op te merken. Ik had Hobart altijd beschouwd als iemand die nergens iets om gaf, maar op dat moment leek dat niet zo gunstig.

'Hoe weet je nu waar je heen gaat? Hoe weet je dat we niet naar de open zee koersen?'

Hij wierp me een medelijdende blik toe. 'We zitten in een baai, sufferd. Overal om ons heen is land.'

'Ik meen het. Hoe kun je je koers bepalen in deze mist?'

'Mist? Dit is niets. Dit is een vriendelijke nevel die je meer dan genoeg ruimte laat om te zien of je ergens tegenaan knalt. Ik heb wel mist meegemaakt die zo dicht was, dat het leek of er een grijze wollen sok over je gezicht was getrokken.' Hij keek me aan. 'Maak je geen zorgen, Manny. Ik vaar al bijna veertig jaar op deze baai. Ik kan het nog in mijn slaap.'

'Oké.' Ik probeerde me te ontspannen en het aan Hobart over te laten, maar ik vind het altijd moeilijk de controle uit handen te geven. Het grootste deel van mijn leven ben ik de underdog geweest en wanneer de dingen zich dan tegen je keren, overleef je door heel goed op te letten. Zo merk je dingen op die de anderen ontgaan, je manipuleert de feiten en je gebruikt elk snippertje invloed en controle waarover je kunt beschikken. En wanneer je dat jaren hebt gedaan, hoe kun je dan nog gewoon in een vliegtuig stappen, gaan zitten en er blindelings op vertrouwen dat de piloten, het grondpersoneel, de luchtverkeersleiding en alle anderen weten waar ze mee bezig zijn en dat ze opletten? Hallo, hoeveel brandstof zit er in dit ding? Heb je dat gecontroleerd? Je hebt vanochtend een paar koppen koffie gedronken, voel je je wel goed? Wanneer het vliegtuig eenmaal in de lucht zit, is het daar echter te laat voor en kun je alleen maar op je stoel blijven zitten als een koe in een veewagen en je afvragen of dit nu de misstap is die jóu zal reduceren tot biefstuk en hamburgers. Ik zag hoe Hobart zijn boot bestuurde en hoe hij zijn hoofd een beetje schuin hield om naar de signalen en de misthoorns te luisteren die met hun treurige stemmen leken te roepen: 'Kom niet te dicht bij, man, er is hier iets dat je zal verslinden.' Ik dwong mezelf om me af te wenden. Blijf daar niet staan als een idioot, zei ik tegen mezelf, en houd op met stomme vragen stellen. Leid hem niet af, laat hem met rust. Maak je ergens anders druk om.

Hobart keek naar me en liet de boot naar rechts zwaaien. 'Manny?'

'Ja?'

'Heb je een horloge?'

'Nee, dat draag ik niet.'

'Jammer. Dan moet je tellen. Over dertig seconden zul je aan je rechterhand Friar's Rock zien.'

'O ja?' Ik probeerde hem te geloven, maar het lukte me niet. Ik telde en achtentwintig seconden later doemde het ding op uit de mist, de man in de granieten pij aan de voet van een klip.

'Stelt dat je gerust?'

'Trek het je niet aan,' antwoordde ik. 'Het zit in mijn aard om over details te tobben.'

'Ik heb gehoord dat je de Subaru total loss hebt gereden,' zei hij.

'Ja, dat klopt. Wat was hij waard, denk je?'

'Ach,' antwoordde hij en maakte een onverschillig handgebaar. 'Dat regelen we later wel.' Het kon hem niets schelen, dat klonk door in zijn stem. Misschien was hij naar zijn idee gewoon te oud om zich zorgen te maken over dergelijke triviale dingen.

De wind nam toe toen we Friar's Rock waren gepasseerd en toen we de grote open ruimte van de baai bereikten tussen Eastport en Lubec werd het zicht beter. Ik zag een zeehond opduiken in ons kielzog. Het leek wel of er een hoofd van een mens in het water dobberde. De donkere schaduw van het land schemerde door de mist heen en ik zag de werf van Eastport. Er schoot een bootje te voorschijn van achter de werf, zo te zien iets korter dan

Hobarts boot en heel wat sneller. Het was open, zonder kajuit, alleen voorzien van een bankje met een bedieningspaneel waarop het stuurwiel was bevestigd. Aan de achterkant zat een buitenboordmotor die een waaier van opspattend water achterliet. Er zat maar één man in de boot, maar hij kwam met hoge snelheid op ons af.

'Oh, verdomme,' zei Hobart. Hij gaf zoveel mogelijk gas en draaide het stuurwiel zodanig, dat we in noordelijke richting schoten, recht op de mistbank af die nog altijd over het water aan de Canadese kant hing.

'Wat nu?' vroeg ik.

'Denk je dat we het halen?' vroeg hij. Er klonk geen emotie door in zijn stem. Hij had net zo goed kunnen vragen of ik een kwartje kon wisselen.

'Dat we wat halen?' Ik had zitten dagdromen. Ik had naar het water zitten staren en gefantaseerd dat ik hier weg was en dat mijn problemen eindelijk voorbij waren. Ik was er niet met mijn gedachten bij.

'Die mistbank daar,' antwoordde Hobart. 'Daar moeten we in verdwijnen voordat wie het ook is in Hops boot ons inhaalt.'

'Houd je me voor de gek?'

Op dat moment hoorde ik het, een zoemend geluid alsof er een supersonisch insect langs kwam, boven ons hoofd. Er kwam geen knal achteraan. 'Wat heeft hij?' vroeg Hobart laconiek. 'Mijn ogen zijn niet meer wat ze zijn geweest. Kun jij het zien?'

Ik probeerde mezelf terug te sleuren naar de realiteit. 'Niet echt,' antwoordde ik met half dichtgeknepen ogen. Het was Rosey, dat zag ik wel. 'Iets halfautomatisch met een lange loop, een scherpschuttersgeweer denk ik. En ik heb geen lawaai gehoord, dus ik vermoed dat het een kaliber 22 is met een geluiddemper erop.'

Opnieuw klonk het geluid, maar deze keer eindigde het met een treffer toen de kogel een gat boorde in Hobarts windscherm dat tussen hem en mij in stond. 'Een verrekt goede schutter is hij wel,' zei Hobart nog steeds doodkalm. Hij keek me aan. 'Een verstandig man zou misschien omlaag duiken en zich wat kleiner maken.'

'Mij zal hij niet neerschieten. Als hij mij vermoordt, krijgt hij nooit wat hij wil hebben. Hij mikt op jou, één kogel en je bent er geweest, zo gebeurd. Waarom laat je mij niet sturen? Maak je zo klein mogelijk op de vloer, zodat hij je niet kan zien.'

Hobart haalde zijn schouders op. 'Kan me niet schelen,' zei hij.

'Nee, nee, dat wil ik niet. Duik op de vloer.'

'Oké, oké,' gaf hij toe. 'Maar het is geen vloer, het is een dek. Heb je iets van geschut meegenomen?' Hij ging opzij zodat ik het stuurwiel kon overnemen. Hij kreunde terwijl hij zich liet zakken.

'Ja,' antwoordde ik. 'Een poosje geleden heb ik ergens een pistool kaliber 45 opgeraapt, maar daar kan ik niets mee tot hij op ongeveer een armlengte afstand is gekomen. Ik had wat extra munitie moeten halen, want er zitten nog maar zes of zeven kogels in, geloof ik. Heb je ooit met een pistool geschoten?'

'Dat is lang geleden,' zei Hobart. Er vlogen nog een paar van die supersnelle bijen voorbij, maar deze keer links van ons. Ik vermoedde dat Rosey gewoon uit frustratie op ons schoot. Hij wilde me niet raken, maar hij had dat geweer in zijn handen en hij moest gewoon ergens op schieten. De mist begon zich weer om ons te sluiten en een ogenblik later kon ik noch Hops boot, noch de omgeving meer zien, maar nu was ik er blij om. Hobart liet me enkele minuten rechtdoor varen terwijl hij nauwkeurig op de stromingen lette. We leken een of andere waterscheiding te passeren en plotseling ging de stroming die de baai in rolde een andere kant op. Het water begon ons terug te duwen in de richting vanwaar we waren gekomen. 'Nu zullen we eens zien hoe slim hij is,' zei Hobart. 'Kalm aan met die gashendel.' Ik deed wat hij zei en het geluid van de motor verminderde tot een laag gebrom.

Ik kon de klootzak horen, maar ik vond het moeilijk om te bepalen waar het geluid precies vandaan kwam. Ongeveer vijf minuten lang dreven we rond in de grijze nevel. Hobart keek op zijn horloge en gluurde boven de neus van de boot uit. 'Hier moeten we de motor weer aanzetten,' zei hij. 'Anders komen we in die zalmenkooien daar terecht. Nu is de vraag: proberen we zo snel mogelijk naar huis te gaan of willen we ons doel bereiken? Die maat van je gaat sneller dan wij en bovendien, als we omkeren, weet hij waar we naartoe gaan. De kans is groot dat hij ons de pas afsnijdt voordat we daar aankomen. Als we doorgaan, vindt hij ons misschien, maar misschien ook niet. Of we kunnen proberen dit ding ergens op het strand te zetten en dan maken dat we wegkomen. Wat wil je doen?'

'Ik wil niet dat een van ons zijn leven erbij inschiet, maar ik wil dit ook heel graag afhandelen. Hoe groot is de kans dat we hem voorbij kunnen komen?'

'Laten we maar eens kijken wat we kunnen doen,' zei Hobart. 'Als we hem voorbij kunnen glippen, de Indian Road in, dan lukt het waarschijnlijk wel.'

Ik zag vierkante vormen opduiken in het water achter ons, een symmetrisch rasterwerk van lijnen die ruimtes van zeven tot tien meter afbakenden, met netten over de bovenkant, ongeveer zestig centimeter boven het water. De kooien zelf lagen onder het wateroppervlak en waren dus niet zichtbaar. In de kooien sprongen zilverachtige vormen van zo'n vijfentwintig centimeter lang heen en weer. 'Verdorie,' zei ik. 'Als ik een meeuw was, zou ik daar gaan zitten kwijlen.'

'Dan zijn meeuwen verstandiger dan jij,' merkte Hobart op. 'Die zitten niet te treuren over wat ze niet kunnen krijgen. Ze weten dat ze hier hun ontbijt niet kunnen halen, dus gaan ze ergens anders heen. Draai nu naar bakboord en geef gas. Nee, bakboord, verdomme, links. Je andere links. Dat is beter. Duw nu de gashendel weer omhoog.' Het vage gebrom van de buitenboordmotor van Hops boot veranderde van toon en werd luider.

'Ik geloof dat hij ons heeft gehoord.'

'Ik dacht niet dat hij doof was,' zei Hobart droog. We bleven uit de buurt van de zalmenkooien en ik begon mijn gevoel voor richting te verliezen, maar Hobart scheen te weten waar hij heen ging. We passeerden nog zo'n onzichtbare scheidslijn in het water en plotseling zaten we gevangen in een stroming die in tegenovergestelde richting ging. 'Zet de motor af,' zei Hobart. Ik trok de gashendel terug en we dreven weer.

'Je maakt gebruik van de stromingen,' zei ik. 'Jij weet waar ze zijn en waar ze heengaan en dat weet hij niet.'

Er verscheen een zweem van een glimlach op zijn gezicht. 'Als je niet snel bent, moet je slim zijn.'

Ik luisterde hoe het geluid van Hops buitenboordmotor sterker, dan zwakker en toen weer sterker werd terwijl Rosey over het water zigzagde in de hoop ons te vinden. We voeren door een stuk water waar veel zeevogels zaten te fourageren. Zelfs met een gek als Rosey heen en weer scheurend over de baai op jacht naar mij, bleef de vertrouwde nieuwsgierigheid kriebelen. 'Wat eten ze daar?'

Hobart wierp een blik over de zijkant van de boot. 'Jonge haringen,' zei hij.

'Wat zeg je?'

'Jonge haringen.' Hij hield zijn duim en zijn wijsvinger zo'n tweeënhalve centimeter van elkaar. 'Zo groot ongeveer. Meestal krijgen we ze hier als ze al zo'n vijftien tot twintig centimeter groot zijn.'

Toen ik goed keek, kon ik ze zien, als kleine snelle vlekjes maanlicht in het koude water. 'Dat zijn baby-haringen.'

'Precies.' Hij hield zijn hoofd schuin en luisterde naar de buitenboordmotor. 'Houd dat pistool klaar, jongen.' We zagen de boot echter niet – blijkbaar was Rosario net even te vroeg van koers veranderd en het geluid werd weer zwakker.

'Netjes,' zei ik tegen Hobart.

'Tot nu toe wel,' antwoordde hij. 'Wanneer we bij de Indian Road komen, moeten we de motor echter weer aanzetten. Als we hem dan nog niet kwijt zijn, wordt het misschien een ander verhaal.'

'Kunnen we ons niet ergens verstoppen in een grot of zo en daar wachten tot hij het opgeeft of tot hij geen brandstof meer heeft?'

'Wel,' zei Hobart en er lag een wereld van twijfel in dat ene woord. Hij keek naar de lucht. 'Deze mist is niet hardnekkig genoeg. Hij zal weldra optrekken.'

'Oh, verdomme.'

'Zeg dat wel. Het lijkt erop dat die maat van je een volhouder is. Ik denk dat jij niet de enige bent die vindt dat de spanning lang genoeg heeft geduurd.'

We bleven nog zo'n twintig minuten ronddrijven. Hobart liet me één keer de motor starten om ons terug te brengen in de juiste stroming en we luisterden samen naar Rosey's wilde zoektocht. De hemel boven ons werd onmiskenbaar lichter en af en toe brak de zon zelfs even door. Een briesje rukte aan het tere weefsel van de mistflarden. 'Hier moeten we draaien om in de Indian Road te komen,' zei Hobart. 'Het is nu of nooit.'

Plotseling hoorde ik op korte afstand voor ons een geluid dat ik nog nooit eerder had gehoord. Een soort kruising tussen een waterval en een cementmolen, een keihard gebrul van water met een knarsende toon erdoor die je niet zou associëren met iets vloeibaars. 'Wat is dat in hemelsnaam?'

'Zet de motor aan, jongen, zet de motor aan. Draai sterk naar stuurboord. Dat is de Old Sow en dichter moeten we daar niet bij komen.' We gingen iets vooruit tegen de stroming in, maar ik voelde het trekken van de draaikolk, onzichtbaar in het water achter ons. Voor ons uit zag ik Hops boot door de dunner wordende grijze nevel snijden. Hij was al verder in de Indian Road dan wij. Rosario, die het stuurwiel in zijn handen had, draaide zich om en keek in onze richting. Waarschijnlijk was het mijn verbeelding, want hij was eigenlijk te ver weg om dat te kunnen zien, maar ik zweer dat ik hem zag grijnzen. Ik denk dat hij van de hele situatie genoot, ik geloof dat hij het heerlijk vond alles in de waagschaal te stellen en ervoor te gaan. Hops boot helde scherp over en kwam terug in onze richting.

'Blijf laag. Als hij je neerschiet, vind ik nooit mijn weg terug.' Ik veranderde een klein beetje van koers, richtte het pistool, en schoot. De terugslag duwde de loop omhoog. De knal van het wapen klonk hard genoeg, maar het geluid werd verzwolgen door de grote ruimte. Ik richtte opnieuw en schoot nog een keer. Ik betwijfel of ik iets raakte, maar Rosey wendde zich even af. Ik denk dat hij over de zaak na wilde denken.

Hobart liet me met de motor afremmen tot we net tegen de stroming opkonden. Hij keek naar het pistool in mijn hand en dacht na. 'Kun je goed met zo'n ding omgaan?'

Ik schudde mijn hoofd. 'Als ik iets raak, is dat puur toeval.'

'Hmmm.' Hij keek weer naar Hops boot. 'Heb je het gevoel dat het je geluksdag is?' vroeg hij.

'Hoe bedoel je?'

Hobart keek me aan en schudde zijn hoofd. 'Wel, ze zeggen dat ik een onbesuisde oude gek ben,' zei hij droog. 'En jij? Hoeveel geluk heb jij de laatste tijd?'

Toen begreep ik wat hij bedoelde en ik keek naar de kolkende stroming achter ons. 'Het is vloed, klopt dat? Wil je spelen wie het eerst bang is? Prima. Laten we eens kijken hoeveel lef hij heeft.'

'Laat mij het stuurwiel maar weer nemen, jongen.' Hij klauterde overeind en ik ging pal achter hem staan, zodat Rosario hem niet kon raken zonder mij eerst te treffen. Hobart grijnsde.

'Je bent werkelijk een onbesuisde oude gek. Eigenlijk vind je dit prachtig, nietwaar?'

'Voel jij je bloed soms niet krachtiger door je aderen stromen?' vroeg hij.

'Nee.' Ik moest rekening houden met Nicky en ik merkte dat ik niet meer zo dol was op risico's nemen als vroeger. Rosey vuurde weer op ons, we hoorden de kogels langs onze hoofden fluiten. Hobart draaide de boot opnieuw, maar hij liet de neus niet precies in de richting van de stroming wijzen, hij ging er schuin overheen, verder de baai in. Dit kostte ons iets van onze voorsprong en Rosey haalde ons snel in. Hij schoot nog twee keer op ons en ik zorgde wel dat ik tussen Hobart en Rosey bleef.

'Zet het hem betaald,' zei Hobart. 'Geef hem iets om over na te denken.' Ik richtte zo goed als ik kon en schoot, maar Hobarts boot maakte vreemde, glijdende bewegingen, als een auto die zijn grip verliest op een bevroren weg. Rosario veranderde van richting, waarschijnlijk probeerde hij parallel met ons te komen. Ik twijfelde er geen seconde aan dat hij Hobart en Franklin zou vermoorden, maar mij kon hij niet doden voordat hij zijn geld had. Dat was althans de theorie, maar met Rosario wist je het nooit. 'Spaar je laatste kogels,' zei Hobart.

'Wil jij het proberen?'

Hij schudde zijn hoofd. 'Hoeft niet, maar wacht gewoon even.'

'Oké.' Rosario was nu een stuk dichterbij, misschien zo'n dertig meter rechts van ons en ruwweg op gelijke hoogte, terwijl we in westelijke richting gingen. Achter hem zag ik Deer Island, koel en groen, nu met een vleugje grijs in de lucht boven de boomtoppen. Rosey minderde zijn snelheid. Waar hij zich bevond, ging de stroming naar de rivier toe en waar wij ons bevonden, ging hij in de tegenovergestelde richting. Hobart hield de neus van de boot tegen de stroming in en we worstelden om vooruit te komen. Er liep een streep van schuim in het water langs Hops boot die de scheiding tussen de twee stromingen aangaf. Ik keek Hobart aan. 'Het ziet ernaar uit dat hij je truc tegen je gebruikt.'

Hobart glimlachte weer. 'Misschien,' zei hij. 'We konden hem toch niet voorblijven. Zoals ik al zei, als je niet snel bent, moet je slim zijn.'

Rosey brulde over het water dat ons scheidde heen. 'Mohammed,' schreeuwde hij. 'Ik wil wat me toekomt. Jij gaat met me mee, dan kan hij die debiel ophalen en hem naar huis brengen.'

Ik keek naar Hobart. 'Zijn we slim genoeg geweest?'

'Ja,' antwoordde hij. Toen zag ik waar hij op had gewacht. Het water tussen de twee boten kolkte angstaanjagend en er verscheen een bult van water achter Hops boot. Deze zwol aan tot een hoogte van bijna twee meter en een breedte van drie of vier meter. Rosey schrok en gaf een stoot gas om weg te komen, dichter naar ons toe, maar plotseling werd duidelijk dat dat de verkeerde keuze was. De stroming greep hem, wervelde hem rond en duwde hem een lange boog van water binnen die hem tot een meter of zes bij ons vandaan zou brengen. In het midden van die boog verdween echter plotseling het water. Ik bedoel, het zakte gewoon weg, zodat er ineens een gat in het water zat. Binnen tien seconden werd dit gat wel twaalf meter breed. Ik hoorde weer dat knarsende gebrul, onaangenaam dichtbij deze keer, waar het insectachtige gezoem van Hops buitenboordmotor maar nauwelijks bovenuit kwam. Tegen de tijd dat Rosey de neus van zijn boot naar buiten had gericht, gleed hij al over de rand van het gat. 'Sodeju!' zei Hobart.

Het monster trok echter ook aan ons. Terwijl ik naar Hops boot stond te kijken, was Hobart van richting veranderd. Hij had de gashendel helemaal naar voren geduwd, maar toch leken we achteruit te gaan. Rosario kwam één keer dichtbij, in elk geval dichtbij genoeg om zijn gezicht te zien, dat bleek en vertrokken was van angst. Hij leek echter terrein te winnen, het zag ernaar uit dat de Old Sow hem toch nog zou laten gaan. 'Misschien lukt het hem nog ook,' zei Hobart. 'Als hij eruit komt, hebben wij een probleem.'

'Misschien.' Toen Rosey ons opnieuw passeerde, richtte hij zijn wapen regelrecht op mij. Hij wilde mijn gezelschap op weg naar de hel, denk ik. Hij vuurde, maar de Old Sow trok aan Hops boot, zodat de kogel zijn doel miste en vlak langs mijn hoofd floot. Ik richtte mijn kaliber 45 en vervloekte mezelf omdat ik nooit had leren schieten. Ik schoot nog eens twee kogels af. Ik mikte op de buitenboordmotor, maar ik weet niet of ik hem raakte. In elk geval zag ik geen brokstukken door de lucht vliegen, zoals je altijd in films ziet. Toch moet het een toevalstreffer zijn geweest, want Hops motor sputterde en viel stil, zodat de boot langzaam teruggleed over de rand van de kolk.

De Old Sow ging langzaam stroomafwaarts. Ik zag Rosey uit Hops boot vallen, ik zag zijn vertrokken gezicht en zijn wijdopen mond, maar ik hoorde hem niet schreeuwen. Alles wat ik hoorde, was het knarsen van de Old Sow. Na een minuut begon Hobarts boot zich in de richting van de tegenoverliggende oever te bewegen. Het geluid werd vager naarmate de draaikolk verder stroomafwaarts dreef en plotseling leek het gat in het water kleiner te worden tot het zich weer helemaal had gesloten. Het geluid kwam echter weer terug terwijl de Old Sow zich zo'n dertig meter achter ons opnieuw formeerde. Rosario en Hops boot waren verdwenen, verslonden alsof ze er nooit waren geweest. De baai ging zijn gang zoals hij dat al duizenden jaren deed.

'Hij is nog niet klaar,' merkte Hobart op. 'Jezus, dat was de grootste die ik ooit heb gezien. Laten we maken dat we hier wegkomen.'

'Mijn idee.' Ik veegde het pistool van de Rus af aan mijn shirt en smeet het in het water.

14

Ik denk dat alles er stralend uitziet wanneer de kogel met jouw naam erop langs je oor is gevlogen zonder je te raken. De zon kwam tevoorschijn en loste de rest van de mist op toen Hobart zijn boot naar de Indian Road stuurde. Ik wist niet meer waar ik naar keek, eilanden, het vasteland, een rivier, een baai, de zee, wat dan ook, het maakte me niets uit. Ik probeerde zelfs geen vogels meer te herkennen, ik keek alleen maar. Het geluid van mijn ademhaling weerkaatste in mijn lege hoofd, ik had geen woorden voor vragen of opmerkingen. Er stonden enkele huisjes, hutten eigenlijk, langs de kust die we passeerden. Elk huis zag er in mijn ogen weer mooier uit dan het vorige. Hoe kon iemand die op zo'n plek woonde ooit ongelukkig zijn? Op dat moment leken het land, de bomen, de rotsen, de vogels, de vissen en zelfs Hobarts kreeftenboot met het gat in het windscherm nog het meest op een schilderij in een museum of op iets uit een droom, want hoe kon iets in het echte leven zo volmaakt zijn?

Hobart laveerde ons langs een smalle, met rotsen afgezette strook van de zee binnen. Hoog op een richel, niet ver van de boomgrens, stond een A-vormige hut. Er was een korte houten steiger gebouwd van wat nog het meest leek op een verzameling oude telefoonpalen, zwart verrot en overdekt met zeewier en aangroeisels. Op een van de palen zat een zilvermeeuw. Ik geloof dat het een zilvermeeuw was, echt zeker wist ik het niet, maar hij wees met zijn snavel naar de hemel en schreeuwde toen hij ons zag. 'Ga weg,' riep hij vermoedelijk. 'Ga weg en laat ons met rust.' We kwamen echter toch. De meeuw spreidde zijn vleugels, sprong omhoog en werd meegevoerd door de wind. Zonder ook maar één keer met zijn vleugels te klapperen, zeilde hij weg.

Hobart legde zijn boot vast naast een houten ladder die tegen een van de palen was gespijkerd. 'Denk je dat je me nodig hebt?' vroeg hij. Voor kogels en draaikolken was hij niet bang, maar schijnbaar wilde hij liever niet op die steiger klimmen.

'Als ik je nodig heb, roep ik wel.'

Terwijl ik van de steiger naar de hut liep, vroeg ik me af wat het zou kosten om deze plek te kopen. Ik bleef zelfs staan en keek achterom over het water. Waarom kun je nu nooit op zo'n plek blijven? Je krijgt niet meer dan een ogenblik, af en toe, en wanneer dat ogenblik voorbij is, blijf je achter met die knagende pijn, met die hunkering. Wat zou er echter gebeuren, vroeg een stem in mijn binnenste, wat zou er gebeuren als iedereen een dergelijke plek vond en er nooit meer wegging?

Oké, maar wat moest er eigenlijk gebeuren?

Franklin zat vastgebonden op een stoel midden op de vloer van de A-vormige hut. Hij kronkelde ongemakkelijk toen hij me zag. 'Jezus, Franklin, wat ben ik blij je te zien.'

'Niet vloeken, Manny,' zei hij, totaal niet verbaasd me te zien. 'Vloeken is niet netjes. Schiet op, ik moet plassen.'

Franklin leek de boottocht niet zo prettig te vinden, want hij ging zitten en klampte zich de hele tijd hardnekkig vast. Het was al een hele opgave hem die ladder af en Hobarts boot in te krijgen. 'Hoe gaat het, Franklin?' vroeg ik hem. 'Hoe voel je je?'

Hij keek me ongeveer een halve seconde aan. 'Hoofdpijn,' antwoordde hij.

'Laat me eens kijken,' zei ik. 'Laat me eens kijken waar hij je heeft geraakt.' Franklin stak zijn kin omhoog zodat ik die kon inspecteren. 'Ik geloof dat het niet eens blauw zal worden, Franklin.'

Hobart grinnikte. 'Hij is zo hard als een stuk hout,' zei hij. Onderweg haalden we eerst Louis en Nicky op. Ik wilde dat Nicky met eigen ogen zag dat Franklin niets mankeerde. Ik wilde hem niet de komende tien jaar steeds opnieuw hoeven geruststellen op dat punt. Ik weet niet welke band ze hadden, ze zeiden niet veel, ze zaten gewoon naast elkaar achter in de auto. Nicky vroeg Franklin dingen op een gedempte toon zodat ik het niet kon verstaan en Franklin klopte hem op zijn schouder en gaf antwoorden van één woord. Nicky leek nog steeds wat overstuur, maar misschien was dat omdat hij wist dat we weg zouden gaan. Dat was tenminste mijn plan. Ik wist nog niet wat Bookman daarvan zou denken.

Ik belde zijn kantoor met mijn mobiel en liet een boodschap achter dat ik Franklin had gevonden en dat ik op weg was naar zijn huis. Hij was er eerder dan wij en stond samen met zijn vrouw buiten bij de achterkant van de politieauto. Die stomme hond begon alweer in cirkels te rennen en te blaffen zodra hij me de oprit op zag komen.

Bookmans vrouw haastte zich naar ons toe en sloeg haar armen om Franklins nek. Ze barstte in tranen uit tegen zijn schouder, zodat hij niet wist waar hij moest kijken van verlegenheid. 'Ma,' zei hij. 'Alles is oké.' Ze liet hem los en omhelsde Nicky en mij ook.

'Dat is de tweede keer dat je mijn zoon bij me terug hebt gebracht,' zei ze. 'Ik dank je uit de grond van mijn hart. Dank je.' Ze rook heerlijk. Ik kon me niet herinneren dat iemand me ooit zo had omhelsd.

Bookman slenterde naar ons toe. 'Weet je al waar jullie tweeën nu heengaan?'

'Niet precies. Ik denk Canada.'

'Dat is waarschijnlijk het verstandigst,' antwoordde hij. 'Je kunt echter beter niet de grens oversteken in Calais. Er is nog een andere overgang, niet ver hier vandaan. Het is een rustige weg die door niemand wordt gebruikt, alleen door de plaatselijke bevolking. De douanebeambte staat niet eens op uit zijn stoel, hij wuift je gewoon door. Wacht even, dan schrijf ik de route voor je op.' Hij keek me een paar seconden aan met die nietszeggende blik op dat kalme gezicht van hem. Daarna draaide hij zich om en liep weg om pen en papier te halen.

Ik nam afscheid van Louis terwijl Bookman binnen was. Het deed me meer pijn dan ik ooit eerder had ervaren. Ik wist niet wat ik moest zeggen, ik wist zelfs niet of ik wel iets kon zeggen. Louis nam mijn hand in zijn beide handen, net als hij had gedaan toen ik hem het geld gaf. Hij kneep stevig in mijn hand. 'Het komt wel in orde, Manny,' zei hij. 'Zorg goed voor die knul van je.'

'Zeg Eleanor gedag van mij.' Ik herkende het geluid van mijn eigen stem niet. 'Zeg haar, ik weet niet... Zeg haar dat Nicky en ik haar zullen missen. Zeg haar dat we haar zullen schrijven wanneer we onze bestemming hebben bereikt. Oké?' Ik moest slikken. 'Zeg haar dat het met iedereen goed is afgelopen.'

Hij knikte en draaide zich om. Ik veegde mijn gezicht af met mijn shirt.

Bookman had gelijk, de douane wuifde ons door. Ik stopte in St. Stephen, de eerste stad aan de Canadese kant, om een kaart te kopen. Het leek een lange rit naar Montreal en zelfs nog een langere naar Vancouver, maar ik had alle tijd. Mijn bankpasje werkte nog en dus hadden we geld voor benzine. Dat zette me aan het denken en daarom keerde ik om en reed terug naar St. Stephen. Ik gebruikte de computer in de bibliotheek om een paar dingen na te kijken. Er was een e-mail van Buchanan en ik zag op het nieuws dat het College ter beoordeling van Medicijnen een nieuw medicijn tegen erectiestoornissen had goedgekeurd. De daaropvolgende week zag ik mijn aandelen omhoog schieten. Elke keer wanneer ik een gelegenheid vond om op internet te kijken, stopte ik. Nicky had er geen problemen mee. Op een dag vond ik een motel met een overdekt zwembad en Nicky dacht dat hij regelrecht in het paradijs was beland. Al zijn zorgen leken vergeten en hij deed zijn uiterste best ons allebei te verdrinken.

Goed beschouwd heb ik ten slotte toch gewonnen. Rosario heeft verloren, dat is in elk geval duidelijk. Dat komt echter niet omdat ik slimmer was. Als ik heb gewonnen, dan komt dat omdat enkele mensen zich om mij bekommerd hebben, me in huis hebben genomen en me hebben geholpen. Louis en Eleanor, Bookman, mevrouw Johnson, Hobart... Rosario vond slechts aansluiting bij één man, Hopkins, en alles wat dat hun heeft opgeleverd, is ellende. Misschien red je het in dat deel van de wereld niet alleen. Misschien heb je hulp nodig.

Ik ben er nooit in geslaagd die blokhut uit mijn hoofd te zetten, dat A-vormige ding aan de kust van Deer Island. Die plek had iets, ik voelde daar iets wat ik sindsdien nooit meer heb gevoeld. Misschien was het alleen het moment, ik weet het niet. Zo gaat het in het paradijs, vermoed ik. Wanneer je er bent, waardeer je het niet en begrijp je niet dat je op een dag zult moeten vertrekken. En wat de toegangsprijs is, ontdek je pas nadat ze je eruit hebben gesmeten.